普通高中新课程教学指导丛书

高中**生物**新课程理念与教学实践

张可柱　张祥沛　主编

商　务　印　书　馆
2006年·北京

图书在版编目(CIP)数据

高中生物新课程理念与教学实践/张可柱,张祥沛主编．—北京:商务印书馆,2006
(普通高中新课程教学指导丛书)
ISBN 7-100-04603-3

Ⅰ.高… Ⅱ.①张…②张… Ⅲ.生物课—课堂教学—教学研究—高中 Ⅳ.G633.912

中国版本图书馆 CIP 数据核字(2005)第 082719 号

所有权利保留。

未经许可,不得以任何方式使用。

GĀOZHŌNG SHĒNGWÙ XĪNKÈCHÉNG LǏNIÀN YǓ JIÀOXUÉ SHÍJIÀN
高中生物新课程理念与教学实践
张可柱 张祥沛 主编

商 务 印 书 馆 出 版
(北京王府井大街36号 邮政编码 100710)
商 务 印 书 馆 发 行
北京瑞古冠中印刷厂印刷
ISBN 7-100-04603-3/G·707

2006年4月第1版	开本 787×960 1/16
2006年4月北京第1次印刷	印张 20
印数 5 000 册	

定价:26.00元

普通高中新课程教学指导丛书
编委会

主　编　王景华

副主编　张显双　高洪德

编　委　（以姓氏笔画为序）

　　　　王景华　王怀兴　王绍谦　孔令鹏
　　　　厉复东　米海峰　李　东　宋树杰
　　　　张显双　张可柱　周家亮　姜建春
　　　　侣英超　高洪德　韩际清

高中生物新课程理念与教学实践

主　编　张可柱　张祥沛

编　者　（以姓氏笔画为序）

　　　　上官士栋　王传文　张可柱　张祥沛
　　　　姜元祥　　姜剑锋　郭永峰　密守军
　　　　樊庆义　　燕　艳

《普通高中新课程教学指导丛书》
前　　言

　　教育部发出通知,从 2004 年秋季开始进行普通高中新课程实验。新的普通高中课程方案适应社会和时代发展的要求,旨在推进教育创新,努力构建具有中国特色、充满活力的普通高中课程体系,为造就高素质劳动者、专门人才和拔尖创新人才打下基础。与建国以来历次普通高中课程改革相比,这次课程改革的力度最大。首批进入新课程实验的地区面临空前的挑战。

　　高中课程改革是一项系统工程,涉及课程目标、课程结构、课程内容和课程管理等方方面面。这种变革反映了当今经济全球化、文化多元化、社会信息化的时代特点,体现了世界教育发展的趋势,顺应了人民群众对优质高中教育的需求。历史经验告诉我们,教育的任何变革关键在于实施。教师是教育教学的主要参与者和具体实施者,课堂是实施教育教学的主要舞台。课程改革理念如不能转化为教师的教学行为并体现于课堂,再理想的课程改革都不会成功。让新理念走进课堂,融于教师和学生教与学的实践,比推出新的理念更加富有创造性,任务也更加艰巨。

　　改革是一个全新的过程,有很多东西需要花大力气学习。但对新课程的学习不能止于理解、认同或接受,更重要的是用心去感悟、内化,并且需要创造。改革过程中会遇到这样那样的困难和问题,需要教师来克服和解决。因此,应该对参与课改的教师给予充分的理解和支持,尽可能多地为教师提供服务,采取切实措施帮助教师提高自身素质,引领教师摆脱旧的教学观念的束缚,准确把握新课程标准的结构特点、思想体系以及精神实质,减少从观念到行为的落差。

　　在首批实验区进入课改之际,为了帮助参与实验的高中教师积极有效地应对课程改革的挑战,为大家提供课程改革的理论引领和实践示范,促进教师的专业成长,山东省教学研究室在开展大量调查研究和教学实验的基础上,联合全国知名专家学者、基层教研人员和骨干教师,编写了这套高中新课程教学指导丛书。本丛书据事实说理论,从课例看观念,努力实现三个目标:介绍新的课程理念;探索实施新课程的有效途径与方法;提供新课程教学实践案例。

　　本丛书有三个方面的特色。一是理念的阐述通俗易懂。编者从一线教师的实际需要出发,深入浅出地介绍了新的课程理念,使广大教师能够轻松地理解新课程"是什么"、"为什么";二是对蕴涵新理念的教学要素以及各教学要素如何体现新理念进行了深入探讨,帮助教师们掌握新课程教学理论及其运用方式,解决好"做什么"的问题;三是有大量承载新课程理念的鲜活案例。教师们通过这些案例,可真切地感受到如何把课程理念转化为教学行为,解决好"怎么做"的问题。相信丛书对教育教学工作者和广大教师们学习和实践新课程会有切实的帮助。

　　我们希望,广大教师在实施新课程的伟大实践中,不断提高自身素质,不断升华教师的职业生命,为构建有中国特色的基础教育课程体系,全面提高普通高中教育质量,全面推进素质教育作出新的贡献。

编　者

2004 年 7 月

目 录

上篇　高中生物新课程理念 ·· 1

第一章　我国基础教育课程改革的背景与目标 ·· 3
　　第一节　我国基础教育课程改革的背景 ·· 3
　　　　一、社会经济文化背景 ·· 3
　　　　二、加入 WTO 对我国教育的影响 ··· 7
　　　　三、世界各国课程改革及对我国基础教育改革的影响 ···················· 8
　　　　四、我国基础教育的现状分析 ··· 13
　　第二节　我国基础教育课程改革的目标 ·· 15
　　　　一、我国基础教育课程改革的总体目标 ·· 15
　　　　二、我国基础教育课程改革的具体目标 ·· 16

第二章　高中生物新课程理念与目标 ··· 21
　　第一节　高中生物新课程的基本理念 ·· 21
　　　　一、提高生物科学素养 ·· 21
　　　　二、面向全体学生 ·· 26
　　　　三、倡导探究性学习 ·· 28
　　　　四、注重与现实生活的联系 ·· 30
　　第二节　高中生物新课程的目标 ·· 31
　　　　一、高中生物新课程的总目标 ··· 31
　　　　二、高中生物新课程的具体目标 ··· 32
　　　　三、高中生物新课程目标的特点及对教师提出的新要求 ············ 33

第三章　高中生物新课程的内容 ··· 35

第一节 高中生物新课程内容设计的思路 ………………………… 35
第二节 高中生物新课程内容简介 …………………………………… 37
　一、必修部分 ……………………………………………………… 37
　二、选修部分 ……………………………………………………… 48

第四章 高中生物新课程的学习方式 …………………………………… 56
　第一节 学习的基本理论 …………………………………………… 56
　　一、认知学习理论 ……………………………………………… 56
　　二、建构主义学习理论 ………………………………………… 57
　　三、人本主义学习理论 ………………………………………… 57
　第二节 探究性学习 ………………………………………………… 58
　　一、探究性学习的界定 ………………………………………… 58
　　二、生物课程探究性学习的设计 ……………………………… 62
　　三、生物课程探究性学习的实施 ……………………………… 76
　　四、生物课程探究性学习评价体系的建立 …………………… 87
　　五、生物课程实施探究性学习的局限性及需要注意的问题 … 89

第五章 高中生物新课程管理与资源 …………………………………… 94
　第一节 高中生物新课程管理 ……………………………………… 94
　　一、高中生物新课程的管理理念 ……………………………… 95
　　二、我国现行的教学管理制度及改革 ………………………… 98
　　三、高中生物新课程的管理策略 ……………………………… 100
　第二节 高中生物新课程资源 ……………………………………… 103
　　一、生物课程资源概述 ………………………………………… 103
　　二、生物课程资源的开发 ……………………………………… 106

下篇 高中生物新课程的教学理论与实践 ………………………… 115

第六章 高中生物新课程的教学设计 …………………………………… 117
　第一节 教学设计概述 ……………………………………………… 117
　　一、教学设计的理论基础 ……………………………………… 118

二、教学设计的作用 …………………………………… 118
　　三、教学设计的原则 …………………………………… 118
　第二节　新课程对教学设计提出的要求 …………………… 119
　　一、要充分体现新课程的基本理念 …………………… 120
　　二、应整体把握教学活动的结构 ……………………… 120
　　三、要突出创新精神与实践能力的培养 ……………… 121
　　四、应依据学科特点和知识类型 ……………………… 122
　　五、要适应学生的学习心理和年龄特征 ……………… 123
　第三节　高中生物新课程教学设计的基本环节与模式 …… 124
　　一、高中生物新课程教学设计的基本环节 …………… 124
　　二、高中生物新课程教学设计的基本模式 …………… 127
　第四节　高中生物新课程课堂教学设计案例 ……………… 129
　　一、教案编制应注意的问题 …………………………… 130
　　二、教学案例 …………………………………………… 130

第七章　高中生物新课程的教学模式 ………………………… 140
　第一节　教学模式概述 ……………………………………… 140
　　一、教学模式的含义 …………………………………… 140
　　二、教学模式的构成要素 ……………………………… 141
　　三、生物课程教学模式的特点 ………………………… 143
　第二节　高中生物新课程的基础教学模式 ………………… 144
　　一、新授课 ……………………………………………… 144
　　二、实验课 ……………………………………………… 148
　　三、复习课 ……………………………………………… 151
　第三节　高中生物新课程的拓展教学模式 ………………… 154
　　一、活动课 ……………………………………………… 154
　　二、研究性学习 ………………………………………… 159
　　三、综合能力培养 ……………………………………… 162
　　四、现代信息技术与生物教学的整合 ………………… 167

第八章 高中生物新课程的教学实施 ················ 172
第一节 高中生物新课程的教学原则 ················ 172
一、主体性原则 ································ 172
二、发展性原则 ································ 173
三、创新性原则 ································ 173
四、开放性原则 ································ 173
五、民主性原则 ································ 174
六、问题原则 ··································· 174
七、活动性原则 ································ 174
八、激励性原则 ································ 175
九、综合性原则 ································ 175
第二节 高中生物新课程的教学策略 ················ 175
一、基于教学内容的教学策略 ···················· 176
二、探究性学习的教学策略 ······················ 203
第三节 高中生物新课程的教学方法途径 ············ 213
一、组织好探究性学习 ·························· 213
二、加强实验与其他实践活动的教学 ·············· 216
三、落实科学、技术、社会相互关系的教育 ········ 217
四、注重学科间的联系 ·························· 218
五、注重生物科学史的学习 ······················ 225

第九章 高中生物新课程的评价 ······················ 237
第一节 高中生物新课程评价的改革方向 ············ 237
一、评价的含义 ································ 237
二、评价的定位 ································ 238
三、评价的发展趋势 ···························· 239
第二节 高中生物新课程的学生评价 ················ 239
一、关于学生评价改革的几个问题 ················ 239
二、高中生物新课程教学中的学生评价 ············ 248

第三节　高中生物新课程的课堂教学评价(教师评价) …………… 252
　　一、高中生物新课程课堂教学评价的基本理念 ………………… 252
　　二、高中生物新课程课堂教学评价的原则 ……………………… 253
　　三、高中生物新课程课堂教学评价的依据 ……………………… 254
　　四、高中生物新课程课堂教学评价的指标体系 ………………… 255
第四节　高中生物新课程的教材评价 …………………………………… 259
　　一、国内外中学生物教材的发展趋势 …………………………… 260
　　二、对我国中学生物新课标教材建设的认识 …………………… 262
　　三、普通高中课程标准实验教科书《生物》(中图版)编写目的、
　　　　指导思想及其特色 …………………………………………… 266

第十章　高中生物新课程改革与教师的关系 ……………………………… 274
　第一节　新课程对教师提出的挑战 …………………………………… 274
　　一、教师角色的转变 ……………………………………………… 274
　　二、师生关系的重构 ……………………………………………… 278
　　三、新课程对教师素质的要求 …………………………………… 280
　第二节　新课程背景下教师专业发展的途径 ………………………… 293
　　一、生物教师专业发展的有效途径 ……………………………… 293
　　二、坚持自我更新,促进自我专业发展,与课程改革一起成长 …… 299

主要参考文献 ………………………………………………………………… 301
后记 …………………………………………………………………………… 303

上篇
高中生物新课程理念

第三
金融業界構成の要因

第一章
我国基础教育课程改革的背景与目标

第一节 我国基础教育课程改革的背景

新中国成立以来,我国先后进行了七次课程改革,每一次都取得了历史性的成就,特别是《中华人民共和国义务教育法》颁布后的课程改革,增加了"选修课"、"活动课",初步改变了多年来只有必修课的模式,引入了地方课程,初步改变了国家对课程管理过于集中的状况,形成了我国基础教育课程的现行体系。随着我国改革开放和社会主义现代化建设进入新的时期,面对科学技术日新月异的发展,这套课程体系存在的问题和弊端明显地凸显出来。

1999年6月,《中共中央国务院关于深化教育改革全面推进素质教育的决定》提出,要"调整和改革课程体系、结构、内容,建立新的基础教育课程体系"。2001年6月,《国务院关于基础教育改革与发展的决定》进一步明确了"加快构建符合素质教育要求的基础教育课程体系"的任务。为贯彻全国基础教育工作会议的精神,扎实推进素质教育,在党中央、国务院的直接领导下,教育部于1999年5月启动了第八次课程改革。

这次改革,步伐之大、速度之快、难度之大,都是前七次改革所不可比拟的。它将使我国中小学课程从学科本位、知识本位转向关注每一个学生的发展,实现历史性转变。成千上万的教育工作者正以高度的历史责任感和极大的热情投入到这场改革潮流之中,相信它必将对我国基础教育乃至整个教育的发展产生深远的影响。

一、社会经济文化背景

首先,基础教育课程改革是我国教育界面对新世纪社会发展的要求而采取的一项重要举措。伴随新世纪的到来,人类正在步入一个崭新的以智力资源的占有、配置,知识的生产、分配、使用(消费)为重要因素的经济时代,即知识经济时代。知识经济是以知识为基础的经济,这种经济的内核是知识,外壳是对知识的运用和把握。在知识经济时代,科学技术日新月异,国际竞争日趋激烈,社会信息化、经济全球化发展迅速,常规的生产要素——土地、劳动力、原料和资本等,其重要性日趋下降,取而代之的符号化知识的重要性却在与日俱增。新的英雄不再是某个蓝领工人、某个金融家或经理,而是把知识同行为结合起来的想像力丰富的创新者。可见,知识经济的兴起使得劳动者的素质,尤其是劳动者的创新精神和实践能力成为影响国力强弱、影响整个民族生存状况的基本因素。

(一)社会发展和科技进步

对当代社会发展的特征做出准确的概括并非易事,在这里,我们只谈对当前世界各国教育发展产生重要影响的几个时代发展的特征。

1.初见端倪的知识经济

肇始于第二次世界大战后期的新技术革命,对人类的生产、文化乃至社会生活等各个方面都产生了深刻的影响,并预示着人类发展新时代的到来。1996年,联合国经济合作与发展组织(OECD)在其发表的《科学、技术和产业展望》这一报告中,正式使用了"知识经济"这一概念。此后,"知识经济"一词便成为人们耳熟能详的概念。

知识经济是相对于人类曾经经历过的农业经济、工业经济而言的,是人类生产方式的又一次重大变革。从20世纪80年代起,由于知识已经成为最重要的生产要素,其对于经济增长的贡献率已经超过其他生产要素贡献率的总和,因此,人们把21世纪称为知识经济时代。知识经济是建立在知识的生产、分配和使用之上的经济,因此,知识对于经济发展的意义相当于农业经济时代的土地、劳动力,工业经济时代的原材料、工具、资本,而成为经济发展的直接资源。

在知识经济时代,劳动者的素质和结构将发生重大变化,知识劳动者将取代传统的产业工人。所谓知识劳动者,主要是指从事知识和信息的收集、处理、加工和传递工作的劳动者。此外,在知识经济时代,科学技术的不断更新将改变"文盲"这一概念的传统内涵,"文盲"一词将不再单纯指没有文化、知识的人,而是指不能继续学习,不能更新自己的知识、技能的人,正是在这个意义上,有人也把知识经济称为"学习经济"。

初见端倪的知识经济,在向我们提出严峻挑战的同时,也向我们提供了难得的机遇,即所谓挑战与机遇并存。如果我们能够很好地抓住人类生产方式转变这一历史性的机遇,我们就可以尽快地缩小与发达国家的差距,甚至超越它们。在人类发展的历史上,曾经有过这样的先例。19世纪中期的日本,遭遇到的是同我国清朝政府相类似的命运。1868年"明治维新"以后,日本抓住了19世纪后半期产业革命的机遇,到19世纪末20世纪初,一跃成为现代工业强国。其他如德国、意大利、俄罗斯等所谓"后发型国家",在19世纪后半期的迅速崛起,同当时正在进行的产业革命都有着密切的关系。这些事例充分说明,生产方式的变革可以促成国家超常规地发展。

2.国际竞争空前激烈

20世纪,人类经历了两次空前惨烈的世界大战。第二次世界大战以后的所谓"冷战"时期,发生过150余场战争,因战争造成的死亡人数多达2 000万左右。"冷战"结束后,被"冷战"长期掩盖的国与国之间、民族与民族之间,以及宗教团体之间长期潜在的矛盾、冲突日益突现,国际间的竞争空前激烈。美国的霸权主义削弱了联合国与其他国际组织的权威和本应发挥的作用,美国等西方国家打着"人权"的幌子粗暴地践踏他国主权,信息技术发达国家的信息霸权在经济、军事以及文化方面对其他国家的控制、渗透,都使和平与发展不断面临新的不确定性。如果说既往的国际竞争主要表现在意识形态、军事实力等方面,那么,当前的国际竞争则主要体现在综合国力方面,而且这种竞争越来越表现为经济实力、国防实力和民族凝聚力的竞争。

3.人类的生存和发展面临着困境

这种困境主要是指人类目前面临的诸如生态环境的恶化、自然资源的短缺、人口迅速膨胀等威胁着人类自身生存和发展的一系列重大问题。在工业经济时代,社会的发展主要依赖于科学技术的进步,然而,科学技术本身是一把双刃剑,它既会造福于人类,也会给人类带来灾难。事实上,目前人类所面临的困境乃是人类自身在善良动机下滥用技术的"副产品"。应该特别指出的是,除了人与自然的和谐关系被破坏之外,由于工具理性对价值理性的长期压制,人类生存和发展的困境还表现为人的精神力量、道德力量的削弱或丧失,而这恰恰是任何现代科学技术或物质力量都无能为力的事情。正是由于对上述问题的清醒认识,人们开始对工业化以来的社会发展模式进行深刻的反思,并从20世纪70年代起,提出了诸如协调发展模式、文化价值重构模式等各种新的发展模式。1980年,联合国大会首次提出"可持续发展"的概念。1992年在里约热内卢召开的联合国环境与发展大会上,包括我国在内的180多个国家和70多个国际组织的代表们共同提出了可持续发展的新战略和新观念。总之,为了人类的生存和可持续发展,在21世纪,除了必须对人类既往的所作所为进行客观的评价之外,我们还必须妥善处理物质文明和精神文明之间的关系问题。

我国是一个发展中国家,而且还是一个科技文化水平偏低的人口大国。如前所述,对于综合国力的增强来说,起关键作用的因素是国民整体素质的提高。换言之,同过去时代发展主要依赖于为数不多的精英人物相比较,当前我们更需要与现代化要求相适应的数以亿计的高素质的劳动者和数以千万计的专门人才。在"人口众多"这一既成的、不可更改的事实面前,除了继续执行控制人口增长的长期国策之外,充分开发和利用丰富的人力资源,把沉重的人口负担转化为巨大的人力资源优势,就成为制约我国可持续发展的一个重要因素。这也是我国教育无可推诿的重大责任。

(二)知识经济社会对教育的新要求

在知识经济时代,科学技术日新月异,国际竞争日趋激烈,社会信息化、经济全球化发展迅速。在经济发展的同时,社会的发展也对教育提出了新的要求。

1.终身学习观

科技革命加快了知识更新的周期(1—5年,网络技术更新仅需几个月)。因此教育要为人们终身学习打基础,要教给学生学习方法而不仅是知识。

2.重视能力的培养

科技革命缩短了科学转化为生产力的周期,科技与经济的结合越来越紧密。因此,教育要密切与科技、经济结合,要重视培养学生的实践能力、创新能力。学校教育要把教育的重点从传授知识转变成培养能力,尤其是创新精神、创新意识、参与社会实践能力的培养。此外,知识经济社会还要求人的高度的合作能力,因此,新世纪的教育要培养学生善于和他人共同生活、工作的能力。《教育——财富蕴藏其中》(德洛尔报告)中向人们提出了四个学会:学会认知,即学会学习,学会自主地获取知识,形成终身发展的愿望和能力;学会做事,即学会在实际情境中解决问题;学会与他人共同生活,即学会交往、合作;学会生存,即学会发展。

3.健全的价值观

飞速发展的经济社会给人们的日常生活也带来了质的变化。人与人之间、人与社会之间以及人与自然之间正发生着微妙的变化,人类不再只是主宰,人要与社会、自然协调发展。因此,学校教育还要注重培养学生健康负责任的生活态度,包括:对自己负责、对他人负责、对社会负责、对自然负责、对民族的未来负责,以及全面、健康的价值观(包括处理人与自然关系的价值观:尊重自然、保护环境;处理人与社会关系的价值观:尊重人格、尊重生命、承担社会责任;处理人与自我关系的价值观:认识自我和发展潜能、确立自信;处理人与文化关系的价值观:尊重文化传统、吸收优秀的文化遗产)。

二、加入WTO对我国教育的影响

2001年12月11日,我国成功加入世界贸易组织(WTO),这进一步加强了我国与世界的联系,对我国的经济也产生了重要而深刻的影响。这种影响涉及社会的方方面面,并且也反映到了教育中来。伴随着入世后中国与世界经济一体化,我国的基础教育也面临前所未有的冲击与挑战。

(一)面临世界人才争夺的竞争

进入知识经济时代,人才成为第一竞争焦点。WTO要求缔约国不限制人才的自由流动,中国因此面临人才进一步外流的挑战。现在世界企业500强已有400家在中国投资,人才大批流入外企,人才的争夺到了家门口。怎样应对?从根本上讲,一要提高质量;二要加强爱国主义、民族情结的教育,把爱国的思想从小植根于孩子的心中。从这个意义上讲,课程改革显得尤其重要。

(二)面临人才素质培养的国际竞争

加入WTO后,国家对人才的规格、素质要求更高,教育不仅要适应国内市场的人才需要,更要适应国际市场和国际竞争的人才需要。要培养出在国际竞争之中能胜出的中国人,旧的培养模式已远远不适应。

(三)面临教育市场的国际竞争

生源的争夺是教育市场的重要方面,现在发达国家生源不足,而中国是最大的生源市场。十多年来,国外争夺中国各级教育生源的情况愈演愈烈。境外法人、个人在中国办学或参与办学,对我国的教育是一种挑战,是一场生源争夺战。目前我国的教育是卖方市场,学校的危机感不强,但一旦市场发生变化,今天的优越感,就会变为危机感。因此,必须提高教育质量,必须加强优质教育资源建设。

三、世界各国课程改革及对我国基础教育改革的影响

(一)世界各国课程改革的基本情况

世纪之交,基础教育课程改革在世界范围内受到前所未有的重视。近年来,世界上许多国家特别是一些发达国家,无论是反思本国教育的弊端,还是对教育发展提出新的目标和要求,往往都从基础教育课程改革入手,通过改革基础教育课程,调整人才培养目标,改变人才培养模式,提高人才培养质量。这些国家都把基础教育课程改革作为增强国力、积蓄未来国际竞争实力的战略措施加以推行。

为了培养具有国际竞争力的人才,各国开始着手从全球大背景出发来整体设计课程体系,组织和分配知识结构,建构具有世界水平的课程(World Class Curriculum)。

1.日本

日本每十年更新一次国家基础教育课程(课程自主更新的机制)。2002年实施的新课程,力求精选教学内容,留给学生更多自由发展的空间。其课程改革的目标是:

(1) 鼓励学生参与社会和提高国际意识;

(2) 提高学生独立思考和学习能力；
(3) 使学生掌握基本内容和个性发展；
(4) 创造宜人的教育环境；
(5) 鼓励每所学校办出特色和标新立异。

2.韩国

韩国1997年开始的课程改革,强调实验、学习、讨论、自由活动、社会服务等亲身体验为中心的学习活动,以培养学生解决问题的能力。同时,引入"区别性课程",从1年级到10年级,数学、英语、朝鲜语、科学和社会五科设置分层课程；11年级到12年级,大量引入选修课程。

3.英国

1999年颁布新国家课程标准,提出四项发展目标：

(1) 精神方面的发展：自我成长,发展自己的潜能,认识优缺点,具有实现目标的意志；

(2) 道德方面的发展：明辨善恶,理解道德冲突,关心他人,采取正确行动的意志；

(3) 社会方面的发展：理解作为集体和社会一员自身的权利与责任,处理人际关系的能力,为了共同的利益,与他人协作的能力；

(4) 文化方面的发展：理解文化传统,具有理解和欣赏美的能力。

提出六大基本技能：交往、数据处理、信息技术、共同操作、改进学习、解决问题。

4.美国

1996年,《美国国家科学教育标准》(NSES, National Science Education Standards)颁布以后,美国各州的教育主管机构相继研制并颁布了州立科学标准。由于《美国国家科学教育标准》中文版在1999年已经问世,课程标准组在研制初中生物课程标准时有过较为充分的研讨,加之美国的课程管理制度采取"国家进行课程宏观管理＋地方分权＋社会参与"的制度,此次对美国生物课程的研究重点放在了对州立科学课程标准的了解和分析上。

美国《2000年教育战略》在课程方面强调："美国学生在4、8、12年级毕业时有能力在英语、数学、自然科学、历史与地理学科内容方面应付挑战。""美国的每所学校要保证儿童会合理用脑,以使他们做有责任感的公民、为进一步学习以及为在现代经济中谋取有创建性的职业做好准备。"布什政府最近强调:"不让一个孩子落伍!"

5.新加坡

2001年新加坡课程改革提出使学生掌握必要的技能,成为勇于革新、善于获取信息、富有创造精神的人,以适应21世纪的需要。

6.中国台湾地区

我国台湾2000年新颁布的九年一贯制基础教育课程标准,把人、自然、社会作为有机整体,用整合的观点规划课程。2000年颁布的九年一贯制基础教育课程标准,提出学生发展的十大能力。

(1)了解自我与发展潜能;

(2)欣赏表现与创新;

(3)生涯规划与终身学习;

(4)表达沟通与分享;

(5)尊重关怀与团队合作;

(6)文化学习与国际理解;

(7)规划组织与实践;

(8)运用科技与资讯;

(9)主动探索与研究;

(10)独立思考与解决问题。

(二)世界各国课程与教学改革的共同趋势

从以上世界各国课程与教学改革中,我们可以看出一些共同的特点:

1.课程的整合化

为了加强有关学科之间的联系和渗透,培养学生的综合能力,一些国家在中小学开设综合课程。美国在《2061计划》中提出的课程改革,注意自然科学、社会科学和数学知识的综合,并增加必要的技能训练。每门课程自成开放性的体系,在同一个单元里将多学科综合起来进行教学。如"水——自然环境"这一单元教学,就涉及理科调查、社会的"自然环境"的教学、数学的用水量计算、语文的写作四门学科的综合。加拿大在小学开设了"生活科学"等四门综合课。巴基斯坦、菲律宾、英国在中小学均开设综合理科,也有些学校把历史、地理和宗教教育合并成为人文学科。为了培养我国小学生的综合能力,新《课程计划》首先在小学开设了小学综合课——社会课,如何在初中开设综合课,国家教育部将作进一步的研究和实验。

2. 课程的人性化

在各国的课程改革以前,教育与教学都偏重于智育和科学方面,忽视了品德教育和审美教育,把学生培养成超智慧的机器人。如今各国都认识到了社会需要的是德、智、体、美、技能全面发展的栋梁。如美国突出学生的自我表现和勇于创造的教育,重视对学生进行价值观的培养。美国所提倡的所谓"个别处方学习",则是强调依据学生个别的起点差异,设计不同的课程教学内容,让学生按自己的实际情况进行个别化的学习。之后,通过对学生进行个别诊断,再根据实际情况实施补救性质的教学活动。这种形式反复进行,最终达成学生有效学习的目标。

可见,重视学生个体需要的满足,提倡人文化的陶冶,处处设身处地为学生着想,让学生在最合理的环境下学习,是当今各国强调课程人性化的具体表现。

3. 课程的生活化

课程内容应结合学生实际生活的需要,这是近年来课程发展的另一主调。随着社会的变迁、信息爆炸及知识技术的迅速推陈出新,传统的靠背诵知识为主的教育模式已经落后,为了适应快速的变迁,人们在学校除了学得基本知识外,更需要有学以致用,将知识转化为解决各种生活挑战及工作所需的能力。改革以前脱离实际的课程,对学生来说枯燥无味,靠死记硬背学到的知识与实际生活脱节。新的课程改革,提倡学习有实用价值的知识。例如,在英国、日本、美国等国家已增设生存教育、环境教育、信息学科等课程,培养学生将来具有基本生存和工作的能力。

4. 课程的弹性化

在众多的国家和地区,过去只片面地强调课程的一致性,忽视了学生能力的差异,限制了学生的主观能动性。新的课程有弹性地强调进度,具有选择补充教材的自由,对学生和教育效果的评估采用多元化的衡量标准。

所谓课程的弹性化是针对以往课程的单一化与僵化而提出来的。它主张课程的实施要留有伸缩余地,使教师和学生有自主教学的机会。事实上,将一种僵化刻板的课程实施于所有具有不同特质的学生身上,是不科学的,同时也是行不通的,这有违教育原理。因此,欧美出现了所谓"变通学校"、"开放学校"、"自由学校"和"教育公园"等具有弹性的教育环境设施,此类学校在学制、课表及课程内容等方面都有较强的伸缩性,在教学方式和学业成绩评定方面也采取多元化的标准,以便增加学生自主学习的机会。在日本也有"空白课程"的安排,其目的是让教师和学生根据教学的实际情况调整教学进程,选择补充教材进行教学活动。目前,世界各国在课程的改革中都避免课程的单一化、形式化和僵化,而力求达到弹性化、有效化的目标。国外课程改革的现状及发展趋势表明:新型意义上的以人的发展为本的课程具有生命力和存在的价值。

5.课程的未来化

为迎接新技术革命的挑战,课程改革紧跟时代发展,以培养具有开拓精神和创新意识的人才。21世纪将是一个高度科技化、国际化、民主化与多元化的脑力密集时代;将是科技发展一日千里、国际间关系更加密切发展的时代;将是一个变动急剧,充满竞争与挑战,也充满机遇与希望的时代。因此,在未来社会中,世界各国只有让自己的人民能够大量而快速地吸收日新月异的新知识,才能适应新时代的需要。

6.倡导学习方式多元化

在知识爆炸的时代,掌握知识的多少已经不是最重要的,而如何掌握知识才是至关重要的。所以,世界各国都把学生学会学习作为最重要的教育改革方向。正因为如此,改变学生的学习方式,成为我国基础教育课程改革的重要目标之一。

为使学生的学习方式发生根本性的变革,保证学生自主性、探索性的学习落到实处,此次课程改革首先通过课程结构的调整,使儿童的活动时间和空间在课程中获得合法地位。与此同时,新课程标准通过改变学习内容的呈现方式,确立学生的主体地位,促使学生积极主动地学习。使学习过程变成学生不断提出问题、解决问题的探索过程,并能针对不同的学习内容,选择不同的学习方式,比如,接受、探索、模仿、体验等,使学生的学习变得丰富而有个性。另外,设置新的课程,强化探究性和实践性的教学目标,倡导新的课程形式,给学生提供一个开放性的、面向实际的、主动探究的学习环境。

以上这些改革反映了世界各国教育改革的共同之处,构成了一幅波澜壮阔的世界教育改革画面,为我国的教育改革提供了借鉴和经验。

四、我国基础教育的现状分析

我国基础教育的发展和以往的七次课程改革,都取得了巨大的成就,对于促进我国政治、经济、科技、文化等各个方面的发展作出了巨大贡献。与此同时,我们必须实事求是地承认,目前我国基础教育的现状同时代发展的要求和肩负的历史重任之间还存在着巨大的反差。我国基础教育课程已经到了非改不可的地步。

(一)课程结构——单一学科课程与分科主义,门类过多,缺乏整合

学科课程在内容和结构上,重视学科经典内容的学习,忽视学生学习习惯和人生态度的培养,忽视学生的实践和经验。在课程实施中,以教师、课堂和书本为中心,采用讲授、灌输方式,忽视交流、合作、主动参与、探究等学习方式。课程观念陈旧,比如在课程构成观念中,一方面把课程载体构成狭隘化为"教材",缺乏课程包含的现代观念;另一方面把课程实质构成狭隘化为"教学内容",将内容与目的目标、教学方法、评价等割裂开来。

(二)课程目标——知识技能取向,学科专家目标,忽视学生发展

从表面上看,我国是最重视教育目的和教育目标的,这表现为教育目的和目标被纳入到党和国家的教育方针之中,具有表面上的法规性和行政性权威。但是,实质上,教育目的和目标是最薄弱的,集中表现为目的不明和目标混乱。在教育目的上,有"培养劳动者"、"培养接班人和建设者"、"培养'四有'新人"和"培育'四有'公民"等多种提法,还有其他不同提法,但没有一个明确的教育目的。教育目的不明,教育目标就必然混乱,所以,培养什么样的人、人才素质、学生培

养规格、知识传授、智力培养、情感教育、心理教育、创新能力培养,还有公民教育等,成为教育界争论不休的问题。

(三)教学内容陈旧

教育内容根本上还是西方近代形成的百科全书式的分科内容体系,是一个陈旧的但独立的内容体系。体系不改,老内容出不去,新内容又必须进来,结果必然导致内容膨胀。于是,出现了学生负担越来越重,书包从挎包到背包再到拉杆包;教师负担也随之越来越重;学生体质下降,近视眼比例越来越高;教育脱离实际需要,用非所学等状况。

(四)教学方法异化

本来,教育教学方法只是手段,是为目的目标、内容服务的。但是,在我们的课程里,教育教学方法没超越授受式灌输的传统,表面上又赶时髦,追逐科学化方法,扭曲为标准化方法,德育搞灌输,智育也搞灌输,教育教学方法惟灌输是举,方法异化为目的,内容变成了方法的实现载体。所以,满堂灌、题海战术、频繁考试、体罚、办各种类型补习班,导致学生厌学、教师厌教,逃学作弊愈演愈烈。

(五)课程评价扭曲——传统的应试教育势力强大,选拔与发展的尖锐对立,素质教育不能真正得到落实

自1840年鸦片战争以来,始终萦怀于中国人民心中的"强国梦",伴随着科学技术高速发展的"知识爆炸",以及普遍存在于"后发型国家"一定发展阶段的教育之选拔功能的凸显等因素,又使我国学校的课程体系表现出下列一些特征:对于书本知识的热衷追求使学生的学习负担和厌学情绪不断加重,学生为考试而学、教师为考试而教。现在,人们已经把目前我国基础教育课程体系存在的种种弊端概括为"应试教育",因而在评价中一直忽视评价环节。而在课程评价中,又表现出严重的偏向:重视评价的工具性,忽视评价的本体性;重视成就性评价,忽视诊断性评价;重视结果性评价,忽视发展性评价;重视终结性评价,忽视过程性评价;重视量化评价,忽视定性评价;重视科学性评价,忽视人文性评价。

教育部基础教育司从1996年7月开始,组织了六所高等师范院校的有关专家研讨并制订了九年义务教育课程实施状况的调查方案,并于1997年5月在九个省、市对城、乡16 000多名学生、2 000多名校长和教师、部分社会知名人士进行

了调查,通过调查凸现出现行课程方案的种种问题:教育观念滞后,人才培养目标同时代发展的需求不能完全适应;思想品德教育的针对性、实效性不强;课程内容存在着"繁、难、偏、旧"的状况;课程结构单一,学科体系相对封闭,难以反映现代科技、社会发展的新内容,脱离学生经验和社会实际;学生死记硬背、题海训练的状况普遍存在;课程评价过于强调学业成绩和甄别、选拔的功能;课程管理强调统一,致使课程难以适应当地经济、社会发展的需求和学生多样化发展的需求。这些问题的存在,以及它们对实施素质教育的制约及产生的不良影响,都足以说明推进课程改革的必要性和针对性。

纵观教育改革,面对新世纪的挑战和激烈的国际竞争,特别从我国是人口大国的实际出发,必须通过基础教育课程改革,实现培养目标和人才培养方式的转变,以全面提高国民素质,应对未来的挑战。

第二节 我国基础教育课程改革的目标

一、我国基础教育课程改革的总体目标

当人们回顾20世纪一百年教育的发展,思考把一个什么样的教育带入21世纪的时候,发现教育的重心已经发生了根本的变化,由原来知识是第一位的,发展到能力很重要,情感、态度、价值观更重要。而我们的基础教育,关注最多的是知识,中小学教师最关心的、谈论最多的是学生的基础知识、基本技能,只有很少的教师(不到10%)意识到人的情感、价值观、个性、创造性更重要。这不是教师的问题,而是我们今天的课程、考试评价制度、社会的价值追求造成的。新一轮基础教育课程改革,绝不是换一套教科书,也不是调整课程内容,而是一场教育观念的更新,人才培养模式的变革。整个改革涉及培养目标的变化、课程结构的改革、国家课程标准的制定、课程实施与教学改革、教材改革、课程资源的开发、评价体系的建立和师资培训以及保障支撑系统等,是一个由课程改革所牵动的整个基础教育的全面改革。这一点首先体现在改革指导思想的先进性上。《基础教育课程改革纲要(试行)》(以下简称《纲要》)指出:基础教育课程改革要以邓小平同志关于"教育要面向现代化,面向世界,面向未来"和江泽民同志"三

个代表"的重要思想为指导,全面贯彻党的教育方针,全面推进素质教育。

课程改革的总目标是:要使学生具有爱国主义、集体主义精神,热爱社会主义,继承和发扬中华民族的优秀传统和革命传统;具有社会主义民主法制意识,遵守国家法律和社会公德;逐步形成正确的世界观、人生观、价值观;具有社会责任感,努力为人民服务;具有初步的创新精神、实践能力、科学和人文素养以及环境意识;具有适应终身学习的基础知识、基本技能和方法;具有健壮的体魄和良好的心理素质,养成健康的审美情趣和生活方式,成为有理想、有道德、有文化、有纪律的一代新人。

可见,总目标与世界各国的教育改革的共同特点是一致的,具有完整性,把对学生的全面发展和个性培养的要求结合起来,重视了学生基础知识的掌握和基本素质的提高,强调学生创新精神、实践能力的培养,关注学生环境意识的培养,强调科学和人文素养的结合,使学生既能做到身体健康和心理健康,又能很好地适应社会生活,体现了时代对每个公民的要求和以学生发展为本的目标取向。

二、我国基础教育课程改革的具体目标

我国基础教育课程改革的具体目标如下:

(一)目标之一

改变课程过于注重知识传授的倾向,强调形成积极主动的学习态度,使获得基础知识与基本技能的过程同时成为学会学习和形成正确价值观的过程。

长期以来,我国在课程功能上过于注重知识的传授,忽视学生基本技能的培养、基本方法的掌握和正确价值观的形成。事实上,课程的功能绝不仅仅是传授知识,应当通过课程使学生学会学习、学会生存、学会做人,使学生得到全面和谐的发展。当前,世界各国的课程改革都将课程功能的改变作为首要目标,力争使新一代的国民具有适应21世纪社会、科技、经济发展所必备的素质。我国也不例外,针对我国基础教育课程功能上存在的问题,《纲要》明确提出要转变课程功能,"使获得基础知识与基本技能的过程同时成为学会学习和形成正确价值观的过程"。在这里,首先,课程要提供适应学生要求、符合时代特点、能够为学生学

会学习和终身学习提供基础的基本知识和基本技能。其次,课程要使学生通过学习,掌握学习的过程和方式,而不只是关注学习的结果,这是学生学会学习的关键,也是学生终身学习的法宝。再次,课程要引导学生在学习知识的过程中,注重价值选择,增强社会责任感,提高思想认识,形成正确的价值观。可见,这次新课程改革,将知识与技能、过程和方法、情感态度和价值观三个方面进行整合,体现了新课程的价值追求。

(二)目标之二

改变课程结构过于强调学科本位、科目过多和缺乏整合的现状,整体设置基础教育阶段的课程门类和课时比例,并设置综合课程,以适应不同地区和学生发展的需求,体现课程结构的均衡性、综合性和选择性。

新课程要重建新的课程结构。首先,强调课程结构的综合性,即打破学科界限,将若干门学科知识通过整合,使之有机地结合在一起。课程综合化是当代科学知识迅猛发展的要求,也是世界各国中小学课程改革的共同趋向。为了适应科学知识发展的要求和世界各国课程改革的发展趋势,我国新一轮课程改革重视了综合课程的设置和开发。强调在低年级阶段以综合课程为主,在高年级阶段以分科课程为主。并在整个义务教育阶段设计了艺术课,在初中阶段设计了文科综合课程——历史与社会和理科综合课程——科学,此外,还将综合实践活动课设置为必修课。

其次,强调课程结构的均衡性,即指学校课程体系中,各种课程类型、具体课程科目等课程结构之间保持恰当、合理的比重。从课程类型来说,我国长期使用一种课程计划,一套课程设置,千校一面,万人一书。针对这种课程类型结构单一化的现象,新课程改革推出了多种改革措施。如制定了以综合课程为主和以分科课程为主的两种课程计划,倡导实施以综合课程为主的课程计划,减少了国家课程在学校课程体系所占的比重,鼓励开发地方课程和学校课程,减少必修课程,增加选修课程等;从而形成了国家课程、地方课程和学校课程,必修课程与选修课程等并行的多样化类型课程结构。从课程科目来说,我国长期存在的语文、数学等少数传统优势科目占较大比重,劳动技术、社会实践等课程比较薄弱,使学校课程体系中科目结构失衡。对此,新课程计划降低了传统优势科目在学校课程体系中所占的比重,加强了一些比较薄弱的课程,如综合实践活动等。

(三)目标之三

改变课程内容"难、繁、偏、旧"和过于注重书本知识的现状,加强课程内容与学生生活以及现代社会和科技发展的联系,关注学生的学习兴趣和经验,精选终身学习必备的基础知识和技能。

我国过去基本上是以升学的要求来设计教学内容和教学目标,讲究学科的系统性和严密性。因此,对学生而言,我国基础教育课程内容一直存在偏多、偏难、偏繁、偏旧,教学要求偏高等问题,这是我国长期以来学生课业负担重的重要原因,不利于学生身体、品德、智力等方面全面和谐的发展。为此,根据《纲要》精神制定的新课程标准,删除了原来课程内容中艰深、陈旧的部分,增加了适应现代科学技术发展和现代化建设需要、与学生和社会现实生活密切相关的内容,使课程内容更简洁、新颖、具体,更富有生活气息和时代特征,更适应学生的学习和发展。

新课程的实施目标是,一方面要选择适合现代社会发展需要的内容;一方面要紧密联系学生的学习兴趣和生活经验,精选学生终身学习与发展必备的基础知识和技能,正确处理现代社会需求、学科发展与学生发展需求在课程内容的选择与组织中的关系,体现课程内容的现代化。

(四)目标之四

改变课程实施过于强调接受学习、死记硬背、机械训练的现状,倡导学生主动参与、乐于探究、勤于动手,培养学生搜集和处理信息的能力、获取新知识的能力、分析和解决问题的能力以及交流与合作的能力。

在课程实施上,我国基本上长期是以教师、课堂、书本为中心,忽略学生的主动性、能动性和独立性,难以培养学生的创新精神和实践能力。对此,新课程改革的一个重要目标就是改变学习方式,倡导自主学习、合作学习和探究学习的学习方式。主要有以下几个方面:

首先,新课程改革倡导建构学习。建构主义本来是源自关于儿童认知发展的理论,由于个体的认知发展与学习过程密切相关,因此利用建构主义可以比较好地说明人类学习过程的认知规律,即能较好地说明学习如何发生、意义如何建构、概念如何形成,以及理想的学习环境应包含哪些主要因素,等等。新课程倡导学生在教师指导下,从学习生活和现实社会生活中选择和确定研究课题,通过学生自主、独立的探索活动,去获得知识和技能,发展情感与态度,体验探究的学习方式和学习活动。与接受学习相比,探究学习具有更强的自主性、实践性、开放性、创造性,有利于调动学生的积极性、主动性,培养学生的创新精神和实践能力,发现和开发学生多方面的潜能。

其次,新课程改革倡导合作学习。合作学习是相对于个体学习而言的,是指学生在小组或团队中为了完成共同的任务,有明确的责任分工的互助性学习。在合作学习中,学生积极承担在完成共同任务中个人的责任,学生之间相互支持、配合,进行有效的沟通,建立并维护同学之间的相互信任,共同完成学习任务,提高学习效果。合作学习既有助于培养学生的合作精神和集体观念,又有助于培养学生的竞争意识与竞争能力,还可以弥补一个教师难以面向有差异的众多学生教学的不足,从而真正实现学生的全面发展和全员发展。

(五)目标之五

改变课程评价过分强调甄别与选拔的功能,发挥评价促进学生发展、教师提高和改进教学实践的功能。

从一般意义上说,课程评价的基点应该是促进学生的正常发展,但由于受追求升学率的影响,我国中小学教育评价存在着诸多问题,主要表现在:过分强调评价的甄别与选拔的功能,忽视促进学生发展的功能;评价指标单一,重知识考核,忽视对实际能力、学习态度的综合考查;评价方法多采用纸笔考试,过于注重量化;过于注重对结果的评价,忽视对过程的评价等。教育评价的相对滞后,已经制约素质教育的全面实施和发展。

新课程改革把课程评价的改革作为一个重要方面,强调要改变课程评价过分强调甄别与选拔的功能,发挥评价促进学生发展、教师提高和改进教学实践的功能。根据这一精神,新的课程评价体系必须具备三种基本功能:第一,促进学生的全面发展。课程评价不仅关注学生知识的学习,也注重学生能力的发展和政治思想道德觉悟的提高;不只关注学生的学习现状和学习结果,更注重学生的学习过程和发展潜力。第二,促进教师水平的不断提高。通过多样化的评价手段,使教师能够从多渠道获得评价信息,从而产生不断充实自我的愿望与动力。第三,改进教学实践。通过评价,使教师、学生能够充分了解教学中反映出来的问题与建议,随时对教学中的问题加以改进。

(六)目标之六

改变课程管理过于集中的状况,实行国家、地方、学校三级课程管理体系,增强课程对地方、学校及学生的适应性。

我国自20世纪50年代以来长期采用苏联的课程管理模式,即由中央对全国的课程教材进行统一管理,全国实行统一的教学计划、教学大纲和教材。这种集中统一的课程管理模式显然与复杂多样的国情不相适应,不能满足不同地区学生发展的需要,同时也无法发挥地方教育行政部门的主动性和积极性。因此,新课程改革的一个重要目标就是要妥善处理统一性与多样性的关系,建立国家、地方、学校三级课程管理体系,尤其是要大力开发地方课程与学校课程,增强课程对地方、学校及学生的适应性。

三级课程管理的基本要求是:国家根据未来公民接受教育后应该具备的基本素质制定课程发展总体规划,确定国家课程门类和课时,制定国家课程标准,宏观指导课程实施。地方教育行政部门根据当地政治、经济、文化、民族等的发展需要,规划符合本地区的课程实施方案,包括地方课程的开发与选用。学校在执行国家课程和地方课程的同时,开发或选用适合本校特点的课程。为了实现上述目标,新课程改革重新划分了国家、地方、学校课程在整个课程计划中所占的比重,减少了国家硬性规定的成分,在课程内容和课时安排上给地方和学校课程留出了空间。

整个基础教育课程改革将分为两个阶段实施:2000—2005年,完成新课程体系的制定、实验和修订;2005—2010年,逐步在全国全面推行新课程体系。

第二章
高中生物新课程理念与目标

第一节 高中生物新课程的基本理念

一定的思想观念指导调控着行为,教学活动总是自觉不自觉地体现着一定的教育思想观念。确立我国高中生物新课程的基本理念具有极其重要的指导调控作用。我国高中生物新课程的基本理念有如下四个方面的内容。

一、提高生物科学素养

在科学教育领域,"科学素养"的提出并不是近几年的事情。20世纪70年代初期,在一些教育发达国家的中学自然科学课程中(如澳大利亚)就提出了科学素养的理念,并把培养学生的科学素养作为课程的基本任务。在最近十多年间,这一课程理念已成为科学教育家和大多数理科教师的共同理念,成为当今理科课程发展的一个共同趋势。

对于科学素养的解释,在不同的时代有所不同,随着时代的发展,人们对科学素养的认识也在不断变化。即便是在同一个时代,不同的机构、组织或不同的专家对科学素养的解释也不完全相同。因此,目前尚没有一个严格的、统一的定义。国内现在多数人认可的解释是:科学素养是指了解并能够进行个人决策、参与公民事务和文化事务、从事经济生产所需要的科学概念和科学过程。科学素养最基本的含义是指学生能够合理地将所学到的科学知识运用到社会及个人生活中。公民的科学素养包括了两个方面:一方面是他对科学知识、情感态度与价值观及科学技能的掌握情况;另一方面是他在已有基础上能够不断提高自己科学素养的能力。

在科学技术不断改变我们生活、改变我们周围世界的今天,具有科学素养是每个公民所必须的。一个具有科学素养的毕业生不一定要以科学或工程技术为职业。然而,当面对日常生活中的科学现象、事件和观点时,他应能够运用科学的原理和科学方法去作出判断或决策。在这方面,科学素养可以增加人们观察事物的能力、思考问题的能力、创造性地解决问题的能力、批判性思维的能力以及在团队中的合作能力等。

科学教育的基本任务是培养学生必备的、可持续发展的科学素养。生物科学是自然科学的一部分。因此,生物学教育的基本任务是培养和提高学生的生物科学素养。生物学教师应该努力让所有的学生经过生物课程的学习,都有机会使自己成为具有良好科学素养的人。

科学素养与生物科学素养之间有不可分割的包含关系。《普通高中生物课程标准(实验)》(以下简称《标准》)指出:"生物科学素养是公民科学素养构成中重要的组成部分。生物科学素养是指公民参加社会生活、经济活动、生产实践和个人决策所需的生物科学知识、探究能力以及相关的情感态度与价值观,它反映了一个人对生物科学领域中核心的基础内容的掌握和应用水平,以及在已有基础上不断提高自身科学素养的能力。提高每个高中学生的生物科学素养是本课程标准实施中的核心任务。"

生物科学素养反映了一个人对生物学领域中核心基础内容掌握的情况,根据高中生物课程的任务,这个基础也就应该成为高中生物课程的核心内容和基本要求。那么如何理解"核心基础内容"呢？一些生物学教育专家认为,生物学的核心基础至少包括以下五个方面:

1. 学生理解生物学的基本现象、事实、规律,以及生物学原理是如何用于生物技术领域之中的;

2. 学生能够解释发生在身边的生物学现象;

3. 学生能够形成正确的情感、态度、价值观和科学的世界观,并以此来指导自己的行为;

4. 学生应掌握一系列的相关技能,包括操作技能,科学探究的技能,比较、判断、分析和推理等思维技能,以及创造性和批判性的思维方式;

5. 学生应在学习生物课程的过程中,形成终身学习的基本能力和习惯。

为了便于教师在高中生物课程中落实"提高学生科学素养"的理念,并将这一理念同日常教学活动和教学习惯相吻合,可以从"科学态度和科学的世界观,生物学基础知识,科学探究方法与技能,科学、技术与社会(STS)"四个维度来理解生物科学素养,并使学生通过生物课程的学习在这四方面得到发展。

(一)科学态度和科学的世界观

1.科学态度是人基于对科学知识的正确理解和对科学发展的认识而形成的科学的信念和科学习惯。一个有效的、高质量的高中生物课程应该使学生在以下方面得到发展。

(1)好奇心:每个学生都是天生的科学家。他们生来就对周围世界,尤其对自然界中那些有生命的事物充满了好奇心。许多学生在现实生活中和生物课程的学习中,对自然界中形形色色的生命现象充满了热情,并在探索生命规律的过程中能够产生充实感和兴奋感。生物教师的任务就是培养学生对生物科学产生好奇心,进而将这种好奇心保持下来,并将其转变成对科学和对学习科学的正确态度。

(2)诚实:我们经常说的实事求是对于学生来说是一种非常重要的品质。在生物学教育中,对学生诚实的品质的培养可以渗透在日常教学活动之中,如要求学生真实地报告和记录在实验中观察到的内容,而不是学生想像中应该是的内容,也不是学生认为老师期望的内容。

(3)合作:随着科学的不断发展和进步,科学研究的规模和范围变得越来越大,越来越多的研究项目要求有不同背景的人员组织起来共同研究或开发,一项重大的科学研究往往需要许多科研人员共同参与。不仅在科学领域,在当今社会生活的几乎各个领域的工作,都需要人们具有合作精神与合作能力。因此,具有团队成员之间的合作意识是科学精神的重要组成部分。

(4)创造力:创造力一般分为两种。一种是特殊才能的创造力,主要是指科学家、发明家和艺术家等杰出人物的创造力;另一种是自我实现的创造力,它指的是对人类社会和其他人来讲未必是新的但对自己来说是初次进行的、新的、前所未有的创造力。拓展中学生的创造力主要不是要求每个学生都去搞发明创造,而是要求学生进行独立思考的创造性学习。因此,中学生的创造力主要是自我实现的创造力。

2.科学的世界观是人们对自然界和科学持有的一些基本的信念和态度。科学的世界观主要包括：

(1)科学认为世界是能够被认知的,世间的万事万物都是以特定的模式发生和发展的,只要通过认真系统地研究都可以被认知。

(2)科学知识是不断变化的,科学是一个产生知识的过程,知识的变化是不可避免的。有些新的发现会对已有的理论构成挑战,从而要不断地对这些理论进行检验和修改。

(3)科学虽然处于不断的变化中,但这种变化只是处于缓慢的修正之中,绝大部分科学知识是非常稳定的。所以,科学知识的主体具有连续性和稳定性。

(4)科学不能为一切问题提供全部答案。世界上还有很多事物不能用科学的方法来验证,因此科学还不能解决所有问题。人类面临的很多问题是由政治、经济、文化和环境共同决定的,科学只是其中的因素之一。

(二)生物学基础知识

生物学基础知识包括基本的生物学概念、原理和规律。让学生掌握一定的生物学知识既是生物课程所规定的基本任务之一,又是学生具有生物科学素养的基本要求和标志。学生在义务教育初中阶段获得有关生物体的结构层次、生命活动、生物与环境、生物进化以及生物技术等生物学基本事实、基本原理和规律,对生物学的整体有一个大致的了解;高中阶段,每个学生还要在义务教育的基础上,进一步学习分子与细胞、遗传与进化、稳态与调控、生物与环境等生物学的概念、规律和观点,使他们对生物学的核心知识有更深入的理解和掌握,进而形成科学的自然观。高中生物课程通过选修模块,给学生提供机会,让他们了解生物技术在现实生产和生活中的作用,现代生物学的新进展,现代生物科学和技术对人类社会和人们生活的影响,并为他们在生命科学领域中选择进一步学习和就业的方向提供咨询和帮助。高中生物课程要求学生在探究性学习或实践活动中获取新的知识或利用所学的生物学知识和方法去解决身边的问题,使学生具有学习能力、运用知识解决问题的能力,这些不仅是生物课程关于知识领域的一个重要目标,也是对生物科学素养追求的一个重要方面。

(三)科学探究的方法与技能

1.科学思维的方式包括形式逻辑思维、批判性思维和发散性思维等。科学的思维习惯不神秘,也不是科学家所特有的,是每个高中生应该具有的思维习惯。一个人一旦掌握了这样的思维方式,无论他从事何种职业都可以更高效地工作并终生享用。在《标准》的目标中,第一次提出了批判性思维的要求。批判性思维是对自己或别人的观点进行反思、提出质疑、弄清情况和进行独立分析的过程。在科学教育中培养学生的批判性思维尤其显得重要,有了这种思维品质,学生就能够对生物学问题作科学的分析及批评,做出理性的决定。同时,在实践中当自己的意见与绝大多数同学不同时,能够勇于发表自己的见解,敢于坚持,而不是人云亦云。

2.科学探究技能不是仅仅属于科学家的本领,它也是对具有科学素养的现代公民的基本要求。近几十年来,许多科学教育家认为科学探究是学生学习科学的有效方式之一。学校的科学探究活动通常是指学生用以获取知识,领悟科学的思想观念,领悟科学家研究自然界所用的方法而进行的各种活动。

学习科学应该是一种积极主动的过程。探究是学习科学的重要途径之一,每个高中学生都应该学习科学探究的基本技能,掌握了这种技能可以使人终身受用。科学探究的一般技能包括:提出问题、作出假设、制定计划、收集证据、得出结论、表达和交流的科学探究能力。让学生进行探究的真正意图,不仅在于掌握生物学知识本身,也在于让学生学会科学探究的一般方法,让他们亲身体会到科学家是如何提出问题、如何假设问题的"答案"、考虑从哪些途径去解决问题,并以此渐渐地养成探究的态度、方法和思维的品质。

(四)科学、技术与社会(STS)

高中生物课程对学生进行 STS 的教育,目的在于使学生理解科学的本质、理解技术的本质和特征,认识科学、技术、社会之间的关系,即教育教学内容的出发点既要考虑科学、技术知识本身,也强调三者之间的关系。在 STS 的教育中,教师要注意渗透以下观点:

1.科学是知识的一种存在形式,是人类长期努力探索的产物。但是,科学不仅仅局限于具体的科学知识,即结论性的知识;它还包括在历史中逐渐形成的一套行之有效的方法,即程序性的知识,包括探究、实验、观察、测量、对数据的分析、结果的报告。

2.技术是对包括不同学科内的不同科学概念和技能方面的知识的应用,同时也是为满足和解决一些特殊的需要和问题而对诸如材料、能量、工具的应用。技术同科学一样,也包含一种求知的方法和一个探究、实验、解决问题的过程。

3.科学提供知识,技术提供应用这些知识的方法,而价值观念则提供指导人们如何去对待这些知识和方法。

4.科学、技术与社会是紧密联系的。解决技术问题需要科学知识,而一项新的技术的产生又使科学家有可能用新的方法来扩展他们的研究、获取新的知识。

5.技术对社会的影响通常比科学对社会的影响更为直接。

学生在生物课程的学习过程中,通过参与和解决现实世界中的具体问题,来获取科学与技术的知识,增强正确的态度、价值观和社会责任感。这样,在日常生活中,他们就知道如何把所学的知识和方法与实践相结合,对科技引发的新的问题进行思考和判断,当他们参与社会活动时,能够依照正确的价值观对某些问题作出合理的价值判断,并能够采取适当的行动。

二、面向全体学生

面向全体学生最基本的含义是指高中生物课程要面向所有的在校学生。无论他们的年龄、性别、文化背景、家庭背景如何,不管他们的天分,他们的数理基础、理科的悟性高低,也不管他们的民族和地方经济的差异,他们生活在农村还是生活在城市,等等,教师都应赋予他们同等的学习生物科学的机会,使所有的学生都能接受尽可能好的教育,并在《标准》确定的课程目标指引的方向上有所进步。

"面向全体学生"特别要求生物教师不能只关心那些在理科的学习中表现优秀的,或者那些有望进入高校学习的孩子。我们要面向所有的在校学生,让全体学生的生物科学素养得到充分的发展。

(一)要给所有学生提供同样的学习机会

对于教师来说,尊重每一个学生,不仅要尊重那些学习努力、热爱科学、成绩优秀的学生,也要尊重那些个性特别、学习成绩较差、家庭条件不好的学生。因为学生的背景不同,起点也不相同,这就决定了他们在学习生物学内容时理解方式和深度会有所不同。过去,我们很容易将注意力集中在理科倾向突出和有可能进入高校学习的那部分学生身上,而忽略了全体学生的共同发展。新的高中生物课程宗旨是提高全体高中学生的生物科学素养。我们要重新审视我们的教育,要在充分尊重每一个学生发展权利,承认他们在发展方向、发展速率差别的基础上努力为全体高中学生打好"共同基础",实现《标准》的要求。在教学过程中,教师还要保护并提高所有学生学习的积极性和主动性,要让每个学生在学习实践中都有机会获得成功,使每个学生的生物科学素养都能够在义务教育阶段学习的基础上充分提高。

(二)必修模块的内容标准是基本要求

《标准》中必修部分内容的要求都是最基本的,是每个高中学生通过努力都应该达到的要求。到我国普及高中教育以后,它将是所有的中华人民共和国公民应该具备的最基本的生物科学素养。目前,这些基本要求对于少数不发达地区的高中来说,仍然有一定的实施难度,需要付出较大的努力才能达到;而对于我国东部教育发达地区的学校来说,可以充分利用已有的教育资源,使实际的教学内容和教学成果超过《标准》规定的要求。

(三)要满足不同学生的需求

在生物学教育面向全体学生的同时,我们也要关注那些在理科有特长、在生物课程的学习上有特殊要求和特殊爱好的学生。因此,在设计和提供课程资源时,都要考虑到那些优秀的同学,给他们提供必要的发展空间和机会。为此,新的高中生物课程在内容设置上增加了弹性,这也为教材建设和学生多样化的发展提供了很大空间。例如,内容标准的每一条都是一个很宽泛的描述,而不是一个具体的知识点,它采用一个粗线条的、提纲挈领式的描述方式,为教材的多元化、教学内容的多元化提供了选择的空间和发展的余地,这就给教师提供了更多的选择,使教师能够在教学中灵活地处理,在必修和选修模块中为那些有兴趣、有精力,希望深入学习生物学的学生提供更广泛的学习内容和教学资源,使他们能够充分发挥特长、展示才华。

(四)面向全体学生不是要降低高中生物学教育水平

面向全体学生后,会不会降低我国高中生物学教育的水平?会不会影响我国的生物学专门人才的产生呢?从国外课程改革的实践来看,如果我们做得好,这种情况应该不会发生。从生物学教育水平方面来说,在着眼于所有学校达到《标准》的基本要求的同时,我们对课程和教学内容的要求是开放的,即没有上限的制约。这就使经济发展迅速、教育基础好的地区和学校能充分发挥当地教育资源的潜力,达到更高的教学水平。在课堂教学中,教师可以真正地实现因材施教。如果学生能力突出,你就可以根据学生的特点和本校的学习资源适当增加学习内容或提高教学要求,这也不算"超标"。因此,对于条件好的学校和条件好的学生,可以有更高的要求。这样,不论是从全国高中生物教学的整体水平来看,还是从高端教学情况来说,面向全体学生都不意味着要降低要求。

在新的课程理念下,实际上是在全面提高学生整体科学素养水平的同时,面向全体学生扩展了优秀科技人才产生的土壤,增加了产生科学家的机会。经过高中教育,使他们都有望在生命科学领域有所进步、有所发展。所以,面向全体学生与优秀人才的产生并不矛盾。

三、倡导探究性学习

进入20世纪90年代以后,一些国家相继制定了面向21世纪的科学课程标准(或教学大纲),把科学探究作为科学课程的基本要求,科学探究能力作为构成学生科学素养的一个重要方面。在国内,近几年来有关创新精神和创新能力培养的问题引起了教育界和全社会的广泛关注,并成为当前基础教育改革的一个热点。探究性学习作为一种能够有效培养学生科学素养的教学方式,受到极大重视,成为新一轮理科课程改革中转变学生学习方式的一个突破点。教育部2000年7月颁布的《全日制普通高级中学生物教学大纲(试验修订版)》指出,高中生物课程要让学生初步学会生物科学探究的一般方法,具有较强的生物学基本操作技能、收集和处理信息的能力、观察能力、实验能力、思维能力和解决实际问题的能力。这标志着我国高中生物课程已经注重了对学生进行科学过程与技能等高层次认知能力的培养。《标准》在分析我国理科课程改革的基础上,借鉴世界各国科学课程标准及教学改革的实践经验,提出了"倡导探究性学习"的理念,以期将我国生物课程改革推向深入。

生物课程中的科学探究是学生积极主动地获取生物科学知识、领悟科学研究方法而进行的各种活动。当学生面临各种让他们困惑的问题时,教师要引导学生想办法寻找问题的答案。在解决问题的时候,要对问题进行推论、分析,找出问题解决的方向,然后通过观察、实验来收集事实资料;也可以通过其他方式得到第二手的资料,对获得的资料进行归纳、比较、统计、分析,形成对问题的解释或结论,并通过讨论和交流,进一步澄清事实、发现新的问题,对问题进行更深入的研究。通过这样的学习活动,大多数的学生可以在知识、技能、情感态度与价值观方面得到较快的发展。经过几十年的实践与反思,探究性学习也在不断地演变和发展,已经成为许多国家科学课程设计和实施中的重要指导思想和教学策略。

(一)探究性学习与科学探究能力

科学探究是人们获取科学知识、认识世界的重要途径。在生物课程的探究性学习过程中应该逐步让学生理解科学探究的过程,学习科学探究的方法和技能。科学探究活动通常包括:提出问题、作出假设、制定计划、实施计划、得出结论和表达交流等步骤。在这些步骤中需要运用到多种科学工作的技能。例如,观察、测量、收集数据、分析和解释实验数据、分类、比较、概括、描述、鉴别差异、分析、确定相互关系、计算、排序、绘制图表、解读图表、提出假设、作出预见、设计实验(包括对照实验)、评价假设、评价实验、运用推理解决问题、建立模型,等等。有些探究活动要综合运用到上述几项技能。

发展学生的科学探究能力即是教给学生自主探索自然界和现实生活中科学问题的方法和技能。教师在组织研究性学习的过程中应该注意落实对学生科学探究能力的培养,而不应该仅仅是为了完成探究的任务或是追求这种教学形式本身。从最简单的观察、测量到探讨较深入问题的全程探究活动,对学生探究能力训练的侧重点是不同的,既要安排一些有针对性的单项技能训练,也要通过循序渐进的学习使学生获得综合运用多种技能解决问题的能力。因此在教学活动中,教师应该选择、组织不同类型的探究活动,全面培养学生的科学探究能力。

(二)探究有不同的层次和活动形式

许多科学家认为科学研究中并不存在固定的、一成不变的研究方法或模式。但在科学教育中,为了便于学生了解科学过程,便于制定教学目标和设计教学活动,常常将科学探究的一般过程概括为若干步骤。如果一个探究活动从提出问题到表达交流的多个环节都是开放的,是由学生自己决定探究的问题和方法,最后得出结论,给学生留出充分的机会发挥他们的想像力和创造性,这样的教学活动称之为完全探究。出于教学时间、学生基础、教学条件等因素的考虑,教师常常设计一些只含有上述部分步骤的活动,而将其余的环节作为已知的条件给出,以缩短活动的时间或降低难度要求,这样的探究活动叫做部分探究。生物课程中大多数的学生活动属于这一类。

在实际教学中,由于课时的限制,教材中(或教师)不可能安排大量的高层次的完全探究活动。学生在更多的时候需要从多种多样的不同层次的探究活动中学习各种科学探究方法和科学探究技能。在不同年龄阶段,形式不同的探究活动会起到不同的作用。例如,对于低年级的学生来说,由老师指导的分阶段进行的活动更有利于学生的学习。有关探究教学的研究表明,指导型的探究和部分探究适合于学习概念和原理,而开放型的探究则有利于培养探究能力。

在一些教育发达的国家,探究式教学的思想和策略已经在高中生物课程中被广泛采用,在全面实现课程目标上具有良好的教学效果。在我国过去的近十年间,许多高中生物教师在教学改革中运用探究式教学方法,取得了令人满意的成果,为新课程推广探究式教学奠定了基础、积累了经验。《标准》将"倡导探究性学习"作为课程理念,必将有力地推进教师教学行为的改变,使"以探究为核心的、多样化的教学方式"成为今后生物课程改革中新的亮点。

四、注重与现实生活的联系

长期以来,生物课程的重点在生物学理论上,强调中学生物课程在学科体系上的完整性和系统性,教学中也局限于对生物学事实和概念的记忆。基于这样的理念编排的课程距离绝大多数学生的生活较远,学生几乎不能将他们所学到的知识运用于实际生活之中,难以去面对现实生活中与生物学相关的问题。

针对这些问题,一些科学教育专家提出生物学教育应该涉及对学生有用的、有实际应用价值的内容。教学中让学生观察身边的生命现象、发生的变化,并提出问题,探究其原因。选择这样的学习内容和教学方式,会使学生对学习过程变得更有兴趣,学生所学到的知识也更加牢固、理解也会更加深入。正是由于这样的原因,联合国教科文组织曾于20世纪90年代初召开科学与技术教育研讨会,推广"现实生活中的科学"这一科学教育的理念和教学策略。

在过去近20年间,"科学、技术与社会(STS)"是世界范围内科学教育发展的趋势之一。一些科学教育专家认为,STS就是让学生在现实生活的背景中学习科学与技术。STS思想中的一个重要观点是:科学教育要着眼于现实的世界。这就要求科学教育(包括生物学教育)要学以致用,要涉及当地与生物学相关的事物或问题,发现解决问题的方法,并在解决问题的过程中获取新的知识,形成科学的态度和世界观,提高科学探究的技能,养成科学思维的习惯。在教学内容的选择上,STS也强调那些对当地生产的发展、对改善生活质量有用的生物学知识。

生物学就在每个学生的身边,如热点新闻、卫生健康、个人生活、当地资源、环境保护,等等,都含有与学生切身利益相关的生物学问题,其内容也涉及生物科学、生物技术、生物工程、人文社会等方面的内容,教师在教学中适当加入这些内容,会开阔学生的思路,加深对相关知识的理解,并能够认识到许多社会问题的多面性。教师要在深入理解《标准》、充分了解学生和当地资源的基础上,结合教学内容和要求,将"现实生活中的生物学"融入教学之中。

第二节 高中生物新课程的目标

一、高中生物新课程的总目标

高中生物新课程的总目标是:学生通过高中生物课程的学习,获得生物科学和技术的基础知识,了解并关注这些知识在生活、生产和社会发展中的应用;提高对科学和探索未知的兴趣;养成科学态度和科学精神,树立创新意识,增强爱国主义情感和社会责任感;认识科学的本质,理解科学、技术、社会的相互关系,以及人与自然的相互关系,逐步形成科学的世界观和价值观;初步学会生物科学探究的一般方法,具有较强的生物学实验的基本操作技能、搜集和处理信息的能力、获取新知识的能力、批判性思维的能力、分析和解决实际问题的能力,以及交流与合作的能力;初步了解与生物科学相关的应用领域,为继续学习和走向社会做好必要的准备。

二、高中生物新课程的具体目标

高中生物新课程的具体目标如下:

(一)知识目标

1.获得生物学基本事实、概念、原理、规律和模型等方面的基础知识,知道生物科学和技术的主要发展方向和成就,知道生物科学发展史上的重要事件。

2.了解生物科学知识在生活、生产、科学技术发展和环境保护等方面的应用。

3.积极参与生物科学知识的传播,促进生物科学知识进入个人和社会生活。

(二)情感态度与价值观目标

1.初步形成生物体的结构与功能、局部与整体、多样性与共同性相统一的观点,生物进化观点和生态学观点;树立辩证唯物主义自然观,逐步形成科学的世界观。

2.关心我国的生物资源状况,对我国生物科学和技术发展状况有一定的认识,更加热爱家乡、热爱祖国,增强振兴中华民族的使命感与责任感。

3.认识生物科学的价值,乐于学习生物科学,养成质疑、求实、创新及勇于实践的科学精神和科学态度。

4.认识生物科学和技术的性质,能正确理解科学、技术、社会之间的关系。能够运用生物科学知识和观念参与社会事务的讨论。

5.热爱自然、珍爱生命,理解人与自然和谐发展的意义,树立可持续发展的观念。

6.确立积极的生活态度和健康的生活方式。

(三)能力目标

1. 能够正确使用一般的实验器具,掌握采集和处理实验材料、进行生物学实验的操作、生物绘图等技能。

2. 能够利用多种媒体搜集生物学的信息,学会鉴别、选择、运用和分享信息。

3. 发展科学探究能力,初步学会:

(1)客观地观察和描述生物现象;

(2)通过观察或从现实生活中提出与生物学相关的、可以探究的问题;

(3)分析问题,阐明与研究该问题相关的知识;

(4)确认变量;

(5)作出假设和预期;

(6)设计可行的实验方案;

(7)实施实验方案,收集证据;

(8)利用数学方法处理、解释数据;

(9)根据证据作出合理判断;

(10)用准确的术语、图表介绍研究方法和结果,阐明观点;

(11)听取他人的意见,利用证据和逻辑对自己的结论进行辩护。

三、高中生物新课程目标的特点及对教师提出的新要求

(一)高中生物新课程目标的特点

高中生物新课程目标,是在九年义务教育生物课程的基础上的延续、发展和提高。与义务教育目标相比较,具有以下特点。

1. 在获得生物科学基础知识的前提下,强调获取生物技术知识,将生物学原理用于生物技术领域,用于对科学与未知的探究之中。

2. 强调了情感态度与价值观的重要性,并将这一目标列在能力目标之前,将其置于核心位置。说明情感态度与价值观目标是实现知识目标、能力目标的前提条件,是国民基本素质的核心内容。它将决定我们教育的培养方向,决定我们未来将拥有什么样的一代。

3. 在情感态度与价值观目标方面,要求学生必须具有下列素养:科学态度和科学精神,创新意识,爱国主义情感和社会责任感,理解科学的本质及科学、技术

和社会的相互关系,科学的世界观和方法论。这些都是在义务教育阶段情感态度与价值观目标要求的基础上的发展和提高。

4.在义务教育要求学生形成基本技能、习惯、意识和初步的探究方法的基础上,要求学生具有较强的生物学实验的操作技能,信息搜集、处理能力,获取新知识的能力,批判性思维能力,分析解决问题的能力。

(二)高中生物新课程目标对教师提出的新要求

高中生物新课程目标的变化要求教师做到以下几个方面。

1.更新教育观念。课程目标是一门课程总体水平的标志之一,是教师制定和实施每一项教学活动的重要依据。中学生物课程目标具有很强的时代特征,它会随时代的发展、科技的进步和社会的变化而不断更新。课程目标上的变化要求教师深刻理解和领会新的课程理念和要求,更新教育、教学观念。

2.扩大知识面。课程目标在知识方面的变化要求教师扩大知识面,改善自己的知识结构,同时也应加深对这些知识的理解。另外,教师还应加深对"科学的本质"、"STS"教育的理解。

3.转变教师角色。由传授者转变为促进者,由管理者转变为引导者,由居高临下转变为平等的合作者。

4.调整教学策略。由重知识传授向重学生发展转变,由重教师"教"向重学生"学"转变,由重结果向重过程转变,由统一规格教育向差异性教育转变。

5.提高教学技能。教师应在课程标准的指导之下,善于引导学生的学习,调控好课堂气氛,同时也要学会开发利用各种可利用的课程资源。

课程目标是一个科学体系,知识、情感态度与价值观、能力三个方面的要求对科学素养的形成同样重要,缺一不可。教师在重视知识教学的同时,更加重视情感态度与价值观和能力目标的实现,在每个模块的教学中,全面落实三大课程目标的要求。

第三章
高中生物新课程的内容

第一节 高中生物新课程内容设计的思路

高中生物新课程是根据《纲要》和《普通高中课程改革方案》的精神和要求设计的。《标准》对高中生物新课程内容的设计思路作了如下阐释。

高中生物课程分为必修和选修两个部分。必修部分包括"生物1:分子与细胞"、"生物2:遗传与进化"、"生物3:稳态与环境"三个模块;选修部分有"选修1:生物技术实践"、"选修2:生物科学与社会"和"选修3:现代生物科技专题"三个模块。每个模块36学时、2学分。

必修模块选择的是生物科学的核心内容,同时也是现代生物科学发展最迅速、成果应用最广泛、与社会和个人生活关系最密切的领域。所选内容能够帮助学生从微观和宏观两个方面认识生命系统的物质和结构基础、发展和变化规律以及生命系统中各组分间的相互作用。因此,必修模块对于提高全体高中学生的生物科学素养具有不可或缺的作用。

选修模块是为了满足学生多样化发展的需要而设计的,有助于拓展学生的生物科技视野、增进学生对生物科技与社会关系的理解、提高学生的实践和探究能力。

学生在学习了生物1的内容之后,既可以先学习生物2的内容,也可以先学习生物3的内容,然后在修完必修模块的基础上,进行选修模块的学习。

每个模块在高中生物课程中的价值如下:

"生物1:分子与细胞"模块有助于学生较深入地认识生命的物质基础和结构基础,理解生命活动中物质的变化、能量的转换和信息的传递;领悟观察、实验、比较、分析和综合等科学方法及其在科学研究过程中的应用;科学地理解生命的本质,形成辩证唯物主义自然观。

"生物2:遗传与进化"模块有助于学生认识生命的延续和发展,了解遗传变异规律在生产生活中的应用;领悟假说演绎、建立模型等科学方法及其在科学研究中的应用;理解遗传和变异在物种繁衍过程中的对立统一,生物的遗传变异与环境变化在进化过程中的对立统一,形成生物进化观点。

"生物3:稳态与环境"模块有助于学生认识发生在生物体内部和生物与环境之间的相互作用,理解生命系统的稳态,认识生命系统结构和功能的整体性;领悟系统分析、建立数学模型等科学方法及其在科学研究中的应用;形成生态学的观点和可持续发展的观念。

"选修1:生物技术实践"模块重在培养学生设计实验、动手操作、收集证据等科学探究的能力,增进学生对生物技术应用的了解。本模块适于继续学习理工类专业或对实验操作感兴趣的学生学习。

"选修2:生物科学与社会"模块围绕生物科学技术在工业、农业、医疗保健和环境保护等方面的应用,较全面地介绍生物科技在社会中的应用,可以帮助学生更深入地理解生物科学技术在社会中的应用,适于继续学习人文和社会科学类专业及直接就业的学生学习。

"选修3:现代生物科技专题"模块以专题形式介绍现代生物科学技术一些重要领域的研究热点、发展趋势和应用前景,以开拓学生的视野,增强学生的科技意识,为学生进一步学习生物科学类专业奠定基础。

高中生物新课程各模块之间的关系如图3-1所示:

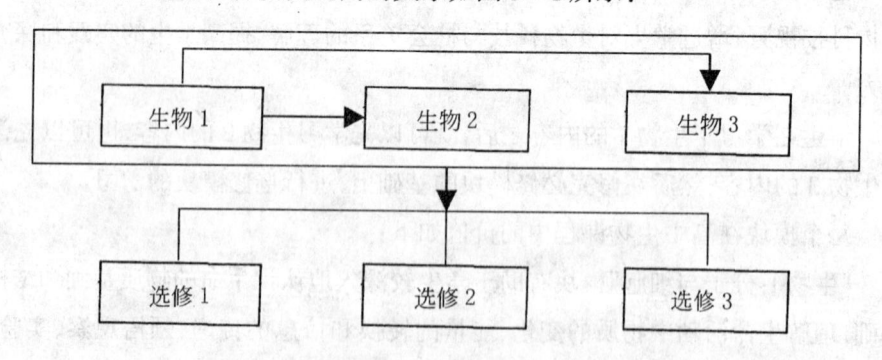

图3-1 高中生物新课程各模块之间的关系

第二节 高中生物新课程内容简介

一、必修部分

(一) 分子与细胞

1. 本模块在高中生物课程中的地位

"分子与细胞"是高中生物课程必修内容的第一个模块。它与其他两个模块共同组成一个相对完整的知识系统,作为高中生物的核心内容;也与选修模块的某些内容联系紧密,成为继续学习这些知识的必要基础。

(1) 本模块在必修部分的地位

在高中生物课程的必修模块内容中,"分子与细胞"部分主要是阐述生命的本质,即生命的化学基础和结构基础,实现自我更新的生理基础,实现自我复制的遗传信息传递基础;"遗传与进化"部分主要是阐述生命的延续性,以及生物界的发生和发展过程及原因;"稳态与环境"部分则主要是阐述生命系统通过自我调节机制保持稳态并适应环境,以及生态系统通过自动调节作用使结构与功能达到协调统一并持续发展。因此,必修部分的三个模块之间的知识联系密切。

本模块的"细胞的分子组成"单元主要阐述生命的化学基础,即生命是由水、无机盐和生物大分子组成的高度有序的动态体系,能量是推动生命体系的物质运动和保持有序状态的动力,信息传递是维系生命体系的调控机制。因此,物质、能量和信息是一切生命系统的化学基础。该单元阐述的生命分子的结构和功能,不仅是学习细胞的结构、功能、代谢和繁殖等的基础,而且也是学习遗传与进化、稳态与环境等的基础。例如,蛋白质和核酸等是进一步探讨 DNA 分子的结构与功能,基因和遗传信息的概念,遗传信息的传递和表达,以及基因的调控等的必要前提。蛋白质的结构与功能也是学习激素调节机制的必要前提。此外,生命系统的物质、能量和信息传递等,成为理解生态系统的物质循环、能量流动和信息交流的重要基础。

本模块的"细胞的结构"单元主要阐述生命的结构基础,即细胞是生物体结构和功能的基本单位。既然细胞是生命活动的单位,那么有关细胞的结构与功能的知识,必然对继续学习细胞代谢和增殖等知识起着重要作用。有关细胞核的知识,对于深入理解有性生殖中配子的作用,以及传种接代过程中基因的传递、重组和突变等知识起着重要作用。

本模块的"细胞的代谢"单元主要阐述生命实现自我更新的生理基础,即生命活动所需要的能量来自于光合作用和细胞呼吸两个过程,细胞膜是细胞与环境之间进行物质交流和能量转换的必要条件,细胞内的物质交流和能量转换也必须在酶的催化下才能进行,ATP则是生命系统输入、储藏和输出能量,以及细胞实现能量释放、转移、贮存和利用的关键化合物。有关细胞与环境之间进行物质交换和能量交换的知识,是继续学习生态系统内物质循环和能量流动等知识的基础;有关细胞内物质转变和能量转换的知识,则是学习内环境及稳态等知识的基础。

本模块的"细胞的增殖"单元主要阐述生命实现自我复制的遗传信息的传递基础,即细胞增殖是通过细胞周期实现的,在细胞生长和分裂的周期中,复制的遗传信息平均分配到两个子细胞中去,使亲代细胞与子代细胞保持遗传的相对稳定性。该单元知识是学习减数分裂、配子生成和融合、合子发育的重要基础,也是学习DNA复制及遗传信息传递的重要基础。

本模块的"细胞分化、衰老和凋亡"单元主要阐述生命的有限性,即分化是细胞、组织和器官的特化,是新生细胞的结构与功能进一步发展的必然。同样,细胞衰老和凋亡是特化细胞的结构与功能活动的必然。细胞癌变则是细胞发生畸形分化的结果。这部分内容与继续学习生物的个体发育、基因的调控机制、基因突变、人类遗传病等知识有着密切联系。

(2) 本模块与选修模块的内在联系

"分子与细胞"模块的某些内容,与选修模块的相关内容有着内在联系。例如,选修模块中有关酶的应用、微生物发酵、蛋白质的提取和分离、生物净化原理和方法等,都是以"酶与代谢"部分的相关内容为基础的。克隆技术、胚胎干细胞移植等内容,都是对有关细胞全能性知识的应用、引申和拓展。此外,学生通过"分子与细胞"模块的探究性学习活动获得的技能,对进一步学习生物技术实践等知识起到保证作用。

2. 本模块课程内容的要求

本模块内容包括：细胞的分子组成、细胞的结构、细胞的代谢、细胞的增殖、细胞的分化、衰老和凋亡五个部分。每部分内容都是一个相对独立的命题，对各个命题的内容要求如下。

(1)"细胞的分子组成"部分

本部分内容的单元知识点有：细胞的元素组成、细胞的分子组成、水和无机盐、糖类、脂质、蛋白质、核酸等。要求是：简述生命元素的类别，说明生物大分子以碳链为骨架。说出细胞内的水和无机盐含量、存在形式和生理作用。概述糖类的种类和作用，明确糖类既是细胞的重要结构成分，又是生命活动的主要能源。知道脂质具有区别于糖类的特征，举例说出脂质的种类和作用。举例说出蛋白质的相对分子质量大，阐明蛋白质是结构和功能最复杂的生物大分子，认识蛋白质分子的空间结构对其功能起决定性作用。简述科学家研究核酸化学组成的大体过程，概述核酸的分子结构和功能。检测生物组织中的还原糖、脂肪和蛋白质，观察 DNA、RNA 在细胞中的分布。

(2)"细胞的结构"部分

本部分内容的单元知识点有：细胞的发现和细胞学说的建立、细胞的研究方法、细胞的类别、细胞的基本结构、细胞膜、细胞器、细胞核、细胞的整体性等。要求是：简述罗伯特·虎克(Robert Hooke)和列文虎克(A. Leeuwenhoek)在细胞发现过程中的贡献，简述细胞学说的创立过程及其基本观点。列举细胞的多样性，观察多种多样的细胞。阐明生物膜结构"流动镶嵌模型"的主要论点，简述细胞膜的大体功能。举例说出几种细胞器的结构和功能，观察线粒体和叶绿体；简述细胞核的基本结构，阐明细胞核贮存遗传信息。举例说出细胞各部分结构相互联系和协调一致，理解细胞是一个有机的统一体。

(3)"细胞的代谢"部分

本部分内容的单元知识点有：物质进出细胞的方式、ATP 与代谢、酶与代谢、光合作用、细胞呼吸等。要求是：探究物质通过半透膜的扩散原理，观察植物细胞质壁分离和复原现象，论证细胞膜具有选择透过性；说明离子和小分子物质的跨膜运输方式，以及大分子和颗粒性物质的膜泡运输方式。探究活细胞内酶的来源、作用、化学属性,以及酶作用的特性;探究温度、pH等因素对酶活性的影响。简述ATP分子结构,解释ATP与ADP相互转化的关系,说明ATP的生成途径,阐明ATP在能量代谢中的作用。分析科学家对光合作用的认识过程,形成光合作用的基本概念;提取和分离叶绿体色素,简述叶绿体色素的吸收光谱和作用;阐明光合作用的过程及实质,探究影响光合作用速率的环境因素,认识光合作用原理对提高作物产量的指导作用,理解光合作用是生物界乃至整个自然界最基本的物质代谢和能量代谢。探究酵母菌的呼吸方式,阐述有氧呼吸的化学过程,举例说明无氧呼吸与有氧呼吸的异同,理解细胞呼吸是生物体获得能量的主要代谢途径。

(4)"细胞的增殖"部分

本部分内容的单元知识点有:细胞增殖及其意义、细胞周期、细胞分裂间期、无丝分裂、有丝分裂等。要求是:模拟探究物质扩散速率与细胞大小的关系,理解生物体大多是由许多体积很小的细胞组成的,以及细胞分裂是其发展的必然;举例说明细胞分裂是生物体生长、发育、繁殖和遗传的基础。简述细胞生长和增殖的周期性,图解一个细胞周期的持续时间和大体分期。概述间期细胞内进行的正常代谢活动,理解间期是细胞分裂期的准备阶段。描述细胞的无丝分裂过程,概述植物细胞的有丝分裂,观察植物细胞有丝分裂各个分期的特征,简述动物细胞有丝分裂与植物细胞的异同,归纳细胞有丝分裂的共同特征。

(5)"细胞的分化、衰老和凋亡"部分

本部分内容的单元知识点有:细胞分化、细胞衰老和凋亡、细胞癌变等。要求是:以合子发育为例,说明细胞分化是生物个体发育的主要过程;以植物组织培养和动物克隆为例,说明分化细胞仍然保持其全能性;搜集有关干细胞研究进展和应用的资料。列举细胞衰老和凋亡是一种正常生理活动的事实,简述衰老细胞的主要特征,探讨防止细胞衰老和延长细胞寿命的可能性,综述有关细胞衰老的理论研究成果。描述癌细胞的主要特征,对致癌因子进行分类,说出正常细胞发生癌变的原因;关注恶性肿瘤的防治,搜集和交流防治恶性肿瘤方面的资料。

(二) 遗传与进化

1. 本模块在高中生物课程中的地位

高中生物课程分为必修和选修两部分,"遗传与进化"是三个必修模块之一,它不仅与必修部分的其他模块共同构成一个相对完整的知识体系,成为高中生物的核心内容,而且与三个选修模块的一些内容联系紧密,成为继续学习相关知识的必要基础。

(1) 本模块在必修部分的地位

高中生物课程的必修模块,主要是从微观和宏观两个方面引导学生学习和掌握生命科学最基本的概念、原理和理论,以及相关知识在实践中的应用。其中,"分子与细胞"立足于细胞水平、亚细胞水平乃至分子水平上阐述生命的本质;"遗传与进化"不仅从微观层面上阐述生命的延续性,而且立足于整个生物界,从宏观层面上阐述生命的发展过程、原因和结果;"稳态与环境"则从宏观层面上阐述生命系统通过自我调节保持稳态并适应外界环境,生态系统通过自动调节作用在结构与功能上达到和谐与统一。因此说,三个必修模块构成一个相对完整的知识体系。

生物通过生殖和遗传实现生命的延续和种族的繁衍,通过进化实现生命的发展。在"遗传与进化"模块中,选取减数分裂和受精作用等内容,目的在于揭示生命延续的细胞学基础。显然,这部分内容必须以细胞周期及细胞有丝分裂等知识为基础。观察减数分裂及识别细胞内染色体变化的实验操作,也必须以观察细胞有丝分裂的技能训练为前提。本模块选取DNA分子结构及其遗传基本功能,遗传和变异的基本原理及应用等内容,目的在于阐明遗传物质及其作用原理,以及基因传递、重组和改变的模式。生命分子和细胞结构是这部分内容的必要基础。显示DNA与RNA在细胞中分布的观察实验,则有助于学生深入理解DNA与RNA之间的遗传关系。本模块还选取现代生物进化理论和物种形成等知识,目的在于概述原始生命出现后的发展历程以及生物进化的原因和结果——大自然的定向选择促进生物进化,全球生物多样性和适应性是自然选择的结果。正因为生命的发生和发展的历程显示出生物与环境相互作用的关系,所以这部分知识又成为学生进一步学习和理解生态学知识的基础。

(2) 本模块与选修模块的内在联系

"遗传与进化"模块的某些内容,与选修模块中的相关内容联系紧密。例如,选修模块涉及的避孕原理和方法、人工授精、试管婴儿等生殖技术,都是以减数分裂和受精作用为必要的知识基础;克隆、基因工程、基因诊断和基因治疗,以及PCR技术和蛋白质工程等内容,则是以基因及其遗传信息的传递和表达为基础的。此外,选修模块介绍的现代生物技术在育种中的应用,实际上是对选择育种、辐射育种、单倍体和多倍体育种原理的拓展和引申。因此,选取本模块的内容时,既要重视联系生活、生产、社会及其与技术科学的综合,又要关注与选修模块中相关内容的衔接,避免前后出现不必要的重复。

2. 本模块课程内容的要求

本模块内容包括:遗传的细胞基础、遗传的分子基础、遗传的基本规律、生物的变异、人类遗传病和生物的进化六部分,每部分内容就是一个相对独立的知识单元,对各个单元课题内容的要求分别阐述如下。

(1) "遗传的细胞基础"部分

本部分内容包括减数分裂、配子形成和受精作用等单元知识点。要求是:以人或高等动植物为例,说明减数分裂的发生部位、时间、过程和结果,形成减数分裂的概念,结合图解阐明减数分裂过程中染色体的动态变化;观察细胞的减数分裂,或者制作模拟减数分裂时染色体变化的图片。图示动物精子生成过程的分期,说明各个时期细胞结构的动态变化;比较说明卵细胞与精子生成的异同;简述配子的作用;以人为例说明受精部位、时间、过程和影响因素;概述被子植物的双受精过程。

(2) "遗传的分子基础"部分

本部分内容的知识点有:对遗传物质的认识过程、DNA分子结构、基因和遗传信息、遗传信息的传递和表达等。要求是:分析肺炎球菌转化实验和噬菌体侵染细菌实验的结果,证实DNA是遗传物质;分析烟草花叶病毒(TMV)感染实验或TMV与霍氏车前病毒(HR)重建实验的结果,证实RNA也是遗传物质;概括遗传物质的特征。简述DNA分子的结构层次;阐述DNA分子链(一级结构)的结构稳定性;图解DNA分子双螺旋结构模型的基本要点,说明DNA分子构型的稳定性、特异性和多样性;搜集沃森和克里克建立 DNA 分子双螺旋结构模型的资料,制作一个 DNA 分子双螺旋结构模型。简述基因与性状、基因与 DNA、基因与染色体、基因与遗传信息的多重关系,形成基因的概念;举例说明基因与遗传信息的关系。概述 DNA 复制的时间、过程、条件、分子基础和特点,揭示 DNA 复制的实质;概述遗传信息转录的场所、模板和过程,揭示遗传信息的翻译过程是信使 RNA、核糖体和转运 RNA 三者协同作用的结果,概述中心法则。

(3)"遗传的基本规律"部分

本部分内容的知识点有:孟德尔的遗传实验、孟德尔定律、表型和基因型、伴性遗传等。要求是:简述用豌豆做实验材料的优点,描述孟德尔的豌豆杂交实验程序,说出孟德尔搜集、整理和解读数据的方法,概述孟德尔研究的杰出贡献。简述孟德尔发现遗传定律的实验依据、假设及推测、验证及结论;用现代遗传学的研究成果,阐明杂合子内等位基因之间的相互作用,以及配子形成时等位基因分离和非等位基因之间随机重组的细胞学基础;尝试植物或动物性状分离的杂交实验。举例说明基因型是性状表现的决定因素,杂合子内等位基因的相互作用对其表型的影响,阳光、温度、营养、性激素等发育条件对基因表型效应的影响,以及杂合子内非等位基因的相互作用对其表型的影响。以人类红绿色盲或血友病为例,简述人类性状遗传的研究方法;分析红绿色盲的调查资料并提出问题,对控制红绿色盲遗传的基因及位置作出假设,推测 X 连锁隐性基因表型效应与性别的关系及其传递方式的特殊性,列举检验假设的方法;对性染色体上的基因的传递方式和遗传表现加以归纳,形成伴性遗传的概念。

(4)"生物的变异"部分

本部分内容的单元知识点有:基因重组、基因突变、染色体变异、变异与育种等。要求是:从广义上列出基因重组的类型,结合减数分裂中的染色体行为简述基因重组的细胞学基础;举例说出基因重组的意义。图解镰状细胞贫血的病因,形成基因突变的概念;简述基因发生突变的时间、原因和遗传效应(分子病或代谢缺陷);举例说明自然突变的特征,简述基因突变的意义。简述染色体变异的类型和导致生物变异的原因,图示染色体的结构变异;以果蝇的染色体组型为例,解说染色体组的概念;列举自然界中常见的染色体数目变异类型,简述多倍体植物和单倍体植物的特征和来源。简述人工诱变的方法,列举辐射育种的成就;举例说出多倍体育种和单倍体育种的程序,简述人工诱导染色体加倍的一般原理;尝试用低温诱导植物分生组织使细胞内染色体加倍。

(5)"人类遗传病"部分

本部分内容的单元知识点有:人类遗传病的类型、遗传病的检测和预防、人类基因组计划等。要求是:简述人类遗传病产生的原因和特点;说出医学遗传学对遗传病的分类原则,列出遗传病的类型;举例说出各类单基因病的遗传方式和患病率;列举染色体病对新生儿的严重危害;调查某种常见的人类遗传病。说出遗传病的产前诊断与优生的关系,图示产前诊断的程序,简述羊膜穿刺术和核型分析在产前诊断中的作用;说出遗传咨询与优生的关系,简述遗传咨询的一般方法;搜集和交流基因诊断和治疗研究方面的资料。说出人类基因组计划的研究对象和目标,简述人类基因组计划的研究成果和意义;概述人类单体型计划的对象和目标,说出人类单体型计划与人类基因组计划之间的关系;搜集和交流有关人类基因组研究方面的资料。

(6)"生物的进化"部分

本部分内容的知识点有:现代生物进化理论简介、物种形成、生物进化的历程与生物多样性的形成等。要求是:在初中学习达尔文自然选择理论基本观点的基础上,说明现代生物进化理论的主要内容。简述生物进化的大体过程,列举生物进化历程中出现的重大转折及其深远意义;阐述魏泰克提出的五界说的分类原则,说明五界说的理论意义。

(三)稳态与环境

1. 本模块在高中生物课程中的地位

作为高中生物课程中三个必修模块之一,本模块具有独特的地位和作用。

第一,本模块对学生理解生物学至关重要。生物学是研究生命现象和生命活动规律的科学。在我国的中学生物课程中,初中阶段侧重于让学生了解生命现象,高中阶段侧重于让学生理解生命活动的本质和规律。生命世界从细胞到个体,从个体到群体,以至生态系统,都是不同层次的生命系统。生命系统有着自身的物质基础和结构基础,有着自身的发生、发展和衰亡的规律。"分子与细胞"模块侧重于使学生在细胞水平认识生命系统的物质基础和结构基础;"遗传与进化"模块侧重于使学生在基因水平认识生命系统的发生和发展;本模块则侧重于使学生在个体和群体水平认识生命系统内部的调节机制以及与环境的关系。生命系统是开放系统,它们与外界环境之间不断进行着物质交流、能量转换和信息传递,这就决定了生命系统时刻处于动态变化过程中。生态系统的动态变化都是在一定的范围内进行的,否则就会解体,导致系统的崩溃。也就是说,稳态是生命系统能够独立存在的必要条件。生物体内的各种代谢过程,都是将维持自身的稳态作为目标。稳态的维持靠的是生命系统内部的自动调节机制。本模块中关于这种调节机制,在个体水平上主要阐述动物体和植物体的生命活动的调节,在群体水平上主要阐述生态系统的自动调节。可见,就理解生命活动的本质和规律来说,本模块具有其他模块不可取代的价值。

第二,本模块对于学生了解生物学在生活和生产中的应用十分重要。人体的许多疾病都与内环境稳态的失调有关。例如,血糖的稳定是稳态的重要方面,它是通过胰岛素等激素的调节而实现的。胰岛素分泌失调就会导致糖尿病,注射胰岛素就会使这类糖尿病患者得到治疗。又如,生产中应用或产生的激素类似物若大量释放到环境中,又会对人体产生不良影响。本模块还安排了人体的水盐调节、体温调节、免疫调节等内容,这些内容都与人体健康密切相关。植物激素在农业生产以及现代生物技术中都有着广泛的应用,种群数量的变化、群落的演替、生态系统的稳定性、生物多样性的保护等内容,更是与人类的经济生产活动和社会的可持续发展密切相关。

第三,本模块对于学生认识生物与环境是一个统一的整体,进而树立人与自然和谐发展的观点十分重要。可以为学生形成环境保护意识打下理性的基础。

第四,本模块对于学生全面领悟科学方法十分重要。"分子与细胞"模块和"遗传与进化"模块,可以帮助学生领悟观察——归纳、假说——演绎的方法,本模块可以帮助学生领悟系统分析、建立数学模型、取样调查等方法。

2. 本模块课程内容的要求

(1)本模块内容设计的基本思路

本模块包括生命活动的调节和生物与环境两大方面,但是,它并不是这些内容的简单合并,而是由稳态这一核心概念统领的个体和群体两个研究水平的内容。本模块内容构建的基本思路是:将生物的个体和群体看作不同层次的生命系统,它们都在与外界环境的相互作用中,通过自身的调节机制维持稳态(图3-2)。

```
                          ┌─ 植物体的激素调节
            ┌─ 个体水平的稳态 ─┼─ 动物体生命活动的调节
稳态与环境 ─┤                  └─ 人体的内环境与稳态
            │                  ┌─ 种群的数量变化
            └─ 群体水平的稳态 ─┼─ 群落的演替
                               └─ 生态系统的稳定性
```

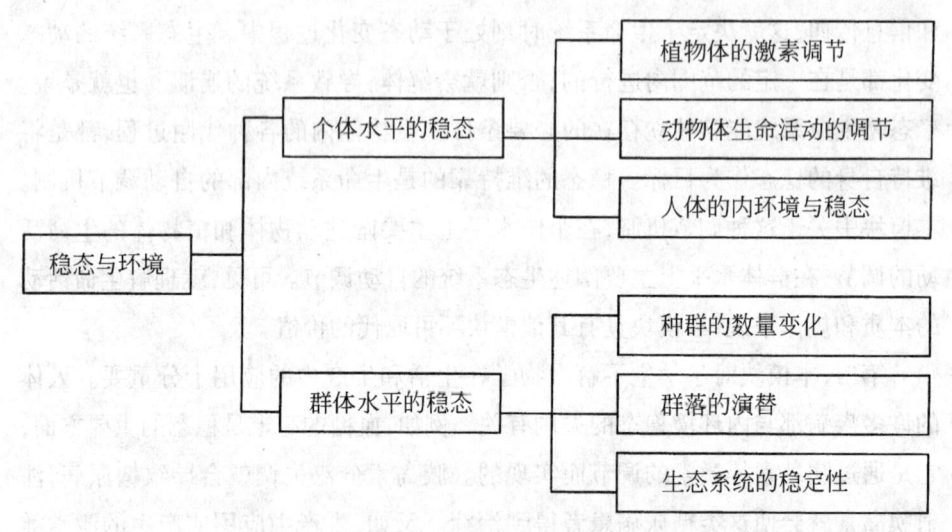

图3-2 "稳态与环境"模块构建的基本思路

稳态的概念源于人体内环境的研究。1857年,法国生理学家贝尔纳(C. Bernard,1813—1878)首先指出,细胞外液是机体细胞直接生活于其中的外环境,也就是身体的内环境。虽然机体的外部环境经常变化,但内环境基本不变,从而给细胞提供了一个比较稳定的理化环境。贝尔纳认为,"内环境的稳定是独立自由的生命的条件"。失去了这些条件,代谢活动就不能正常进行,细胞的生存就会出现危机。1926年,美国生理学家坎农(W. B. Cannon,1871—1945)发展了内环境稳定的概念,指出内环境的稳定状态只有通过细致地协调各种生理过程才能达成。内环境的任何变化都会引起机体自动调节组织和器官的活动。产生一些反应来减少内环境的变化。他将这种由代偿性调节反应所形成的稳定状态称为稳态(homeostasis)。他认为稳态并不意味着稳定不变,而是指一种可变的相对稳定的状态,这种状态是靠完善的调节机制抵抗外界环境的变化来维持的。

在坎农之后,随着生物学的发展,以及系统论和控制论的思想方法对生物学的影响,稳态的概念突破了生理学范畴,延伸至生命科学的各个领域,成为整个生命科学的一大基本概念。人们认识到,不仅人体的内环境存在稳态,各个层次的生命系统都存在稳态。在微观领域,细胞内的各种理化性质也是大致维持稳定,各种酶促反应的进行受到反馈调节。基因表达过程中同样存在稳态。在宏观领域,种群、群落、生态系统都存在稳态。就人体的稳态而言,通过神经调节和体液调节而实现稳态的观点也得到进一步发展,提出稳态是通过神经、内分泌和免疫调节网络来维持的,强调免疫调节在稳态维持中的作用。

综上所述,稳态是生命系统的重要特征,是生命系统在与外界环境的物质、能量和信息交流过程中,通过自身的调节机制而维持的相对稳定状态。理解生命系统的稳态,一是要将生命系统放在与外界环境的相互作用中来理解,二是要理解不同生命系统内部的自动调节机制。这也正是本模块标题定为"稳态与环境"的基本考虑。

(2)本模块内容在知识、方法和情感态度价值观方面的侧重点

在知识方面,本模块的核心概念是稳态和反馈。系统的稳态是通过反馈调节机制而实现的。在一个系统中,系统本身工作的效果,反过来又作为信息调节该系统的工作,这种调节方式叫做反馈调节。人体内血糖含量升高时,刺激胰岛B细胞,促进它分泌胰岛素,同时作用于胰岛A细胞,使之减少胰高血糖素的分泌。当胰岛素随血液运输到肝和肌肉等器官或组织时,能促进细胞对葡萄糖的摄取和利用,还可促进肝细胞和肌肉细胞将葡萄糖合成为糖元贮存起来,从而使血糖含量下降。当血糖含量降低到一定程度时,就会抑制胰岛素的分泌,增加胰高血糖素的分泌,从而促进肝糖元的分解,形成较多的葡萄糖,使血糖含量升高。可见胰岛素的作用结果会反过来影响胰岛素的分泌,胰高血糖素也是如此,这就是反馈调节。在生态系统中,当气候适宜时,植物生长茂盛,为植食性动物提供了充足的食物,植食性动物的数量会增加。植食性动物数量的增长,会吃掉大量的植物,同时也会使肉食性动物的数量增加,这两方面的变化又都导致植食性动物数量的增长趋势得到遏制,这也是反馈调节。这只是两个关于反馈调节的简化的例子。在生物体和生态系统内部,实际上都存在复杂的反馈调节网络,稳态是通过网络化的反馈调节而实现的。

学生要建构稳态和反馈的概念需要有一定的生物学事实做基础。与此有关的生物学事实内容很多，《标准》在内容的选取上有主有次。在个体水平上，本模块的重点是人体的稳态，动物生命活动的调节也大都以人体为例。在群体水平上，本模块的重点是生态系统的稳态。

在科学方法方面，本模块重在系统分析和建构模型的方法。系统分析是明确系统的边界后，在分析系统组成要素、层次结构的基础上，分析系统各组成成分间相互影响的定量关系，建立系统的数学模型，并利用计算机对系统结构进行优化，使系统具有功能整合作用的问题分析方法。一般包括四个阶段：第一阶段是定性分析，包括划分系统边界、确定系统组成成分、分析系统层次、明确问题及研究目标；第二阶段为定量研究阶段，包括定量研究各组成成分间的影响关系、建立系统数学模型；第三阶段为模型分析阶段，是在认识系统动态规律的基础上，确定系统模型的参数，进行模型试验，优化系统功能；第四阶段为系统结构优化阶段，是通过模拟分析，优化系统结构，实行系统调控，使系统具有系统功能整合特性，实现优化的系统功能。限于高中学生的发展水平和需要，本模块并不要求学生掌握如此完整的系统分析方法，而是重在领悟系统方法的思想，初步学会从系统的整体出发，分析整体与局部、部分与部分、整体与外部环境之间的相互关系。在进行有关系统分析的探究活动时，主要做系统分析的第一阶段的工作，有些活动可深入到第二阶段，比如建立种群增长的数学模型。

在情感态度价值观方面，一是关注生物科学的发展与社会的关系，如"评述植物激素的应用价值"、"探讨动物激素在生产中的应用"、"关注艾滋病的流行和预防"；二是形成环境保护意识，树立人与自然和谐发展的观念，如"关注全球性生态环境问题"、"形成环境保护需要从我做起的意识"等。

二、选修部分

(一) 生物技术实践

1. 本模块的主要特点

(1) 充分体现实践性、基础性和技术性

生物科学不仅是一个理论体系，更重要的，它是一个科学过程。生物科学的所有知识和理论都来源于实际观察和实验。因此,《标准》特别将偏重于动手实践的"生物技术实践"作为一个独立的选修模块,特别注重生物课程学习中的实践过程,重视实验和其他实践活动的开展。

本模块确定了四项二级主题,包括"微生物的利用"、"酶的应用"、"生物技术在食品加工中的应用"和"生物技术在其他方面的应用"方面的具体内容标准。同时也提出了一系列实践活动建议,供教材编写参考和教师教学参考。这些活动充分体现了实践性、基础性和技术性。活动内容包括实践性和基础性很强的"进行微生物的分离和培养"、"测定某种微生物的数量"等活动,也包括密切联系技术的"探讨酶在食品制造和洗涤等方面的应用"、"研究从生物材料中提取某些特定成分"、"运用发酵食品加工的基本方法"、"尝试植物的组织培养"等活动;活动内容涉及"微生物学"、"生物化学"、"生物技术"等多学科领域的技术。

本模块特别注重生物科学和生物技术的关系,强调通过运用技术和操作实践,了解生物科学和技术在生活、生产、科学技术发展和环境保护等方面的应用;正确认识生物科学和技术的本质,理解生物科学、技术与社会的关系。考虑到普通高中的现有条件和高中学生的基础,本模块没有将生物技术局限于"高新"技术。所涉及的生物技术包括广义的生物技术,强调掌握基础的生物技术和对高新技术的了解,而不是特别强调掌握生物高新技术。

(2)充分体现选择性、多样性和时代性

本模块的具体内容标准涉及生物科学与技术的许多学科,活动层次从"运用发酵食品加工的基本方法(包括制作豆腐乳、果酒和果醋,制作泡菜等)"这样较低层次的活动,到"尝试植物的组织培养"这样较高层次的活动,再到"尝试 PCR 技术的基本操作和应用"等高层次的现代生物技术活动;课程实施采用"自助餐"式,由学校(如学校考虑仪器设备和经济条件等)、教师(如教师考虑自己擅长的实验技术等)、学生(如学生考虑自己的兴趣爱好、个性发展、职业或大学专业选择倾向等)共同决定选择哪几项活动作为课程内容。和《标准》的其他部分一样,学校、教师和学生甚至可以不选择内容标准中的"活动建议",而是按照自己的愿望,开展类似的活动。例如,对于"生物技术在食品加工中的应用"主题中"运用发酵食品加工的基本方法"这一项具体内容标准,教师可以让学生按照活动建议开展制作腐乳等活动，也可以开展诸如制作面酱等活动，充分体现了选择性和多样性。

《标准》确定的课程目标具有明确的时代性。例如，针对信息技术时代的到来，明确提出"能够利用多种媒体搜集生物学的信息，学会鉴别、选择、运用和分享信息"的目标；针对学习化时代的到来，明确提出"发展科学探究能力"；针对严峻的环境问题，明确提出"热爱自然、珍爱生命，理解人与自然和谐发展的意义，树立可持续发展的观念"、"了解生物科学知识在生活、生产、科学技术发展和环境保护等方面的应用"；针对生物技术时代的到来，明确提出"知道生物科学和技术的主要发展方向和成就"、"对我国生物科学和技术发展状况有一定的认识"；针对知识经济时代的到来，明确提出"认识生物科学和技术的性质，能正确理解科学、技术和社会之间的关系"等。本模块对完成上述课程目标具有独特的作用。

本模块非常关注现代生物技术的迅猛发展，选取了生物科学和生物技术中有代表性的部分核心学科（如微生物学、生物化学）和核心技术（如发酵技术、酶技术和细胞技术），诸如"尝试利用微生物进行发酵来生产特定的产物"、"尝试制备和应用固相化酶"、"尝试植物的组织培养"、"尝试蛋白质的提取和分离"、"尝试 PCR 技术的基本操作和应用"等现代生物技术活动，使课程更具时代性。

本模块和其他五个模块相比更具有独特性。例如，课程内容的表述较为概括，因而具有相当的弹性。在设计生物学实验和其他实践活动时，注意了普适性和低成本。为了适应不同学校的办学条件，既安排了技术含量较高的实验，又安排了与日常生活联系密切的一般的实践活动，充分考虑《标准》的选择性、多样化和时代性，有利于学生多样化的、充满个性的发展。

2. 本模块课程内容的要求

本模块是以实验、实践、探究为主的课程，内容包括微生物的利用、酶的应用、生物技术在食品加工中的应用和生物技术在其他方面的应用四部分。

教师应根据本校条件，指导学生选做本模块中的 5—7 个实验。每个实验不限于 1 个或 2 个学时，有的实验需要连续进行若干天，但每天所需时间不一定很长。这些实验中有的是使学生了解基本原理或获得基础知识、基本技能的，有的是使学生理解科学、技术与社会相互关系的,有的则是偏重于实际应用和技术掌握的。

这一模块的目标非常明确,那就是切实落实高中课程改革的总体目标,特别着眼于培养学生生物科学素养中理解科学过程和理解科学技术与社会关系的素养。

(二)生物科学与社会

1. 本模块的主要特点

(1)突出生物技术教育

现代生物科学和技术已经紧密地结合在一起。一方面生物科学的发展促进了生物技术的进步;另一方面生物技术的突破为生物科学提供新的问题和研究手段,推动生物科学迅猛发展。因此,生物技术应当成为生物学教育的重要内容。为此,本模块着重选择了在农业、工业、健康和环境保护等方面的应用生物技术,如"现代生物技术在育种中的应用"、"生物工程技术药物和疫苗的生产原理"、"器官移植"、"生物净化的原理和方法",等等,旨在拓宽学生生物技术视野,增强课程与现实生活的联系。

(2)强调人文精神培养

同科学技术的惊人发展相比,人类在道德上、认识上总是显得准备不足,即人类还不知道应当如何支配自己,并且还不知道应当尽多大的社会责任的时候,就已经被赋予更多的支配大自然的力量了。因此,生物学教育不仅要强调掌握科学知识和方法,还要关注生活中的实际问题,关注科学、技术和社会间的关系,参与社会价值观的调适,以促进大众对科学的理解,树立正确的世界观和科学价值观。为此,本模块十分注重学生人文精神的培养,如关注"绿色食品的生产"、"生物技术的伦理问题"、"有利于环境的消费行为"、"生物资源的合理利用",等等,以帮助理解生物科学教育对个人的价值,并为学生理解和在未来参与社会决策奠定基础。

(3)具有可选择性

为适应不同地区和学生发展的需要,高中生物课程力求成为多样化和选择性的课程,本模块在两个层面上实现课程的选择性。首先,模块中的每一内容标准都不是一个知识点,而是涵盖面较广的内容主题,如"关注动物疫病的控制"、"简述基因诊断和基因治疗"等。这种提纲挈领式的内容标准为教材编写和教师教学都留出较大的空间。教材编写者或教师都可以根据内容标准,选择不同的素材或安排不同的教学活动来实现《标准》的要求。这将有利于教材的多样化和教师因地制宜地组织教学。其次,在本模块的内容要求上留出了选择空间,例如,在完成必需的36学时前提下,城市学生可以不选或少选"生物科学与农业"这个主题的内容,农村学生可以不选或少选"生物科学与工业"这个主题的内容。这同样为教材编写提供了空间,可以更好地适应不同学校、学生的需求。

2. 本模块课程内容的要求

本模块下设四个主题,分别是"生物科学与农业"、"生物科学与工业"、"生物科学与健康"和"生物科学与环境保护"。

"生物科学与农业"主题。农业是人类最早从事的一种劳动。纵观历史,人类在初始阶段,主要是通过游猎和采集野果,在自然界中寻找动物和植物作为食物。经过几千年的狩猎和采集后,人类学会了种植植物和圈养动物,以提供稳定的食物和供养更多的人口。同时,逐渐形成了耕作、灌溉、施肥等促使作物生长的作物栽培技术,以及捕获、驯化、育种和饲养等动物养殖技术。随着时间的推移,围绕着如何提高农业生产效率,发展出越来越先进的技术。通过本主题的学习,我们希望学生能理解:人类通过繁殖控制、现代生物技术育种、植物病虫害防治、动物疫病控制等技术使农业生产效率得到极大的提高;由于环境问题的日益严重,人们又不断地探索和采用与环境更为和谐的农业生产技术——绿色农业;设施农业是多种技术的集约使用,是农业现代化的必由之路。《标准》认为,认识和理解生物科学和技术在农业生产中的作用,对帮助学生理解生物科学、技术和社会之间的互动关系具有十分重要的意义。因为农业生产效率的提高,不仅为社会提供了丰富的农产品,还使直接从事农业生产的人口迅速减少,改变着社会的分工和人们的生活。《标准》建议教师组织学生开展实地的调查、讨论和参观活动,增强学生的感性认识,以加深对内容的理解。如通过调查当地一种农作物病虫害的防治措施和效果,帮助学生理解植物病虫害的防治原理和技术;通过参观设施农业,认识生产流程的设计过程,了解现代农业发展的方向,并关注农业生产效率提高所发生的变化。

"生物科学与工业"主题。生物科学和技术在工业方面的应用早期主要集中在酿造工业,旨在利用微生物发酵获得食品和原料等产品。随着大规模纯菌培养技术的发展,尤其是在抗生素工业的带动下,发酵工业和酶制剂工业大量涌现,发酵技术和酶技术被广泛用于食品、医药、化工、制革和农产品加工等产业。分子生物学的迅速发展,使得人类能将一种生物的基因转移到另一种生物体内,改变生命的形式,由此产生了现代生物技术,并在医药、化工、材料、采矿、能源等工业广泛利用,推动一系列新产业群的发展。另外,生物科学和技术在仿生工业方面也获得极大的成功。设立本主题的目的就是希望学生能理解:人类利用微生物发酵生产各种食品,并发展形成大规模生产的技术;酶具有高效的催化能力和高度专一性,经过固定化等技术处理,酶在工业生产中已得到广泛利用;通过基因工程技术,利用工程菌发酵能生产多种医用蛋白质药物和疫苗。由于学生可能对生物科学和技术在工业中的应用比较陌生,因此,《标准》建议教师应结合生活中使用到的生物科学和技术产品进行教学,以多种方式向学生提供丰富的信息,引导学生关注相关技术在本地工业中的利用。

"生物科学与健康"主题。生物科学和技术在人类保健和健康事业中有着最直接的应用,迅速发展的生物科学和技术使得在疾病预防、诊断和治疗等方面不断发展出新的技术和手段。考虑到在初中阶段,学生对有关疾病预防方面的内容已经有一定的了解,为此,着重介绍生物科学和技术在疾病诊断和治疗等方面的一些应用。通过本主题的学习,希望学生能理解:避孕的原理和方法;基因诊断技术是一种全新的技术,它能提供与疾病有关的基因以及可能存在的危险等方面丰富的信息;随着对免疫系统认识的深入,移植人体组织和器官变得越来越普遍,不为免疫系统所排斥的新型耐用材料也不断地被开发出来;人工授精、试管婴儿等生殖技术解决了不孕问题,但也引起伦理上的争论;基因治疗能改进许多疾病的治疗途径,并处在不断发展成熟之中;由于自然选择的原因,滥用抗生素会导致细菌抗药性的增强。教师应根据学生的年龄特点,创设学习情景,组织学生开展相关问题的深入讨论;应利用多种媒体,向学生呈现丰富的信息,帮助学生理解生物科学和技术的发展在人类保健和健康事业中的作用,以及伦理和道德等社会因素对生物科学和技术发展的制约。

"生物科学与环境保护"主题。环境保护是生物课程中的重要内容,在本主题中,从生物科学和技术的应用出发,着重探讨个人行为和社会生产活动与环境保护的关系。《标准》希望教师更多地从学生身边发生的事件或典型的案例出发,引导学生从相关的生物学原理出发,深入思考个人行为和社会生产活动对生态环境的影响,思考生物科学和技术在生态和环境保护方面的应用,以及技术的不当使用所造成的后果,探讨人类社会如何与自然环境更为和谐地发展。

(三)现代生物科技专题

1. 本模块的主要特点

(1)以专题的形式呈现

本模块不同于必修模块,是以专题的形式呈现。各专题之间无内在联系,但专题的顺序是按从微观到宏观安排的。由于基因工程是现代生物技术的核心内容,所以《标准》首先介绍基因工程的原理及其应用。先从基因水平介绍生物工程;然后再从细胞水平和组织水平介绍体细胞克隆技术和胚胎移植与分割技术,讲述细胞工程和胚胎工程的原理、方法和应用前景;最后从生态水平介绍生态工程。

(2)注意技术的原理与应用的结合

本模块是以生物技术中四大工程为主体,不是以介绍生物技术的操作方法为重点。生物学教材在讲述各种生物技术时侧重于技术的生物学原理,从中贯穿一些生物学的基本知识。例如,在胚胎工程中要求简述动物胚胎发育的基本过程和胚胎工程的理论基础,在基因工程和生态工程中都要求介绍该工程的基本原理。关于各工程的具体操作技术可以从简,不作为重点,只让学生有一般性的了解即可。

(3)以讲述为主,活动为辅

本模块属于高科技的内容,实验操作技术复杂,要求实验设备、精密仪器和药品较多,限于目前学校的设备条件和资金,《标准》没有安排实验内容,只在"活动建议"中安排了一些搜集和分析有关资料,交流或讨论有关生物技术中的热点问题等可行的活动内容。

(4)注意培养批判性思维能力

科学技术的发展是人类文明的重要标志。新的科学技术成果在社会生活中的推广应用往往具有"双重"作用。任何新的技术都是一把"双刃剑",生物技术也不例外,有利也有弊。无论是转基因技术还是克隆技术都有安全性问题,同时会带来一系列的伦理道德等问题。因此,在《标准》中除了重点介绍生物技术在推进社会发展中的积极作用以外,还要说明可能带来的负面影响。为了进一步说明这个问题,单列"生物技术的安全性和伦理问题",其目的在于培养学生明辨是非,对事物具有分析、判断、决策的批判性思维能力,提高他们的生物科学素养。

2. 本模块课程内容的要求

本模块选择的学习内容,由于学时的限制只确定了当今人们普遍关注的生物技术中的四项工程技术。这四项技术都是与当今农业、工业以及医疗事业紧密相关的生物技术。目前一些转基因作物已广泛应用于农业生产;一些基因工程药物已开始投放市场;生态工程的崛起,正在改善着人类生产和生活的环境;植物的组织培养已开始实现工厂化栽培;动物体细胞克隆技术逐渐成熟……所有这些技术成果正在改变着人们的生产和生活面貌。由此,人们普遍关注的热点问题:转基因产品和克隆动物的安全性、克隆人的危害、胚胎干细胞的移植、生物武器对人类的威胁,等等,都列入了《标准》的学习内容。

由于本模块安排的学习内容都是尚新技术内容,高中学习阶段不是专业技术人员的培训,因此在理论原理上不应讲解过深,在操作技术上不应介绍过细,只要求学生有一般性了解即可。设计本模块的目的不在于让学生掌握多少专业知识,而重在开拓学生视野,理解科学技术与社会发展的关系,增强科技意识,激发学生热爱生物科学技术的情感,为进一步学习奠定基础。

第四章 高中生物新课程的学习方式

第一节 学习的基本理论

一、认知学习理论

认知学习理论强调学习过程是一个主动接受信息和创造性的思维过程,强调学生知识表征方式的重要性,认为具备一种良好的认知结构比获得零散的知识更重要。布鲁纳(Brunner)认为,学习包括三个几乎同时发生的过程:习得新信息、转换、评价。学生不是被动的知识接受者,而是积极的信息加工者。人类是有系统地对环境信息加以选择和抽象的,知觉过程是把感觉到的东西转换成意识、知识、情感或其他东西的行为。为了使学生学得好,提供信息是必要的。但是,掌握这些信息本身并不是学习的目的,学习应该超越所给的信息。在教学上,他提出了著名的"学科结构论"和"发现法"。他认为:"不论我们选择什么学科,务必使学生理解该学科的基本结构。"为适应教学内容的改革,他又提出了以训练和发展学生智力为目标的"发现法"。他认为,在教学中应该努力为学生创造出同科学家在科学研究和科学发现中同样的情景,使学生在对知识的主动发现中而不是在被动灌输中加速认知结构的发展和变化。他在《发现的行为》中指出:"发现不限于寻求人类尚未知晓的事物,确切地说,它包括用自己的头脑亲自获得知识的一切方法。"他对"发现学习"解释得更加具体,他认为这种学习方法能让学生像科学家那样去思考,去探索未知,最终达到对所学知识的理解和掌握。

探究性学习非常重视培养学生对信息的获取、选择、分析和加工运用的能力和创造力,认知学习理论为其提供了重要的理论依据。

二、建构主义学习理论

建构主义学习理论认为,学习者的知识不是通过教师传授得到的,而是学习者在一定的情境即社会文化背景下,借助于其他人的帮助,利用必要的学习资料,套用意义建构的方式而获得的。情境、协作、会话和意义建构是学习环境中的四大要素。建构主义心理学提倡在教师指导下的以学习者为中心的学习,既强调学习者的认知主体作用,又不忽视教师的指导作用,教师是意义建构的帮助者与促进者,而不是知识的传授者与灌输者。学生是信息加工的主体,是意义的主动建构者,而不是外部刺激的被动接受者和被灌输的对象。

按建构主义的要求,学生在课题研究等活动中,要用探索的方法去建构知识意义。在此过程中要主动去搜索并分析有关信息和资料,对所学习的问题要提出各种设想并努力加以验证;要把当前学习内容所反映的事物尽量和自己已知的事物相联系,并对这种联系加以认真思考;要鼓励个人的自我协商和小组的相互协商。教师在探究性学习活动中的角色是学生建构知识意义的帮助者。建构主义心理学为探究性学习提供了直接的心理学依据。

三、人本主义学习理论

人本主义学习理论不赞成把人割裂开来去进行研究,也不赞成只把人当做实验的客体在实验室状态下研究;不赞成把人当做病态人去研究,更不赞成把人当做动物去研究。人总是现实社会中的人,整体的人、具体的人,具有人的价值和尊严,具有人的主动性和独特性,有自我实现的愿望和丰满的人性。这些研究的基本观点和立场是在分析和批判传统的心理学研究基础上形成的,因此,它更能代表当代心理学研究的追求和方向。人本主义心理学的杰出代表马斯洛(A. H. Maslow)把人的需要看成一个多层次、多水平的系统,探讨了人的需要的性质、结构、种类、发生和发展的规律,分析人的各层次需要及其相互关系,特别强调具有高层次需要的追求和满足才能使人更充实、更幸福。

人本主义心理学的另一代表人物罗杰斯(Rogers)提出了"以人为中心"的理论,这一理论成为人本主义心理学教育观的核心和基础。他冲破传统教育模式和美国现存教育制度的束缚,把尊重人、理解人、相信人,提到了教育的首位。在突出学生学习主体的地位与作用,提倡学会适应变化和学会学习的思想,倡导内在学习与意义的理论,弘扬情感等非智力因素的动力功能,注意创造力的培养,建立民主平等的师生关系,创造最佳的教学心理氛围等诸多方面作出了贡献。

人本主义学习理论为探究性学习的开展奠定了人文基础,它让人们看到只有尊重人的主动性和独特性,给予人自我实现、发挥潜能的机会,人才能够获得发展。因此,实施探究性学习也必须以人的主体性的发挥为前提。

第二节 探究性学习

科学既是一个知识体系,又是一个探究的过程。自然科学发展的历史,就是一部科学探究的历史。倡导探究性学习是普通高中生物课程的一个基本理念,是提高学生生物科学素养的一种重要途径。探究性学习不仅仅是学习方式的改变,而且还通过学习方式的改变促进每一个学生的全面发展,为每一个学生的充分发展创造空间。不通过探究性学习,课程标准中的很多态度、情感和价值观的目标是难以实现的。《标准》"倡导探究性学习",让学生以类似科学家科学探究活动的方式学习生物学,以期学习方式的彻底改变,成为主动参与的学习者。

一、探究性学习的界定

(一)探究性学习的内涵

什么是探究性学习(inquiry learning)?对于这一概念的理解,首先要明确什么是探究和探究性。所谓探究,虽然国内外有许多界定,但比较权威的是美国国家科学教育标准中的定义,即"探究是一种有多侧面的活动。需要观察;需要提出问题;需要查阅书刊及其他信息源,以便弄清楚什么情况已经是为人所知的东西;需要设计调研方案;需要根据实验证据来检验已经为人所知的东西;需要运用各种手段来搜集、分析和解读数据;需要提出答案、解释和预测;需要把研究结果告之于人"。这就是说,探究是指以严密的方法探求某项事实的原理,获得正确、可靠的结果。所谓探究性,是指人们在社会活动中所具有的与探究的特性相类似或具有探究的部分特性。其次要明确什么是学习。在学校教育中,学生的学习是在教师的指导下,在特定的环境中,以特定的组织方式了解、理解和接受特定的未知对象(国家或学校的举办者所规定的内容,是人类社会已经创造和产生的知识和技术),重复和应用特定的已知对象。

因此,探究性学习是指学生通过类似科学家科学探究活动的方式获取科学知识,并在这个过程中学会科学的方法和技能、科学的思维方式,形成科学观点,树立科学精神。从广义上来说,中学生物探究性学习是指学生探究问题的学习,它贯穿于整个生物教学过程之中。从狭义上而言,则是指学生在教师的指导下,对基本确定的和教学内容有关的自然现象、社会现象和学生生活中的问题进行探究,并在探究过程中主动地获取知识、应用知识、解决问题的学习活动。它是一种需要学生设计研究、收集信息、分析资料、建构证据,然后围绕从证据中得出的结论进行争论的一种学习方式。

与探究性学习含义相近的学习概念主要有四个。

一是布鲁纳提出的发现学习(discovery learning)。发现学习是指学生在学习情景中,经由自己的探索寻找而获得问题答案的一种学习方式。在发现学习的过程中,教师只呈现有关线索或例证,让学生通过直觉思维和归纳推理来得出例证之间的内在联系,即学科内容的基本结构。布鲁纳指出,学习情境的结构性是有效学习的必要条件,发现学习只有在有结构的学习情境中才会发生。发现学习的实质是要求在教师的启发引导下,让学生按照自己观察和思考事物的特殊方式去认知事物、理解学科的基本结构;或者让学生借助教材或教师所提供的有关材料去亲自探索或"发现"应得出的结论或规律性知识,并发展他们"发现学习"的能力。

二是研究性学习(research-based learning)。我国学者一般认为,对于研究性学习可以有广义和狭义两种理解:从广义上理解,它泛指学生探究问题的学习,是一种学习方式、一种教育理念或策略;从狭义上理解,它是一种专题研究活动,是指学生在教师的指导下,从自身生活和社会生活中选择和确定研究专题,以类似科学研究的方式主动地获取知识、应用知识、解决问题的学习活动。

三是以问题为基础的学习(problem-based learning)。以问题为基础的学习是通过理解或解决问题所进行的学习。在这种学习过程中,首先面临的是问题,在问题的诱发下,学生采用问题解决策略、推理技能,最终获取解决这一问题所需要的知识和技能。以问题为基础的学习具有以下六个特征:(1) 学习是以学生为中心的;(2) 学习发生在小组中;(3) 教师是学习的辅助者或引导者;(4) 问题用于集中学生的注意力,激发学习;(5) 问题是解决问题技能发展的载体;(6) 新信息是通过自主学习获得的。

四是以项目为基础的学习(project-based learning)。以项目为基础的学习是一种综合性的课堂教学和学习方法,它旨在让学生亲自参与对真实问题的研究来获得知识。以项目为基础的学习具有五个关键特征:(1) 被称作项目的教学单元,必须围绕着一个有意义的、可行的、值得研究而又具有驱动作用的问题来组织;(2) 项目必须以调查研究的形式开展,在这个过程中,学生要计划、设计、从事真实世界中的问题研究,包括提出问题、设计实验、收集和分析资料、做出推论等;(3) 学生需要得出有创造性的研究结果,这一结果能反映他们的理解情况;(4) 项目必须包含着同伴、教师乃至校外专家之间的合作;(5) 教师需要考虑各种技术性工具的使用,以便帮助学生探讨真实的问题,达到深度的理解。

综观上述五个学习概念,我们可以看出,它们都是以问题为载体的学习,是学生通过主动探究解决问题的过程。它们与借助教师或他人呈现问题、讲解问题、得出答案的接受性学习相对。这五种学习有共同的特征与接受性学习相区别:(1)获得知识的方式不同。在接受性学习中,学习的主要内容由教师提供,学生只需要接受和理解即可,不需要新知识的发现过程。而在五种学习中,学生的知识是在其主动解决问题的过程中获得的,不是由教师以定论的方式呈现的。学生参与了知识的建构,并从中得到感悟和体验。(2)心理机制不同。接受性学习的心理机制是同化,而五种学习的心理机制是自主性。(3)思维过程不同。在接受性学习中,学生的思维通常是演绎过程,而在五种学习中,学生的思维通常是归纳过程。(4)教师在学习中所起的作用不同。在接受性学习中,教师起主导和控制作用,五种学习中教师只起指导作用,而学生是学习活动的主体。

既然上述以"问题"为载体的五种学习有共同特征,那么我们是否可以把它们看做是同一种性质的学习呢？首先，如果"问题"是它们的本质特征，我们自然可以把它们看做同一种性质的学习。但"问题"在学习中的重要性主要体现在它对学生是否合适，而不在于它是否一定是由学生探究得来，即使问题直接来自教师，学生也完全可以进行高度探究性的学习活动。所以，"问题"不是它们的本质特征。其次，如果我们从这五种学习的目的、过程和结果分析，就会发现"发现学习"和其余四种学习是有区别的，区别主要是：(1)侧重点不同。发现学习强调科学概念和原理的再发现，以掌握学科的基本结构，而其余四种学习则强调遵循科学研究的一般程序，以了解科学的探究性质。(2)过程不同。发现学习的一般过程是：形成问题、建立假设、上升为概念和原理。其余四种学习的一般过程是：形成问题、建立假设、制定研究方案、检验假设、得出结论、表达交流。(3)结果不同。发现学习有待发现的概念和原理是封闭性的，而其余四种学习有待探究的结果则是开放性的。因此，发现学习的整个过程大致相当于其余四种学习的前两个阶段，它的主要目的在于掌握知识结构，发展学生智力，尤其是创造力。而其余四种学习则主要在于通过对假设的检验过程，让学生了解科学的暂时性，进而掌握探究技能，形成科学态度和科学精神，即培养学生的科学素养。从上述分析不难看出，发现学习和其余四种学习是两类性质不同的学习。探究性学习、研究性学习、以问题为基础的学习和以项目为基础的学习在本质上是相同的，我们可以把这四种学习统称为探究性学习。而发现学习仅具有探究性学习的部分性质，是探究性学习的前身。因此，探究性学习的核心要素应该有两个：一个是假说的建立，另一个是为催生假说而精心设计的检验活动。从教育心理学的角度来看，假说的建立过程就是综合运用已有的概念、规则生成问题解决的新规则的过程。所以，探究性学习的本质就是学生基于自己的认知结构，形成问题，进而综合运用已有的概念、规则生成问题解决的新规则，并在检验新规则中掌握探究能力，培养科学素养的过程。

(二)探究性学习的基本特征

1. 自主性

探究性学习改变了以往学生被动接受的学习方式，引导学生积极主动地去探索、尝试，去谋求个体创造潜能的充分发挥。它将学生的需要、动机和兴趣置于核心地位,鼓励学生自主选择、主动探究。他们既有选择学习内容和方式的权利,又自觉承担着学习目标的义务,从而真正确立了学习的主体地位。

2. 开放性

从课题的选择方面看,探究性学习并不拘泥于书本上的一般科学性问题,而是更接近学生的日常生活和社会生活实际。从教学形式方面看,探究性学习体现出时空的开放性,它不局限于课堂之内,而是让学生走出书本和课堂、走向社会,利用图书馆、网络、调查访问等手段,最大限度地搜集资料,把课内与课外、学校与社会有机地联系起来。从问题的解决途径和结果来看,探究性学习是一种随机通达学习,它允许不同的学生按自己的理解以及自己熟悉的方式去解决问题,允许不同的学生按自己的能力和所掌握的资料以及各自的思维方式去得出不同的结论,而不是追求结论的惟一化和标准化。这种开放性的特点,有利于学生创造思维品质的培养。

3. 探究性

在探究性学习中,学生不是被动地记忆、理解教师传授的知识,而是敏锐地发现问题、主动地提出问题、积极地寻求解决问题的方法和探求结论。探究的结论不是通过教师传授或从书本上直接得到的,而是学生以类似科学研究的方式,查资料、做实验、通过假设、求证,最终得出自己的结论。

4. 实践性

探究性学习强调理论与社会、科学与生活实际的联系,引导学生关注现实生活、接触社会生活实际、参加社会实践活动并关注环境、关注现代科技对当代生活的影响以及与社会发展密切相关的重大问题,为学生了解社会,增强社会责任心提供了条件和可能。

二、生物课程探究性学习的设计

(一)生物课程探究性学习目标的确立

1. 目标要素

(1)知识要素。探究性学习强调的生物学知识,不限于书本知识,尤其不仅限于由教科书规定的知识。探究性学习的着眼点不是追求教学大纲上规定的内容,追求对书本知识的加深和拓宽;而是强调学生把学到的生物学知识加以综合并到实践中去运用。要求学生在分析问题和解决问题的过程中,对学到的生物学知识有更深切的体验和感受,使之真正成为自己的东西。

(2)能力要素。探究性学习强调的能力,不只是对课堂上教师讲授的生物学知识的背诵、理解、掌握、复述的能力,它要求学生能从多种渠道去寻找自己所需要的信息资料,能对各种资料进行分析、归纳、整理、提炼并从中发现有价值的信息,能熟练地使用信息工具和各种相关软件,能了解科研的一般流程和方法,能准确地表达自己的见解和观点等。

(3)情意态度要素。探究性学习在培养学生的情感、意志和态度方面,也有自己的着重点,它把激发学生的好奇心和自主意识,激发学生的探索激情和创造精神,学会与人交往和团队协作,尊重和欣赏别人的劳动,培养工作的责任心和计划性等视为自己的培养目标。

由此可见,在生物教学中实施探究性学习,要求学生从全部地只是获得书本知识和间接经验,转向同时重视通过实践活动、体验来获得直接经验并解决问题;从单纯地关注学生对生物学知识体系的掌握程度,学生模仿和再现书本知识的能力,转向同时重视培养学生对大量信息的搜集、分析、判断、反思和运用能力;从仅仅追求教学的"知识目标",转向重视含知识在内学生素质的全面提高。它以转变学生的学习方式为出发点,以培养今天的学生能以适应明天社会的需要为自己的任务。

2. 目标体系

(1)获得理解性生物学知识

探究性学习以问题解决为基本内容,问题解决的顺利进行需要以一定的基础知识和基本技能为前提。但也不仅仅停留于此,它以获得深刻理解的生物学知识和发展高级智力为目标。因此,探究性学习淡化知识分割,淡化学科之间的界限,追求知识的综合性、创新性和广博性。这里所讲的"知识"是一种关于如何去行动的知识,即程序性知识。每一种程序性知识均具有两种表现形态,一是表现为"技术的知识",如操作步骤、技术规程等,这种知识可以被"告知",可以通过明确表述的程序语言加以外显化;二是表现为"实践的知识",这种知识是内隐的、个人化的知识,它不能以文字的方式直接由一个人传递给另一个人,它只有通过学习者亲身的参与、行动或实践,才能逐渐被意会到或被体验到。换言之,"实践的知识"不是被"教"会的,而是在"做"的过程中被"悟"出来的。在探究性学习活动中,学生所获知识多为程序性知识、个人化的内隐知识,而不仅是公共的、外显的陈述性知识。另一种知识主要反映在学习者对生物科学探究的性质、过程与方法的理解上。因而,我们把这种知识称之为理解性知识。

(2)培养探究能力

① 培养学生的创新意识、创造思维能力和动手实践能力。培养学生的创新意识、创造思维能力和动手实践能力是探究性学习的总目标。它要求学生在探究性学习的探讨过程中不拘泥书本,不迷信权威,不墨守成规。它要求教师尽量减少对学生的限制,并适时适度地给学生指导和帮助,鼓励学生充分发挥自己的主观能动性,独立思考、大胆探索、标新立异,积极提出自己的新观点、新思路和新方法。探究性学习的过程,主要是情感活动的过程。学生通过探究性学习获得的成果,绝大多数只能是在自己现有基础上的创新,还不可能达到科学发现水平。探究性学习强调让学生自主参与类似科学家探索的活动,获得亲身体验,形成喜爱质疑、乐于探究、努力求知的心理倾向,为以后各种创新打下牢固的基础。探究性学习的实施往往需要围绕某一生物学问题或课题进行,其中更多的是采用自主研究模式,这有助于学生创造思维能力和实际操作能力的培养。

② 培养学生信息意识和主动获取信息、处理信息的能力。从认知心理学信息加工理论的角度审视,学生开展探索的过程就是信息处理的过程。与传统的教育以记忆、理解为目标的一般学习方式比较,探究性学习的过程围绕着一个需要探究解决的问题进行,以解决问题和表达交流为结束。在一个开放环境中,学生的信息意识和主动收集、处理信息能力的培养是个关键。一方面,知识激增使得人们在数量上追逐知识已不可能;另一方面,掌握知识或信息多了不等于就是好,更重要的是学会如何处理、利用这些信息。探究性学习就是在课堂教学过程中创设一种类似科学研究的情境和途径,让学生通过主动的探索、发现和体验,学会对大量信息的收集、分析和判断,从而增进思考能力和创造力。

③ 培养学生的群体意识和学会沟通与合作交往的能力。具备积极合作精

神和有效的人际交往能力是现代人高素质的一个重要标志。现代科学技术的发展都是人们合作探索的结果，社会的人文精神弘扬也把乐于合作、善于合作作为重要基石。但是在以往的课堂教学中，培养学生合作精神的机会并不多，且较多停留在口头引导、鼓励的层面。探究性学习提供了有利于人际沟通与合作交往的良好空间。学生在这个过程中要发展乐于合作的团队精神，学会交流和分享研究的信息、创意和成果。在探究性学习实施中，小组合作学习作为基本组织形式贯穿学习过程始终。为了达到共同的学习目标，小组成员之间必须学会相互理解、彼此尊重和信任，学会互相帮助和支持，使同学之间建立一种融洽、友爱的亲密伙伴关系。这有利于培养他们的群体意识和学会沟通与合作交往的能力。

④ 培养问题意识和独立发现问题、提出问题、解决问题的能力。探究性学习的过程主要是围绕解决问题而展开的，其主要目的是培养学生发现问题、提出问题和解决问题的能力。为达此目的，要求学生掌握基本的科学方法，学会利用多种有效手段，通过多种途径，激活已有的知识储存，学习和运用一些研究方法，去发现问题、提出问题和解决问题。

⑤ 培养和提高组织管理能力。探究性学习多采用小组活动方式，强调学生自主，因此必然涉及组织和管理问题。怎样协调工作关系和人际关系，怎样调动每个人活动的积极性，学生都会得到体验，积累经验。组织管理能力就会在探究过程中得以形成和发展。

(3) 养成情意态度

情意是人们在接触事物过程中所产生的内心体验，它体现为人们对人、对物的基本态度。探究性学习是以教师指导下的学生自主、积极、创造性的活动为特点的，它着眼于学生的主体参与活动。而主体活动要求学生有更多的情意投入，因此，情意目标是构成探究性学习目标体系的重要内容。开展探究性学习的目的就在于让学生获得亲自参与研究探索的积极情感，逐步形成一种在日常学习和生活中喜爱质疑、乐于探究、努力求知的心理倾向，养成尊重前人劳动成果，认真求实的科学态度以及具有不怕困难、勇于探索的科学精神。此外，探究性学习要考虑学生对自然和社会各种现象的关心程度、参与意识、是否积极进取等态度因素。例如,通过探究性学习,培养学生关心社会发展和科技进步,关心地球和可持续发展,具有社会责任感;培养他们的合作学习、研究与交流的精神和彼此尊重、理解与容忍的态度;培养他们具有勇于探索、不断进取的人格力量和尊重事实、坚持真理的科学精神;培养他们对未知事物的好奇心理、浓厚兴趣和求知欲望及知难而进的意志品质和坚强毅力等。

以上三个维度的目标中,使学生获取知识是生物教学中开展探究性学习的基础目标,培养学生探究的能力是生物教学中开展探究性学习的核心目标,养成学生的情意态度是生物教学中开展探究性学习的终极目标。在生物教学中实施探究性学习,应由浅入深、循序渐进地进行。首先要引导学生通过自己的探究,学习知识;其次,要帮助学生体会探究的过程,掌握探究的方法,提高探究的能力;最后,在大量研究的基础上,养成学生的情意态度。并且,培养目标应体现出阶段性和发展性(见表4-1)。

表4-1 不同学段学生的特点和探究性学习目标

学段	学生特点	探究性学习的目标
小学	生活阅历浅,理解能力差,好奇心强,兴趣广泛,以形象思维为主,有初步的自我意识,对自我已有一定的评价。	重点培养学生的问题意识和对问题的探究兴趣,以及用探究性学习的方法解决一些简单问题的能力。
初中	兴趣开始分化,自我意识增强,抽象思维开始占主导地位,初步掌握了一些系统的生物知识,开始用批判的眼光看待事物,但容易片面。	对探究性学习由兴趣转化为自觉行为,具备从生活的观察和思考中提出有探究价值的问题,并通过适当探究活动解决有一定难度的问题的能力。
高中	兴趣明显分化,中心兴趣初步形成,自我意识开始成熟,自我价值观念增强,具有生物学系统的知识基础和较强的理解能力,独立性和自觉性增强。	具备一定的发现或提出与生活相关的科技和社会发展方面的生物学新问题,并能有计划地探究解决实际问题的能力。

(二)生物课程探究性学习内容的选择

1. 生物课程探究性学习内容选择的依据

现代认知心理学家对学校教育的学习结果可分类如下:

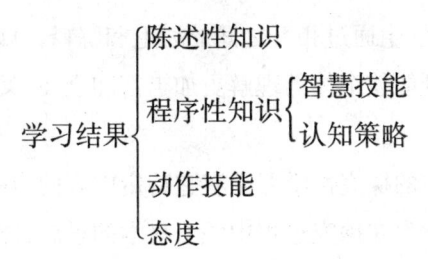

学习结果 { 陈述性知识
程序性知识 { 智慧技能
认知策略
动作技能
态度

上述五种学习结果是否都适合通过探究性学习方式来掌握呢？根据对探究性学习本质的界定，这五种学习结果是否适合通过探究性学习方式来掌握，关键是看它们能否使学生综合运用已有的知识生成新规则。如果能够生成新规则，我们则可以通过创设问题情景，以问题为依托，让学生在解决问题的过程中自己生成新规则，并且对新规则进行检验，从而进行探究性学习。笔者认为，智慧技能（包括辨别、概念、规则和高级规则）中的概念和规则能够通过探究性学习方式来掌握，高级规则适合通过探究性学习方式来掌握，其他学习结果均不适合通过探究性学习方式来掌握。

"综合运用已有知识生成新规则"的智慧技能，是否适合在教学中通过探究性学习方式来掌握，还应遵循以下四项基本的原则：(1)真实情境性原则。智慧技能应来自接近真实生活、复杂的真实情境。这种情境整合了多重的知识和技能，有助于学生用真实的方式来运用已有的知识和技能，同时也有助于学生意识到他们已有知识的相关性和有意义性。并且，这种学习情境能够让学生产生疑问、引发思考，激起学生的探究动机。(2)整合性问题的原则。智慧技能应使学生产生整合性的问题。这种整合性的问题潜在地体现了学生原有知识经验的联系，同时又蕴涵着新的关系和规律，是通向新理解、新图式的桥梁。它要求学生进行高水平的思维，将新旧知识加以联系和综合，并进行推理和概括，以利于知识的整合和灵活迁移。(3)自主学习的原则。智慧技能应有利于学生进行自主学习。学生应对探究性学习过程拥有自主权，应使他们自己发现解决问题的方法：收集资料、确定完成任务的目标、提出解决问题的假设等，然后主动地获得知识，进行自主学习。教师在学生遇到困难时提供一定的"脚手架"，使学生的理解进一步深化。(4)合作学习的原则。智慧技能应有利于学生进行合作学习。学生间的对话、协商和合作有助于他们形成假设并进行检验，有助于他们用多重观点看待知识和信息。学生通过相互之间的讨论和解释，可以形成共享的、更高级的理解。通过合作，既能使个体的理解更加丰富和全面，又可以使知识达到必要的一致性。

总之，生物教学中的探究性学习是有它特定内容的，我们应当选择富含教育价值的研究课题，使学生在探究过程中领悟科学的思想，体验科学家探究自然界所用的方法，同时获得知识。探究内容也应是课堂教学的核心内容和重点，为学生掌握课程体系的核心和掌握最基本的科学方法服务。同时结合教师的讲解等多种学习方式，将不同途径得来的知识联系起来，再与原有的知识联系起来，形成融会贯通的理解，更好地促进学生的全面发展。

2.生物课程探究性学习的内容体系

(1)生物学的基本概念和规律。生物学的基本概念和规律是生物科学探究的主要内容，也是学生学习生物学的基础。因此，在基本概念和规律的教学中，学生必须以探究的方式去主动学习研究，教师必须以探究的思想方法去组织教学，以促使学生的认知结构趋于系统化，让学生感悟知识的产生原因及其发展过程，以利于学生对生物学的基本概念和规律的深入、深刻把握。如教学"遗传的基本规律"时，就可以让学生带着一些相关的问题去观察调查、分析研究植物的遗传现象和人类的一些遗传病，从而加深学生对生物的遗传和变异实质的理解。

(2)生物学探索性实验。验证性实验是在学生掌握实验所涉及的知识之后进行的，因而学生大多对此类实验缺乏兴趣，难以激发他们的创造潜能。而探索性实验是在学生原有的知识框架上发挥学生的主观意识，在教师的指导下由学生自己确定实验原理、选择实验材料、制定实验方案、自主实验、探求实验理论，从而大大激发探究的欲望。如"植物的光合作用"、"培养和观察草履虫"、"观察和解剖鲫鱼"、"鉴定骨的成分"等实验均可变为探索性实验。

(3)自然现象中的生物学问题。自然界中有大量的生物学现象，学生由此会产生许多问题，在这些问题中寻找研究性学习的课题，不仅题材丰富、符合学生的认知特点，而且学生兴趣大、探究意识强、课题选择比较实在，如"农药与害虫"、"昆虫的抗药性"、"鸽子与磁场"、"仙人掌的利用与开发"、"污染与植被的变化"等。

(4)实际生活中的生物学问题。生物学是一门密切联系实际的科学,善于从现代日常生活和工农业生产中寻找探究性课题是学好生物的关键。因此,在课堂教学中选择这些实际问题进行生物学方面的探究可激发学生学习的兴趣,培养学生的观察能力、发现问题的能力和应用生物学知识解决实际问题的能力。如"经常饮用纯净水对人体健康的影响"、"家庭插花与养护研究"等都是这方面很好的选题。

(5)人体健康中的生物学问题。生物学同时也是与人体生理健康密切相关的一门学科,生物科学研究的重要的目的之一,就是要促进人类自身的健康。在现代社会,随着生活水平的提高,公众的自我保健意识也在迅速提高,怎样才能拥有一个健康的身体呢？在课堂教学中就可以选择一些与人类健康有关的、提高我国人口素质的课题进行生物学方面的探究,使学生了解人体生理的有关知识和某些疾病的成因及对人体造成的危害,以培养学生珍爱生命、关爱人类、保护自然、奋发向上的情感。如选取"糖尿病与胰岛素"为课题的研究,使学生了解糖尿病的成因,以及糖尿病带给患者生活和工作的不方便,引起学生高度的重视,注重自己平时饮食上的合理搭配、膳食平衡,保护自己的身体。在这些过程中培养学生查阅文献的能力,与人交往的能力;培养学生的爱国之情,激励他们奋发向上,为祖国作出贡献,以及"一分为二"的辩证唯物主义的观点。

(6)科学前沿中的生物学问题。选取与现代科学技术发展前沿问题相近的内容作探究课题。让学生关注当今科学技术的发展动向,开拓知识视野,激发爱科学、学科学、用科学的热情。如选取"试管婴儿"、"克隆技术"、"人类基因组计划"、"转基因生物"、"基因芯片"等方面的主题的探究,通过报纸杂志、电视广播、互联网等多种媒体对生物科学技术发展的报道,训练学生利用课本以外的图文资料或其他信息资源进一步收集和处理生物科学技术信息的能力。

(7)与生物学有关的跨学科综合性问题。随着科学技术的迅猛发展,许多边缘学科、交叉学科的兴起,学科互相渗透、互相结合的整体化发展日益迅速,某一疑难科技问题的解决不再仅仅依赖于某一个学科,而是多学科的综合化。因此,培养学生的融合意识和知识整合能力成为中学教学的重要使命。而生物学是自然科学中的基本学科,它与物理学、化学、地理学等学科的联系非常密切。因此,为培养学生的发散思维能力,在课题探究内容的选择方面可涉及其他学科与生物学相联系的综合性问题。如选取"酸雨的成因、危害及防治"为主题开展课题研究,它涉及酸性物质的来源和酸雨的形成,酸雨给动植物、公共设施设备、人类带来的危害,人类防治酸雨采取的措施等,这些都涉及生物学知识、化学知识、环保科学知识、社会学、城市规划、网络管理、法律知识等。

(8)与技术、社会问题密切相关的生物学问题。21世纪,生物科学将更加迅猛发展并更加深刻影响着人类社会各个领域,人类的生活需要,包括生存需要、发展需要、享受需要等都离不开生物学,并且都与生物技术有密切关系。生物科学技术的发展已影响着人们的价值取向。科学社会化和社会科学化成了当前科学与社会之间关系的真实写照。如在"生物与环境"中,"人口、粮食、能源、环境污染问题,生态农业、温室效应、沙尘暴、臭氧层空洞、酸雨、水体富营养化、赤潮、生物多样性及其保护"等技术、社会方面的问题,都是与生物学密切相关的问题。在选择课题时,就可考虑这方面的内容。

(三)生物课程探究性学习模式的建构

1.生物课程探究性学习模式建构的原则

(1)突破课堂教学时空的界限。生物教学中的探究性学习是推进素质教育,达成探究性学习根本目标的主渠道。生物教学中的探究性学习是一种开放性创新教学、探究性发展教学、自主性选择教学。其教学模式是一种在教师指导下,以学生为主体、问题为中心、"个体——群体"互动合作探究为基本形式的教学结构形式。目标追求是把课堂变大、变活、变新,使学生成为学习的主人,具有学习与探究相结合的学习能力与素质。因此,生物教学中的探究性学习要突破45分钟课堂教学时间和学习空间的界限,使学生拥有自己全部的时间、空间进行独立思维、自主学习。这就需要对课堂概念的内涵作新的界定,课堂应是小课堂(教室)、大课堂(自然与社会)与网络虚拟课堂的镶嵌整合式的学习"场"。要求教师把小教室的课堂教学与自然社会大课堂、虚拟课堂有机结合起来,让学生在广阔的时空背景中进行开放式学习。

(2)突出探究性学习的价值取向。在生物教学中实施探究性学习,要突出探究性学习的价值取向:引导学生对学习对象充满好奇心,有浓厚的探究兴趣与探究意识以及强烈的表现欲望;引导学生对学习过程具有批判精神,敏于发现问题、敢于提出问题、勇于质疑问难;引导学生对学习内容具有丰富的时空想像力、独立的自主判断力和鲜活的思维发散力;引导学生对学习中遇到的困难具有顽强的学习意志力和耐挫折品质,勇于探究问题和解决问题。因此,必须转变"以书本为中心"的传统教学观、模式观和知识观,突破以"书本知识"为惟一知识源的思维定势,把课本学习与课外阅读、社会实践、媒体网络学习有机结合,全方位、深层次地发展学生的创新思维和探究性学习能力。

(3)构建探究性学习的基本流程。生物学是一门自然科学,从众多的自然科学基础研究课题的探究发展历程中,我们可以概括它的一般程序是:抉择和准备(确定课题,提出研究假设)→资料和事实的搜集(搜集文献资料,观察和实验)→资料和事实的加工整理(运用比较、分类、类比、归纳、演绎、分析、综合以及各种数学方法或其他方法,对研究现象和变化规律作出解释和说明)→提出假说、建立科学理论(如果研究任务是验证假设,通过观察或实验之后,发现事实与假设相符,那么假设就可上升为假说;如果研究任务是验证一个假说,事实与假说相符,那么假说就可上升为理论。假说和理论都是科学成果)→成果评价与推广应用。其共同要素主要是:问题、资料搜集、形成解决问题的假设或方案、实验(试验)探索、科学解释与结论、成果评价与交流应用。根据建构主义教学思想,可将其共同要素优化整合,构建与科学研究既有联系又有区别的生物课程探究性学习的基本流程,如图 4-1 所示。

(4)形成多种探究性学习模式的变式。基本流程是贯穿在探究性学习教学模式过程中的基本框架,而具体实施环节的设置及其组合,要视教学内容与对象的特点及其运作状况的不同而有所不同,也就是说模式流程结构组合是多元的、灵活的、动态的,而不是一成不变的。生物教学中的探究性学习是开放性创新教学、发展性探究教学、自主性选择教学。因此,决定着生物教学中的探究性学习模式是多元的、灵活的、动态变化的。模式的变化,我们称之为变式。具体而言,变式是模式基本结构的灵活变通多元组合的教学样式。探究性学习的教学模式(变式)应是一种结构群。我们可根据探究性学习的价值取向,形成多种探究性学习模式的变式。

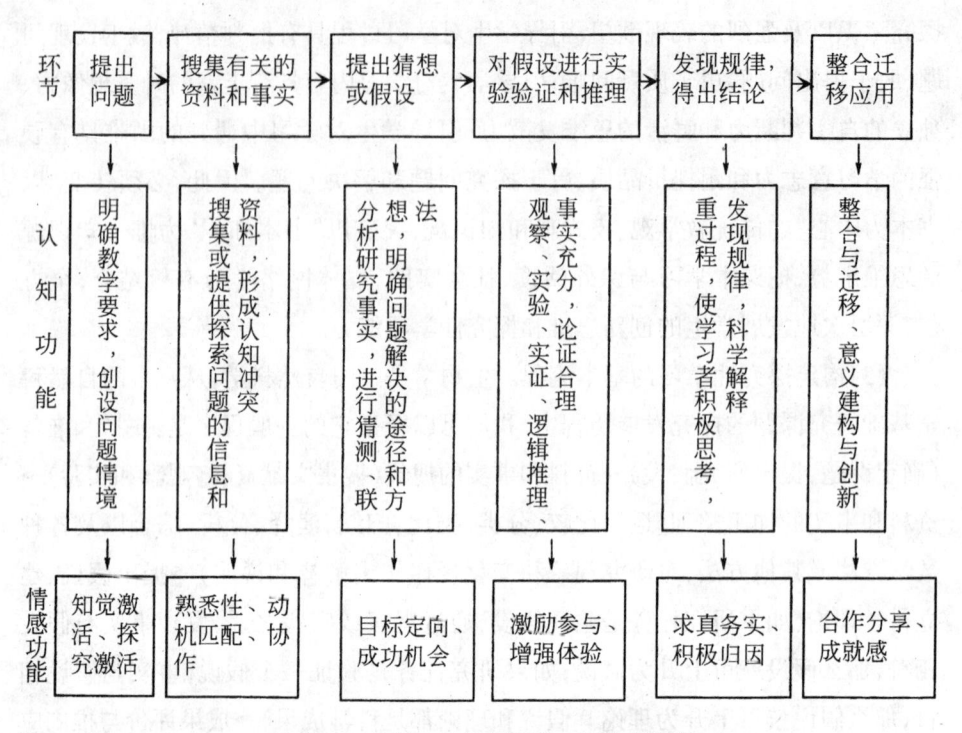

环节	提出问题	搜集有关的资料和事实	提出猜想或假设	对假设进行实验验证和推理	发现规律，得出结论	整合迁移应用
认知功能	明确教学要求，创设问题情境	搜集或提供探索问题的信息和资料，形成认知冲突	想法，明确问题解决的途径和方法，分析研究事实，进行猜测、联想	事实充分，观察、实验、实证、逻辑推理、论证合理	发现规律，重过程，科学解释，使学习者积极思考	整合与迁移、意义建构与创新
情感功能	知觉激活、探究激活	熟悉性、动机匹配、协作	目标定向、成功机会	激励参与、增强体验	求真务实、积极归因	合作分享、成就感

图4-1 生物课程探究性学习的基本流程

2. 生物课程探究性学习的基本模式

(1)生物学概念模式：提出问题→感知材料→探究释疑→形成概念→迁移深化。该模式的主要特点是：由教师创设问题情境，提出有关引导性问题，学生根据教师提出的问题，进行观察、实验，分析现象，进而由师生共同归纳总结出结论，并对其进行迁移运用。

例如，"两栖动物"概念的探究性学习。在学习两栖纲前，教师带领学生捕捉青蛙，上课前陈列在实验桌上。桌上还放有其他两栖动物如蟾蜍、蝾螈、大鲵等的标本。学生进入教室，所见到的是一个两栖动物的世界，使学生在正式学习之前就对青蛙等两栖动物产生浓厚的兴趣和强烈的探索欲望。上课时教师利用青蛙、蟾蜍等两栖动物标本，引导学生观察、解剖。在学生进行观察、解剖的同时，向学生逐步提出以下问题：①同学们知道青蛙的生活环境是什么样的吗？②青蛙的体色、形态、构造有哪些特点适应它们的生活方式？③青蛙怎样进行繁殖？

它是怎样发育的？在发育过程中出现什么现象？说明什么问题？④这些不同的两栖动物有哪些共同的特征？其次，在感性知识基础上，引导学生理解青蛙的生活习性、形态结构、生殖发育等方面的基础知识，并概括和总结出两栖纲的基本特征。最后，课后教师布置作业：每个学生从玻璃缸中捞取蛙卵回家进行孵化和饲养，观察青蛙的发育史，并写一篇小论文。这种实践性作业对知识的迁移深化起到了良好作用。

(2)生物学原理模式：发现问题→研究讨论→提出假设→探究验证→归纳总结→灵活运用。该模式的主要特点是：在整个探究过程中，学生始终以"小科学家"的身份，按照科学研究的一般程序体验科学发现的过程。首先由教师引导学生从周围事物中发现问题，学生围绕问题的解决，依据自己已有的知识对问题可能的答案进行推测，提出假设；然后根据假设独立设计并完成实验；最后根据实验结果总结归纳结论，并灵活运用解决实际问题。

例如，"根对水分吸收"原理的研究性学习。教师首先通过演示"高锰酸钾扩散"实验和"渗透作用"实验创设情境，提出问题：为什么长颈漏斗管内的液面升高了？这一现象究竟与哪些过程有关呢？然后让学生进行猜想，发表自己的见解。学生们各抒己见、热烈讨论。有的学生认为：漏斗里溶液的浓度跟烧杯里溶液的浓度不一样，也就是说有浓度差，这样才引起吸水；有的学生认为烧杯里装的是水而漏斗里装的是蔗糖溶液，两种溶液的性质不一样引起吸水；有的学生认为关键是漏斗口处有一块半透膜，半透膜是引起吸水的关键材料；有的学生认为既要有浓度差又要有半透膜，两者缺一不可。面对这么多假设，学生们讨论如何进一步设计验证性实验；然后根据学生的设计方案分组进行实验；最后，得出渗透作用必须具备的条件：一是要有一层半透膜，二是半透膜两侧的溶液要有浓度差。在掌握根细胞吸水的原理后，教师要进一步引导学生实现知识的迁移和深化，让学生把学到的理论知识能够灵活运用于实际，能够解释生产和生活实践中所遇到的问题。可以设计一些习题，让学生实现知识的升华。如，农民给作物施浓肥后为什么会出现"烧苗"现象？护士为什么只能给病人注射0.9%的生理盐水？

(3)综合性问题解决模式：提出问题，确定研究方案→搜集资料，实施研究计划→分析研究,得出结论→采取行动,深化理解。该模式的主要特点是:首先由教师介绍活动内容;然后由学生自己通过讨论和分析,确定研究方向和研究方案,并根据研究方案,通过调查、实验、查阅等方式多方面搜集资料,通过对资料的分析综合;最后得出结论,提出解决问题的方案,并进行实际实施。

例如,"植物——保护环境卫士"的探究性学习。首先,放映录像:1998年长江、松花江、嫩江遭遇百年不遇的大洪水,直接经济损失2 480多亿元,死亡3 600多人。特大洪水给我国的灾区人民带来巨大损失,造成特大洪水的主要原因有哪些?(为随机进入教学创造条件)其次,围绕"人类与植物"主题,通过"头脑风暴"讨论法确定不同的学习小主题,如植物的骄傲——多彩的植物世界、植物的哭泣——植被破坏的现状、植物的期盼——我们的绿色行动等。学生自主选择小课题,随机分成若干组,各组推选组长,组内讨论活动计划、具体分工。在学习某一主题过程中,学生可随意观看有关这一主题的不同资料,以便从不同侧面加深对该主题的认识与理解,如用文献资料法、互联网搜索、模拟实验法等"随机进入学习"模式。在上述独立探索基础上,开展基于互联网络的专题讨论。在讨论过程中教师通过电子邮件对讨论中的观点进行评判和个别辅导,并对学生布置作业。最后,在校园橱窗内展出学生的有关小论文、优秀画作,或向新闻媒体投稿,扩大社会效应;组织开展美化校园活动,在"植树节"开展"减卡救树"、"节约用纸"等环保倡议;制作有关"植物——保护环境的卫士"的网页,这个网页是对本探究活动的总结。

(4)生物学实验模式:提出问题→做出假设→设计实验→实施实验→得出结论→交流运用。该模式的主要特点是:以实验为中心,进行问题讨论。

例如,"探究茎对水分和无机盐的运输"的探究性学习。教师通过叶脉的输导组织引导学生提出,水和无机盐是由茎中的什么结构向上运输的呢?学生经过分析自然而然做出两种假设:一是由导管运输水和无机盐的,二是由筛管运输水和无机盐的。学生在参考教材的基础上,大胆创新,实验设计突破了教材的范围。在选材上,有杨树、柳树、丁香、茉莉等十余种;在染色液的选用上,有红、蓝、紫等色;在实验方法上,有两种设计方案:一是根据假设"导管运输的水和无机盐",把带叶枝条的树皮剥去,去掉筛管,只保留导管,再把枝条的下端插入染色液中;二是根据假设"筛管运输水和无机盐",把带叶枝条的下端去掉木质部,只保留树皮即筛管,再插入染色液中。采用方案一的小组,发现枝条顶端变了颜色,学生做出判断,枝条只保留导管,是导管由下向上运输了水和无机盐,才使枝条顶端被染了颜色。采用方案二的小组,叶脉、枝条顶端没有变色,学生经过分析得出原因:一定是筛管不能运输水和无机盐,假设二"筛管运输水和无机盐"不能成立。那是由什么结构运输水和无机盐呢? 经过推理:茎中只有导管和筛管两条运输线,筛管不能运输水和无机盐,只能是由导管运输水和无机盐。教师启发学生:如果将染料直接注入草本植物的茎里,是否会提高植物的观赏价值? 教师鼓励学生课后实验,自己寻找问题的答案。

(5)复习模式:创设情境,引出课题→小组合作,看书整理→汇报交流,评价反思→总结梳理,构建网络→类化练习,拓展创新。该模式的主要特点是:将课本有关重点知识综合串联成一个专题,然后让学生以科学研究的方式从专题中获取知识和运用知识,使学生充分发挥能动性、创造性,从而提高学习、复习的质量、效率。

例如,"病虫害防治与环境保护"的探究性学习。首先,教师课前精心设计制定研究主题。"病虫害防治与环境保护"专题,包括了(1) 昆虫激素在防治害虫方面的应用;(2) 遗传育种培育作物抗病新类型;(3) 自然选择学说及运用;(4) 生态系统的保护及生态平衡四个主要内容。其次,教师课前设计研究方向。主要根据专题所包含的内容,依次设计探究小题,使学生有序、有步骤、有目标地进行研究。专题"病虫害防治与环境保护"的研究方向:(1)长期使用某农药(如DDT),为什么杀虫效果越来越差? (2)既要解决农作物虫害问题又要防止环境污染,可采用哪些可行措施? (3)只在陆地一定范围内使用DDT,但在南极企鹅体内却发现了DDT,DDT进入南极企鹅体内的途径是什么? 这种现象说明了什么问题? (4)表4-2是湖泊生态系统中甲、乙、丙、丁、戊五种生物体内DDT的浓度值,请用食物链标出它们之间的关系。第三,实施研究过程。在研究过程中,教师要热情鼓励学生在已有知识的基础上大胆猜测,提出假设,促使学生掌握和利用创造性思维的方法,通过个人研究与小组探讨,对每一方向进行深入复习,并设计出了一系列解决方案。最后,交流研究成果。

表4-2　湖泊生态系统中五种生物体内 DDT 的浓度值

分析对象	甲	乙	丙	丁	戊
生物量 ($kg/km^2 \cdot$ 年)	7.000×10^{10}	0.070×10^{10}	0.090×10^{10}	0.003×10^{10}	0.920×10^{10}
DDT 浓度(M)	0.005×10^{-6}	0.610×10^{-6}	0.500×10^{-6}	6.000×10^{-6}	0.040×10^{-6}

(6)生物科学史渗透模式：背景→思想→实验→归纳总结。该模式的主要特点是：在传授生物科学知识时，注重历史性的探讨，重视阐明科学家的科学思想和科学方法，注重生物学与社会的相互联系和相互影响，注重生物学与其他学科的联系。

例如，在"光合作用概念"的探究性学习中，通过演示历史上有关光合作用的实验，让学生观察实验现象，研究分析结果，然后引导启迪学生进行实验设计。通过实验、分析、设计、评价这几个环节，最后可以总结出光合作用的概念。沿着光合作用发现的历史线索，从古希腊亚里士多德→1648年海尔蒙特→1771年(光合作用年)普利斯特利→1779年英格豪斯→1782年森尼别→1864年萨克斯→1880年恩吉尔曼→1930年鲁宾、卡门→1937年希尔→1945年卡尔文→1954年阿尔农……可以看到前人为这一研究作出了不懈的努力。通过对科学史的介绍，可以帮助学生对科学认识论的认识。在这一背景下连续设置问题情境，可以让学生充满兴趣地去领悟科学家的思维过程，掌握科学家的探究方法，学习科学家的研究精神，并积极投入到探究生物科学的行列中来。

三、生物课程探究性学习的实施

(一)生物课程实施探究性学习的原则

1. 主体性原则

主体性原则是指探究性学习要以学生为主体，充分发挥学生的主动性、独立性和创造性，积极地去发现和解决问题，使学生成为学习的主人。主体性是人的自觉意识和主观能动性。探究性学习是以主体性为前提条件的，没有学生主体性的发挥，学生就不能积极地参与教学过程，也就无法去研究，更谈不上创造，探究性学习当然无从谈起。因此,在生物教学中开展探究性学习,就必须在教学过程中正确处理好教师的指导作用与学生的主体作用的关系,做到以学生为主体,突出学生的主体地位,让学生主动去探索和发现新问题、新知识。它要求充分发挥学生的主体性,同时也要发挥教师的指导作用,教师要从方法、技巧上给学生以帮助,教会学生学习。

2.问题性原则

问题性原则是指探究性学习中教师引导学生提出问题或课题,学生围绕问题或课题去寻找资料和提出解决问题的方案。问题是探究性学习的载体,没有问题就谈不上探究,这是由探究性学习的特点决定的。在生物课程探究性学习中,教师往往只给学生提供有关情境或线索,引导学生自己从中去发现和确定问题,围绕问题去开展研究性活动,从而解决问题,获得新的知识和经验。因此,问题性就成为探究性学习的一个重要原则。

3.开放性原则

开放性原则是指探究性学习的思维方式、问题、内容和活动空间的不确定性和无限性。这个原则突出反映了探究性学习的特点和要求,它表现在以下几个方面:第一,思维方式的开发性。探究性学习是学生积极主动去发现问题、分析问题和解决问题,这就要求学生在思维过程中把思考的对象当做一个开放性的系统来认识,用发散性思维来寻找、探索问题的多种答案,而不是单一地寻找标准答案。第二,学习内容的开放性。教师要指导学生根据自己的观察和思考去发现问题、提出问题、提出探究性学习的计划、步骤。因此,探究性学习的内容具有不确定性、开放性,且更富有时代性、生活性和变化性。第三,活动空间的开放性。探究性学习的活动空间既可以是在课堂,也可以是在课堂之外,即在开放的学习环境中去进行学习,让学生主动地参与教学,独立地思考问题;从而激发学生的创造性,培养学生分析问题、解决问题和从事实践活动的能力。

4.创造性原则

创造性原则是指探究性学习以"探究"为手段,通过探究性的学习来充分发展学生的创造潜能,培养学生的创新能力。探究性学习中的探究不是目的而是手段,创造离不开探究,探究是为了创造,培养学生的创造性是探究性学习的重要目的之一。心理学认为,创造性是人类一种普遍存在的潜能,它是人类最宝贵的财富和资源。人类的创造潜能是创造力的基础,是人类社会不断生存和发展的动力源。人本主义心理学认为,儿童的创造潜能像一粒种子,在适当的条件下有长成一棵大树的趋向。因此,探究性学习是发展学生创造性的最重要的方式。当然,创造有"类创造"和"真创造"之分,学生在探究性学习中的创造大都是"类创造"。凡是学生通过自己积极主动、独立地探索、研究提出的观点、答案,都可以算是创造,从而让学生获得创造的成功体验。

(二)生物课程实施探究性学习的策略

1.教师指导,着重启发和诱导

"问题"是探究性学习的载体,整个教学主要围绕某一问题的提出和解决来组织学生的学习活动。在探究性学习中,教师首先要从学生的年龄特点、知识结构和能力出发,并以此作为切入点,创设一定的问题情境,激发学生的探究兴趣,引出所要探究的问题。教师要围绕所要探究的问题有针对性地进行系列问题设计,使之与学生认知结构中的观点建立起实质性联系,达到对新知识的意义建构。当然问题的选择不是随意的,它应是发现的突破点,通过对它的探究,可以认识一些重要的基本概念和规律,这些突破点是引导学生进入科学殿堂的指路灯。例如,在"两栖动物"这一生物学概念教学中,可从学生熟悉的青蛙入手,提出"为什么青蛙既能在水中生活,又能在陆上生活"这一探究问题,以此作为突破点,引导学生对青蛙的形态结构、生理、生殖和发育过程作全面、系统的探究;并且通过查阅有关资料,使学生弄清楚哪些特征使青蛙适应陆地生活,哪些特征使青蛙的生活离不开水;从而比较全面、系统地获得青蛙的有关知识,更好地理解"两栖动物"这一概念。

在这一环节里,教师要充分注意培养学生的学习兴趣。因为兴趣是最好的老师,是一切活动的发源地,是促进学生主动学习的内部动力。学生只有对所探究的问题产生浓厚的兴趣,才能想学、乐学、善学,继而获得思维的发展。教师应学会欣赏和激励学生,激发学生的学习兴趣。此外,教师不能按照传统的教学方式和观念对待探究性教学,"灌输式"的知识点教学,只会使探究性学习流于形式。教师要真正理解探究性学习的探究本质,真正使它发挥出创新教育的功能。

例如,当学生探究"为什么青蛙既能在水中生活,又能在陆上生活"这一问题后,除能正确理解"两栖动物"的概念外,还应能深刻领会其中的科学研究的思维方式和研究方法。总之,教师要充分发挥主导作用,在施教过程中刻意加入方法、能力的渗透式培养。这样就会通过教师的"变教为诱"、"变教为导"来实现学生的"变学为思"、"变学为悟",从而使教学深入到"以诱达思"的境界,调动起学生探究性思维的主动性、积极性。

2.学生探究,注重观察和思考

在探究性学习中,教师走下了"权威"的讲坛,和学生一起探索、一起研究,建立起了民主平等、教学相长的教学环境和气氛,拉近了教师与学生的情感距离,极大激发和调动了学生探究的兴趣。在这种平等交流、商讨协作的伙伴关系中,师生融为一体,共对问题情境,共赴教学目标。这种由学习者到"研究者"角色的转变,能使学生积极地从整体上把握所要探究的问题,对于促进学生主动、创造性学习非常有效,有利于学生养成善于观察和思考的良好思维品质。观察是认识事物的开始,是人们认识生物世界,增长生物知识的重要途径。生物科学的探究是高度复杂的脑力劳动,仅仅观察生物的表面现象是不够的,要对观察到的生命现象作深入的研究和透彻的思考。学生在探究过程中应树立观察意识,掌握观察方法,在观察过程中培养思考能力,通过思考加深对生命现象本质的理解。例如,学生在探究"青蛙从有尾的幼蛙发育成无尾的幼蛙,尾是怎样消失的"这一问题时,通过追踪法对青蛙发育过程的持续追踪观察和思考之后,学生会很快纠正了"有尾幼蛙的尾是在发育过程中掉下来的"错误认识,而获得了"有尾幼蛙的尾是逐渐萎缩而消失的"正确认识,并且更进一步懂得了"尾逐渐萎缩"的生物学意义。

同时,在这个过程中学生围绕问题积极思考,他们思维过程自由展示的机会增多了,教师可根据学生思维展示过程中的漏洞、偏差,不失时机地加以因材点拨,同时启发其他学生共同探讨,使他们处于积极奋进的创造性状态之中,主动地动脑思、动手做、动口议、动眼看、动耳听、动笔写,独立地观察、分析、类比、联想、辨析、归纳等,最大限度地发挥出学生自身的创造潜能。这样,学生的主体意识和个性发展便会得到促进,学生的创新意识和创新能力也就会在潜移默化中得到逐步提高。

3. 师生共探,关注体验和感悟

探究性学习重视结果,但更注重学习过程,关注学习过程中学生的体验和感悟。因此,在探究性学习中,教师不仅向学生展示自己的认识过程,引导和启发学生一起有效而科学的探究,而且教师在躬身亲历的过程中表现出的浓厚兴趣、科学精神、求实态度、严谨作风以及良好品质会给学生以直观的感染和榜样的昭示。当教师全身心投入某一问题情境及活动过程,实际上是把自己的人格、人性、心理品质多侧面地、真实地展示给学生,甚至可以让学生看到教师从"科学世界"回到"生活世界"的人生真实。学生在耳濡目染、潜移默化中体验和感悟教师的情感态度、价值观念和思维方法。同时,教师要鼓励学生不断反思自己的探究性学习,因为反思是督查、检测、调整的重要举措。要让学生学会发扬自身的长处,弥补自身的不足,让他们在充满信心的同时探索出适合自己个性的独特而又有意义的思维方式,并且引导学生适时进行反思和感悟,以便升华新体会的认识和观念,使每个学生都拥有一种由成功的学习而产生的健康向上的情感体验。在此过程中,教师要善于从学生的探究性学习中获得反馈信息,反思自己的教学行为,调整下一步的教学行动。教师应引导学生把巨石推到西西弗山顶,然后又让它们轰然滚落……在无疑中生疑,在小疑中生大疑,对一个问题的研究解决恰恰又是新的问题的源起,让学生成为问题的包罗万象的思想者,永无止境的探索者。总之,通过调节师生关系及其相互作用,形成和谐的师生互动、生生互动、学习个体与教学媒介的互动,强化学生与环境的交互影响,产生教、学协同和共振,从而切实提高教学效率。

在以上三个环节的实施过程中,教师尤其要有意识地渗透以下理念:(1)倡导质疑。质疑是培养学生创新精神的切入点,因为它是创新的心理动力,是思维独立性、自主性的体现。因此,教师要大力倡导对教师、对书本、对以往的结论敢于质疑的精神,鼓励学生针对质疑的问题,多方收集资料、进行研究,敢于提出自己的观点和方案。(2)鼓励提问。提问是创新的突破口,学生在寻找问题的过程中,他们的观察力、好奇心、想像力等都被调动和诱发出来。在提出问题的过程中,学生将经历思维的发散、流畅和聚敛的训练。所以教师要保护、促进学生提问的积极性,鼓励他们敢于提出问题。(3)引导行动。行动是创新的立足点,教师要特别强化学生的参与意识,真正落实学生的主体地位。让学生在探索中获得真知、学会求知、学会创造,并通过师生交流的协同作用以及和同学间的相互促进作用,达到发展学生自身的目的,实现学生主动发展的目标。

(三)生物课程实施探究性学习的方法

1. 生物科学史渗透法

生物科学史渗透法是指在传授生物科学知识时,注重历史性的探讨,重视阐明科学家的科学思想和科学方法,注重生物学与社会的相互联系和相互影响,注重生物学与其他学科的联系的教学方法。生物学的发展是一个不断探索和发现的过程,在这些发现中给人们以科学方法、科学态度及科学精神的启迪。利用好这些科学探究的素材,不仅使学生体验科学概念、原理形成的过程,了解科学家研究生命科学的实验探究方法,而且能学习他们的探究精神和科学态度,培养学生应用生物科学知识和科学方法解决问题的能力。

2. 探究性提问法

探究性提问法是指那些激发和维持学生主动探索学习,积极进行发散思维的提问,其主要目的在于引起学生的探究欲望,激发他们的创造性思维,调动学生的主动性和积极性的教学方法。例如,在进行"植物细胞质壁分离及其复原"内容教学时,在学生进行实验操作过程中做如下层次性的提问:(1)为什么质壁分离要选用紫色洋葱表皮细胞,用洋葱根尖做材料行吗?(2)把洋葱表皮细胞放在30%的蔗糖溶液中,植物细胞发生了质壁分离,而后把其放入清水中又发生了质壁分离复原,为什么?(3)如果把蔗糖浓度不断提高,其质壁分离的速度和程度将会呈何变化?(4)随着蔗糖浓度的不断上升,是否能继续发生复原?由于课堂教学是在一系列的提问、讨论、再提问、再讨论的过程中展开的,故而学生的思维始终处于积极探索的状态,最终顺利地得出了结论。在一系列提问的引导下,在共同的探索和求知过程中,学生的积极性和参与性大大提高,课堂教学效果明显。

3. 探究性观察法

探究性观察法是指引导学生观察生物体和生命现象的细微变化和本质特

征,在观察中培养学生善于提出问题的教学方法。例如,让学生观察"生长到不同阶段的玉米幼根"(见图4-2),让他们异中求同找规律:通过观察,发现三株幼根都有相同的组成,它们都分成3个区(A区、根毛区、B区)。接着让他们通过同中求异提问题:(1)同样是B区,但不同幼根B区的长度不同,这和生长有什么关系?(2)同样在根毛区,但上、中、下不同部位根毛的长度不同,中间的长,两端的短,这和生长有什么关系?第2个问题很有探索价值,为运用联想的方法提出假设奠定了基础。上面实例所示,通过观察,不仅使学生能提出他们很难想到的问题,重要的是能够帮助他们理解运用所学的观察方法。

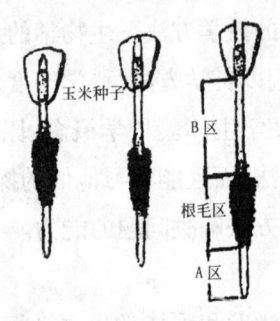

图4-2 生长到不同阶段的玉米幼根

4. 探究性讨论法

探究性讨论法是指在教师指导和帮助下,学生以小组的形式围绕某个问题各抒己见、大胆假设,从而相互启发、解决问题的一种教学方法。例如,"探究红绿色盲遗传的特点及方式",以学生调查的一个典型的红绿色盲家族系谱遗传图为例(见图4-3),让学生分析红绿色盲遗传有什么特点。周边生活中遗传实例的出现一下子把学生引入到观察、分析的积极心理活动状态,这时教师抓住机遇鼓励学生各抒己见,把学生思维的积极性充分调动起来。很快,学生七嘴八舌地说"男性的发病率明显高于女性"、"红绿色盲遗传受隐性基因控制"、"也有隔代遗传的特点"、"女性患者的儿子为患者"……待结论分析得差不多时,教师还需将学生的答案加以汇总、点评,及时提出表扬,并随即把学生的思维引向深入。究竟为什么会出现这些情况呢?你能不能用刚学过的遗传学分析方法去假设和验证你的结论呢?渐渐地,学生通过独立思考及小组讨论排除了种种疑虑,得出如下推论:红绿色盲基因可能是位于 X 性染色体上的隐性基因,所以后代性状的表现与性别相联系(伴性遗传),表现为男性发病率高于女性。

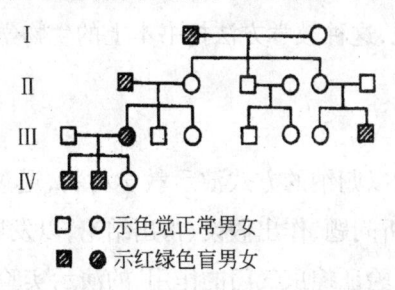

□ ○ 示色觉正常男女
▨ ● 示红绿色盲男女

图 4-3　红绿色盲家族系谱遗传图

5.探究性阅读法

探究性阅读法是指学生在教师的指导下,以研究探索的方式自主地进行阅读,以获取知识、激发兴趣、陶冶情操、提高阅读能力和运用生物学语言的能力,优化生物综合素养的一种教学方法。例如,为了活化生物学概念的教学,可出示一则题为《马蜂和织布鸟的友谊》的短文:

一天,我们正在森林里拍照,忽然听到一阵刺耳的鸟叫,伴随着飞机马达般的嗡嗡声,抬头一看,不远处一棵大榕树上,挂着三百多个大如斗笠的马蜂窝,附近还挂着上百个鸭梨状的织布鸟窝,同时还发现一头黑熊正爬在榕树干上欲进不能欲退不舍。原来,馋嘴的黑熊最喜爱吃蜂窝,但它刚爬上树干就被织布鸟发现,织布鸟发出尖厉的报警声,于是千万只马蜂倾巢出动,发出骇人听闻的嗡嗡声,并变换着阵容,保护自己的蜂王和蜂巢,随时准备对黑熊群起而攻之。黑熊终于从树上退下来,怏怏不乐地进了森林,马蜂和织布鸟也恢复了平静。看来,没有织布鸟的报警,黑熊的阴谋就会得逞,其实,织布鸟把窝做在马蜂窝边也是为了防止调皮的猴子来捣鸟窝,丧了自己的性命,生物界这种有趣的共生现象在西双版纳还多得很呢。

在学生看完这段短文后,教师引导他们进行分析:(1)森林里各种动物间的关系在生态学上如何称谓？（例如,马蜂与织布鸟之间为种间互助,黑熊与马蜂之间为种间竞争,织布鸟与猴子之间为捕食,马蜂与其蜂王之间为种内互助。）(2)从生物科学用语的角度看,文中哪些地方用词不科学？（例如,黑熊寻食是动物的本能,不是"阴谋";织布鸟选择筑巢地点也是一种本能,并非由其意识决定,不能使用"为了防止……"的表达句式;马蜂与织布鸟的"友谊"是"共栖现象"而非"共生现象"。)可以说,这种教学方法把书本上的生物学概念教活了,能有效地巩固和检验课堂所学。

6. 探究性演示法

探究性演示法是指以归纳的方式演示教学材料,通过教师提出问题引起学生的探究,激发学生分析问题、作出假设、得出结论,以发展学生的主动思维为目的的演示方法。例如,"验证蝗虫气门的作用"的演示实验。在实验前,告诉学生注意观察实验的每个步骤,然后让学生说明看到了什么?这个实验说明了什么问题?实验后学生答:"胸、腹部埋入水中的蝗虫先死了,说明了气门是气体进出蝗虫身体的门户。"然后要求学生再进一步细致观察,启发学生思考,为什么一只蝗虫头部埋在水中,一只胸、腹部埋在水中,这里有什么区别?目的是什么?经过启发,学生回答:"这样做是为了说明气门的位置,说明气门位于蝗虫的胸、腹部。"这样,学生的回答就比较完整。学生在细致观察演示之后,开动脑筋、积极思维,考虑成熟以后,得出比较完整的结论。这可以锻炼学生全面思考问题的能力,培养学生能够在教师的引导下自己解决问题的能力。

7. 探究性实验法

探究性实验法是指在教师的引导下,学生围绕某个问题独自进行实验、观察现象、分析结果,从中发现科学概念或原理,以获得知识、培养探究能力、养成科学素养的一种教学方法。在生物学实验过程中,其本身就包容着"探究性学习"。生物学实验最易与"探究性学习"有机地融合在一起,能激发学生潜在的创新意识,变学生被动地接受为主动地探究,实验教学是"探究性学习"最好的舞台。例如,高中生物学实验"水质污染对生物的影响"主要涉及三个实验:(1)水质有机物污染与好氧细菌数量的关系;(2)合成洗涤剂污染对生物的影响;(3)无机离子对生物的影响。水中污染物的种类其实还有很多种,这时教师可以引导学生去查有关图书资料及网上资料,水中到底还有哪些污染物,这些污染物对水生生物有何影响,进而由学生自由组合成探究小组。分别就这些污染物对水生生物的影响进行立题、设计实验方案、实施并分析得出结论。

8. 角色扮演法

角色扮演法是让学生去亲身经历某种角色的心理变化过程，在模仿的某种情境或剪取的某个生活片段中担任一定的角色，就像电影演员体验生活一样开展他们的学习活动。该教学方法着重于直接经验的获取。例如，"毒品的生理危害"的课堂教学可应用角色扮演法。表演开始前，将学生分为"演员"和"观众"两个组。演员组必须考虑全面，是否所有的角色都配备齐全了，如在"毒品给我的身体带来什么影响"里，除了各个器官以外，还应该有人扮演各种"毒品"。观众组负责必要的配合，如在教室外上课时，观众组手拉手围出演员组活动的范围；同时还负责评价演员组的表演水平。表演开始时，先由"器官"选择"毒品"，看哪一种毒品对这个器官进行了怎样的伤害；再由"毒品"选择"器官"，看这种毒品会对哪一个器官进行怎样的危害；然后由"毒品"宣布自己将以何种方式进入人体，追赶并紧随他认为可能影响的"器官"。经过一番活动以后，教师请受到影响的"器官"举手，说出自己所代表的器官，什么毒品对其产生了影响，是怎样的影响。也请"毒品"举手，说出自己所代表的毒品对"器官"产生影响的机理是什么。最后请观众组的学生发表意见，看他们的说法是否正确。教师可以及时纠正学生不正确的或错误的认识。

9. 模拟探究法

模拟探究法是针对一定的教学目标，根据真实环境的主要特征设计物质的或想像的场景，让学生通过操作模型来安全、经济、方便地模拟客观世界，对现象进行分析、设想以及对学生开展技能训练的一种方法。例如，把染成红、黄、绿三种颜色的火柴棍作为"模型"，随机地分撒到一片草地中，以代表生存在绿地中的不同颜色的昆虫"原型"，然后让学生们作为鸟的"模型"，在规定的时间内到草地中找回这些火柴，最后统计哪一种颜色的火柴棍多，从而说明保护色在自然选择中的作用这一生物学原理。此外，教师还可以模拟小生境的生态瓶、生物圈2号等有名的生物学模拟实验，目的是使学生从大量典型的生物学模拟实验中吸取教益，掌握前人科学研究的方法，能够在创新思维上有所突破。

10. 文献研究法

一般指学术理论性较强或对中学生来说难于进行实验和观察而只能通过查

阅现有文献资料来进行的研究。因而这类课题常常偏重于增长知识和收集信息的训练。例如,"话说癌症"的研究过程:在新教材中"细胞的分化、癌变和衰老"一节的教学之后,根据癌细胞的实质、判断癌症的依据、诱发癌症的外部因素、治疗癌症的方法、癌症的种类五个专题,师生一起上网或集体到图书馆查阅资料,并进行整理,最后在课堂上交流对癌症的新的了解和拓展中的思考和感悟,并进行口头或文字总结。

11. 调查研究法

主要是指在广泛的社会调查和资料分析的基础上再进行深入地研究,一般社会问题、人文科学的课题,常属于此类。例如,"对虾的养殖与销售"的研究过程:首先通过图书馆、信息网络等查阅相关资料、搜集相关信息,通过走访农贸市场等了解对虾的市场销售状况,通过走访养殖户了解对虾养殖及管理的有关知识;然后对这些知识进行梳理、归类、筛选,选取实验基地及实验材料并开展实践,记录相关现象、特征及数据,并就有关问题予以分析、讨论;最后在教师的指导下撰写研究论文。

12. 探究性试题法

探究性试题指的是让学生在不同的问题情境下,尝试去解决问题,以测试学生在实现目标的过程中克服障碍最终达到目标的能力,综合运用知识解决问题的能力,以及创新能力的试题。例如,为探究用基因重组的方法所产生的干扰素对癌症的治疗效果,有人计划进行如下的实验:

第一步:从癌症患者身上取得癌细胞,并培养此种细胞。

第二步:给培养中的癌细胞添加干扰素。

第三步:观察干扰素是否对癌细胞的生长带来变化。

上述实验计划存在着一些不足。下列可供选择的改进方法中,你认为其中正确的是(　　)

① 观察在培养时没有添加干扰素的癌细胞的生长情况。

② 直接给癌症患者注射干扰素,进行临床实验。

③ 把不同质量分数的干扰素添加给培养中的癌细胞。

A.①　B.①②　C.①③　D.②③　E.①②③

本题基于科学研究的情景,考查学生如何设计对照实验的能力。

四、生物课程探究性学习评价体系的建立

(一)生物课程探究性学习评价的价值取向

生物课程教学中探究性学习的评价其实是在一步步或隐或明、或大或小的评价活动的基础上展开的。它特别注重教师和学生的积极参与,在教师和学生水乳交融的探究性活动中展示评价的总结、矫正、促进和激励的教学功能。因此,生物课程教学中探究性学习的评价不再是教师高高在上地评判学生,也不仅仅是为了鉴定或是选拔,而是着眼于学生的发展,通过评价激起学生的主体参与性,让学生在课堂中体验成功的喜悦,获得进取的力量,分享合作的和谐,发出生命的灿烂,促进学生主动地、自觉地发展,并创设条件,使学生努力达到发展目标。正如卡罗·汤姆林森所说:"评价应该是永远更好地帮助学生成长,这比把学生的错误进行归类更重要。"因此,生物课程教学中探究性学习的评价是一种表现性评价,即让学生通过实际的探究性任务来表现其知识、能力和态度,然后对学生完成任务的真实情境进行评价。这就决定了生物课程教学中探究性学习的评价有着不同于传统评价的特点。

(二)生物课程探究性学习评价的主要特点

1.评价对象的过程性

探究性学习重视学生的学习结果,更重视学生学习的过程。与传统生物课程学习不同的是,探究性学习的评价既是对学习过程的评价,又是在学习过程中的评价。因此,学生在探究中的整个学习过程都在评价的范围之内,而不仅仅是学习的最后结果。探究性学习的教育价值既凝结在学生的作业等物化性的作品中,又融化在平时一步步的探究活动中。

2.评价内容的综合性

探究性学习评价是一种真实情境的评价,评价内容除知识之外,还有能力和情意态度。如果按照布卢姆教育目标分类学的观点,这些内容应包括认知、技能活动和情意三大领域。在传统评价中难以体现的情意因素,却在探究性学习中受到重视。

3.评价方法的多元化

在传统的生物课程学习评价中,评价的主体是教师,评价的方法是考试。这在探究性学习的评价中是远远不够的。评价者除教师之外,还应有学生本人和学习小组等参与。评价的方法应将定量的方法和定性方法结合起来。评价的信息源包括学生的书面材料、口头报告和实际的活动过程。在具体操作中可采用作业评价、口头回答、档案袋评价、苏格拉底式研讨评定法等方式。总之,凡是有利于培养学生创新精神和实践能力的一切评价形式都可采用。

4.评价标准的灵活性

探究性学习的目标是多元的,除知识之外,还有能力和情意态度。因此,探究性学习的结果不是简单的非对即错,重要的在于强调其形成性评价作用,注重发展功能。一次评价不仅是对一段活动的总结,更是下一段活动的起点、向导和动力。故评价应根据学生的个体差异和研究内容性质的不同,采用弹性化的评价标准。

(三)生物课程探究性学习评价的指标体系

1.探究精神与探究态度

探究精神是指在科学研究过程中体现出的社会价值取向和科学家立身处世的方式和态度。其评价指标主要有以下几项。

(1)客观精神:对人对事能够客观公正、实事求是。

(2)探索精神:在生物学探索与学习中刻苦钻研、追求真理、勇于尝试、独立思考。

(3)质疑精神:不迷信书本和权威,敢于批评与自我批评。

(4)公平竞争与合作精神:发奋图强、努力向上、和平共处,善于与他人合作共同完成任务。

探究态度是指在科学探索与学习中个体对某一对象所作的评价和行为倾向。其评价指标主要有以下几项。

(1)探究兴趣:对生物学知识的兴趣,对科技新事物的好奇。

(2)探究动机:具有强烈的从事生物学实践活动的愿望和内趋力,由从事生物学实践活动的外部动机发展为内部动机。

(3)探究爱好:刻苦学习生物学,喜爱生物学实验与创造发明。

2.探究方法和能力

探究方法是指进行科学研究时采用的思维方式与行为方式、途径与手段,包括提问、收集信息、观察、假设、实验、分析、得出结论等一系列活动。探究能力是指从事上述各项探究活动所需的心理品质,包括观察力、思维力、想像力、创造力等。探究方法和能力的评价指标概述如下。

(1)收集资料能力。包括倾听、发问、观察、记录、访谈、调查和文献检索的能力等。

(2)思维和推理能力。包括寻求合理证据,辨别事物异同,识别给定材料的逻辑要素及其相互关系,对给定材料的有效性、可靠性、相关性进行鉴别,对材料进行分类整理、归纳概括,对各种备选方案的合理性进行评估,对调查研究所获数据资料进行解释,正确地运用逻辑原理进行推理和预测的能力等。

(3)操作能力。包括怎样使用仪器,怎样保管仪器,怎样维护仪器;包括制作、测量、演示、实验的能力等。

(4)表达与交流能力。即能够有效地表达和交流研究成果的能力。表达或交流成果的方式,并不仅仅限于撰写调查报告、实验报告、论文,还可以通过讨论、口头汇报、回答提问、解释说明等进行。

(5)合作能力。包括能对整个合作小组的工作进展起建设性的推动作用,能调解小组内的冲突与纷争,能与小组内不同背景的个体友好相处,能进行有效的人际交流,展示出组织或领导能力等。

3.生物学知识

包括生物学概念、规则和问题解决的高级规则等程序性知识。其评价方法可采取作业、口头回答等多种方式进行。

五、生物课程实施探究性学习的局限性及需要注意的问题

(一)生物课程实施探究性学习的局限性

任何一种教学方式、方法都有其局限性,探究性学习也不例外。倡导探究性学习方式是希望教师在教学活动中要从学科教学实际出发,积极地、适量地选用

这种学习方式,以便充分发挥它所固有的优越性,但不能误认为学科教学应以探究性学习方式为主。事实上,探究性学习方式虽有许多优点,但出于受学科教学目标、教学时间、教学内容、教学方式的局限,其优点难以在学科教学中得以充分发挥。第一,这种方式更适合于小班授课和开展小组讨论,目前的班级教学规模难以使每个学生都参与到同一个教学内容的全部探究过程。第二,在传统的教学任务还没有相应改革的情况下,课时不足是开展探究性学习的一个突出矛盾。有些内容如果用传统的教学方式,只需要十几分钟就能解决问题,而用探究性学习的模式,就需要花费较多的时间。第三,探究性学习更注重知识的形成过程,难以使学生获得比较系统的学科基础知识。第四,并不是所有的学科知识都适合探究性学习这种方式。那种体现事物名称、概念、事实等方面的陈述性知识就不需要学生花时间去探究,仅靠听讲、阅读等方式就能掌握,而把整本教材都分解成探究性课题的做法值得商榷。第五,探究性学习还要求有比较充足的教学设备和课外教育资源。在目前情况下,这些资源还有待进一步开发。第六,教师的素质有待提高。要实现教师教学行为方式的重大转变,从而指导学生改变学习方式,还需要有一个较长的过程。

(二)生物课程实施探究性学习需要注意的问题

1.正确处理好接受性学习和探究性学习的关系

我们倡导在教学中开展探究性学习不是否定有意义的接受性学习。现今强调探究性学习的重要性是想找回"探究性学习"在课程中的应有位置,而非贬低"接受性学习"的价值。从一个人的全面发展来看,这两种学习方式缺一不可。接受性学习在积累间接经验、传递系统的学科知识方面具有极高的效率,而探究性学习在积累直接经验、培养学生的创新精神和实践能力方面有独到之处;这两种学习方式都是必不可少的,是相辅相成的。正确处理好二者的关系,就是如何处理好打基础与探究能力和创新精神培养的关系。由于基础教育要求"精选终身学习必备的基础知识和技能",而学生的生活、经验与兴趣又具有一定的局限性,再加上课时的限制,因此,在课堂教学中,接受性学习还应是重要的学习方式,而探究性学习则处于辅助的地位。美国国家科学教育标准中虽然强调用探究的方式学习科学,但也建议"教师们应该用不同的策略设法使学生们掌握内容标准所描述的知识,弄懂所描述的道理,学会所描述的技能"。因此,在课堂教学中,在通过问题解决进行学习的同时,学生还应结合阅读、讨论等其他学习方式,将通过不同途径建构起来的知识整合起来,把探究性学习和其他形式的学习有机结合起来,形成以接受性学习为主,探究性和其他学习方式为辅的新格局。

2. 制定适合的探究性学习目标

学科教学中开展探究性学习是一个持续的过程,旨在培养学生的创新精神和实践能力,提高学生的学力水平。我们不应强调和追求它的即时效果,想通过1—2节课的学习就达到培养学生各方面的能力的要求是不现实的。我们要用持续的、发展的眼光来看待探究性学习,将生物学科中开展探究性学习当做一项系统工程、一个循序渐进的过程,切忌盲目追求"高、多、全"。高:目标要求过高,不符合学生已有的认知水平;多:教学手段多,实物、图片、投影、多媒体、实验一个个亮相,课堂教学中的探究过程被冲淡和削弱,变成了摆设;全:能力要求过全,一节课既要培养实验能力,又要加强思维训练、突出创新精神,结果造成学生的探究变成走过场。每一节课,根据教学内容制定结合探究性学习的目标,教学过程的开展围绕某一目标进行,教学手段的应用要符合教学的实际内容,有重点、有目的地使用探究性学习,真正使探究性学习扎扎实实地在生物学中开展。

3. 合理选取恰当的探究性学习内容

在课堂教学中,探究性学习方式是有它特定的内容的。现代认知心理学把知识分为陈述性知识和程序性知识两大类。陈述性知识是有关"是什么"的知识,如名称、事实、概念等,这类知识不适合学生去探究。程序性知识是关于"为什么"和"怎么办"的知识,主要涉及对概念、规则、原理的理解和应用,解决问题的技能、方法、策略的形成,以及情感的体验等。这类知识是内隐的、个人化的知识,适合通过探究性学习来掌握。但是,我们也不能为探究而探究,把教材中所有的程序性知识都用探究性学习方式来掌握,使学生在探究的压力下喘不过气来,加重了学生的学习负担,并使探究性学习活动流于形式。所以,在课堂教学中探究性学习应当有量的控制,并非多多益善。我们应当选择富含教育价值的研究课题,使学生在研究过程中体验和领悟科学的思想,科学家研究自然界所用的方法,同时获得知识。探究内容也应是课堂教学的核心内容和重点,为学生掌握课程体系的核心和掌握最基本的科学方法服务。那种把教材中所有能够进行探究性学习的内容都分解成探究性课题的做法值得商榷。

4.针对不同的内容灵活选择适当的探究模式

探究性学习的基本模式包括六个步骤:提出问题→作出假设→制定计划→实施计划→得出结论→表达交流。但我们不能把探究性学习作为一种"新八股",一定要按"六步走"。"探究是一种有多侧面的活动,需要观察;需要提出问题;需要查阅书刊及其他信息源,以便弄清楚什么情况已经是为人所知的东西;需要设计调研方案;需要根据实验证据来检验已经为人所知的东西;需要运用各种手段来收集、分析和解读数据;需要提出答案、解释和预测;需要把探究结果告之于人"。因此,探究活动可有多种类型,有基于实验的探究、基于测量的探究、基于资料的探究、基于模拟的探究、基于技术设计的探究、基于综合性课题的探究等类型。不同类型的探究对学生进行培养的侧重点是不同的,有的侧重培养学生的动手操作能力,有的侧重培养学生的逻辑思维能力。因此,针对不同的探究内容,应灵活选择适当的探究模式,不必刻意追求步骤的完整性。

5.加强和改进课前预习和课后作业环节

课堂教学是教学过程中极为重要的环节,但不是惟一的环节。不仅教师的备课而且学生的预习也是教学过程中的重要环节。为更好地在课堂教学中实施探究性学习,有必要加强和改进学生的预习环节。可指导学生通过以下方式进行:(1) 背景式预习,即指导学生收集新授课内容的背景材料;(2) 相关式预习,即搜集与新知识相关的内容;(3) 难点式预习,即指导学生将新授课内容中的难点或不解之处列出;(4) 尝试解答式预习,即鼓励学生在预习中尝试解答新授课内容中提出的问题,等等。此外,课后作业环节也是教学过程中重要的环节,它是课堂教学的巩固和延伸,为更好地实施探究性学习,还应加强和改进课后作业环节。具体可通过以下方式进行:(1) 拓展课后作业的类型,除复习式作业外,增加预习式作业、自学式作业、析疑式作业等;(2) 增加课后作业的层次,即针对不同学习能力的学生,布置不同要求的作业,或设计难度水平不同的作业让学生根据自己的特点进行选择;(3) 丰富完成课后作业的手段,除书写式作业外,增加观察式作业、动手操作式作业、调查式作业等;(4) 改进作业内容,除分科式作业外,适当布置理科组合式作业、文理组合式作业等;(5) 改进作业方式,除独立式作业外,适当组织合作式作业等。

在生物课程教学中开展探究性学习,会受到教学目标、教学时间、教学内容、教学方式的限制,特别是在目前教学任务和教学方式还没有根本改变的情况下,更需要我们去研究。但我们相信,随着教育工作者在教学实践中不断的探索,探究性学习必将在生物课程教学中结出丰硕的成果,有力地推动素质教育的健康发展。

第五章
高中生物新课程管理与资源

第一节 高中生物新课程管理

中国从20世纪50年代至80年代初一直采用苏联的课程管理模式，即由中央对全国的课程与教材进行一级管理，全国实行统一的教学计划、教学大纲和教材。这样一种集中统一的课程管理模式显然与复杂多样的国情不相适应，同时也无法发挥地方教育行政部门的主动性和积极性。

1996年3月印发的《全日制普通高级中学课程计划(试验)》第一次将"课程管理"作为课程计划中的单独一部分列出，规定："普通高中课程由中央、地方、学校三级管理；本课程计划中的12门学科课程(包括必修和限选)由国家教委统一规定基本课时数，颁布学科教学大纲，并规划、组织编写和审查教材；各地根据课程计划的精神，按照实际情况，由省级教育行政部门或其授权的教育部门参照《课程安排示例表》，制定本省实施的高中课程计划，提出有关任意选修学科及活动类课程的实施方案，指导学校执行；学校应根据国家教委和本省(自治区、直辖市)课程计划的有关规定，从实际出发，对必修学科和限选学科做出具体安排，合理设置本学校的任选课和活动课。"这次的高中课程计划没有像以往那样给出一个固定的课程安排表，而只是规定了"周课时累计数"和一个课程安排示例表，具体的课程安排表由各省制定，学校则可以发挥自己的积极性安排任选课和活动课。

1999年教育部的《面向21世纪教育振兴行动计划》(以下简称《行动计划》)在关于课程管理的内容上不仅再次明确了课程三级管理制度，而且更进一步扩大了地方和学校的权利，允许地方和学校开发符合本地实际需要的课程。《行动计划》提出要"调整课程政策，明确国家、地方和学校三级课程管理权，建立对地方和学校课程指导和评估的制度,下放课程设计的权利,支持和鼓励地方发挥积极性,开发适合地方经济发展和社会需求的课程,给予学校一定的开发课程的权利并承担相应的责任"。

一、高中生物新课程的管理理念

新的课程改革已全面展开,这次课改是教育史上的又一次革命,它不是口号,更不是设想,而是摆在我们面前的事实。面对新课标、新教材,需要新的管理理念、管理制度和行为。

(一) 构建"三级课程"的管理框架

调整我国目前的基础教育课程管理政策,是这一轮课程改革系统工程的一个组成部分,也是本次课程改革目标之一。那么,课程改革在课程管理政策方面进行了哪些调整呢? 具体地说,有以下几个方面。

构建"三级课程"的管理框架。新一轮基础教育课程改革尝试构建"三级课程"的管理框架,国家、地方和学校承担不同的权力与责任,改变以往课程管理过于集中而导致"校校同课程、师师同教案、生生同书本"的局面,即形成三级课程管理的具体工作机制。

教育部:课程总体规划;国家课程门类和课时;课程标准;评价制度。

省级教育行政部门:加强本省的课程发展能力;规划本地课程实施方案;开发地方课程;指导学校课程。

学校:执行国家、地方课程;开发、选用学校课程。

开辟"自下而上"的课程管理渠道。课程管理政策的变化必须要有相应配套的管理方式。新课程倡导一种以"自上而下"为主、以"自下而上"为辅的课程管理模式。对于国家课程计划内的指令性课程(一般指必修课)必须严格管理,加强课程推广前的计划制定与计划推广过程中的监督,这就是"自上而下"的管理。而对于同一课程计划内指导性的课程(主要是指放权部分)必须舍得放权,让学校有一个较宽松的空间来发挥自己的创造性。完善教科书编写资格的认定与教科书的审定制度。

新一轮课程改革在教科书建设方面采用"抓大放小"的原则,为教科书的"一标多本"建立开发平台,让教科书走向市场,鼓励社会各界学有专长的人士参加到教科书建设中来。同时为了确保教科书的质量,国家将制定相应的管理政策,即教科书编写资格认定制度与教科书的审定制度。

(二)形成与新课程相适应的教学管理制度

1.建立发展导向的课程管理模式

这是一种完全自主式的课程管理模式,从学校的课程设置、课程标准的制定到教学用书的开发选择、课程评定的组织实施,均由学校和教师群体自主完成。学校组织、实施课程的全部出发点都放在学生的个性发展上,因此其课程几乎都是个性化的课程,没有统一、固定的目标模式。这种管理对学校成员尤其是教师的专业素质要求较高,要充分地体现学校及教师的主体性和学校管理的民主性。在许多情况下,发展导向的课程管理仅仅占学校课程的一定比例而不是全部,其管理基本上是一种过程管理。

教育的管理,是一种以人为对象的管理。"对人的管理"的含义绝不等于单纯的对人的"管束"、"要求"和"制约",把"对人的管理"当成对人的管束,这是一种传统的管理观念,与新课程的理念是完全不相适应的。新课程所要求的现代学校管理的核心应当包括两点:一个是看在某种管理制度下每个人的积极性和创造力能否最大限度地发挥出来;另一个是看一个人在这种管理制度下是否活得有尊严和有价值。

学校管理者在管理工作中要关注师生的优势,尽可能让师生感到工作学习的愉快,帮助师生将他的工作、学习建立在他的优势上。这样一来师生会做得很好,良好的结果会更加强化他的干劲,他会越干越愉快。因此,在注重培养学生学习兴趣、开发学生潜能、培养学生创新精神和实践能力的新课程实施的过程中,学校的管理者应以师生的优势和核心进行管理,这种管理强调师生学习、工作的愉悦和身心健康,真正让学习和工作变成一种快活的、愉悦的过程。

这种以人为本的管理不但有益于身心健康,同时也将使工作和学习效率大大提高,体现人的价值、体现对人的尊重。在以人为本的学校管理中,管理的最大价值,不在于做了什么事,而在于发现和培养了多少人。学校领导真正成为教师创新的发现者,成为教师开展探索活动的支持者、排难者,成为教师心目中一个值得尊敬、爱戴的仁者和智者。

2.重视校园文化建设

学校要有持久的生命力,必须加强校园文化建设,坚持以人为本的管理原则,致力于学校人文环境的建设;要求教师有高尚的道德、扎实的基础知识、精湛的教学艺术展学校风采,要求学生以良好的道德、健全的体魄、明显的特长、优异的成绩添学校风采;积极营造良好和谐的人际关系,创造公平竞争的环境;尽力改善教职工的各种待遇,使全体教师工作投入,同事间充满关爱,校长周围有一个和睦、向上的领导班子,有明确并得到师生拥护的办学思想和措施。在这样的环境中,学生喜欢自己的老师,在课堂上思维活跃、投入,热爱自己的班级,生动活泼地成长。社会自然对学校满意,家长对学校放心。

3.发展特色教育

生命本身蕴涵多方面的发展潜能,按照新课程,我们要给学生全面丰富的发展留下充分的时间和空间,让学生生动活泼地成长起来。

我们要尊重学生的差异,大力发展特色教育。教师的任务是要挖掘他们的潜能,学校的任务是丰富课程设置,让学生想学什么就能学什么,满足学生的多样化要求。

我们还可以根据学生的实际安排教育活动的考级,通过考级引导学生不断向上发展,在努力的过程中让学生体验到成功的快乐。这正像苏霍姆林斯基所说的:最主要的是在每一个孩子身上发现他最强的一面,找出他作为发展根源的"机灵点",使孩子能够充分地显示和发展他的天赋素质,达到他这个年龄可能达到的最卓越的成绩。

4.关注学生发展的课堂教学评估

按照新课程标准既要发展学生也要发展教师的要求,建立起促进教师不断提高,促进学生全面发展的评价体系。评价一个好教师我们不应只看他课上得好不好,要看他有没有一颗爱学生的心,有没有全方位地关注每一个学生,多角度、多方位地看待学生。强调教师对自己教学行为的分析和反思,建立以教师自评为主,校长、教师、学生、家长共同参与的评价制度。让教师从多种途径获得信息,不断提高教学水平。

评价一个好学生,不只是以学科分数为衡量指标,还要看他的全面素质。主张以个体评价为标准,从发展的角度来评价。评价者在评价的过程中既要关注学生在语言和数理逻辑方面的发展,也要了解学生发展中的需求,发现和发展学生多方面的潜能,帮助学生认识自我、建立自信,促进学生在已有水平上的发展,让一大批有个性、有创造力的学生出现在新课程的改革之中。

5.广泛利用校内外资源

课程实施所需要的资源统称为课程资源。它既包括教材、教具、仪器设备等有形的物质资源,也包括学生已有的知识和经验、家长的支持态度和能力等无形的资源。课程资源是决定课程目标能否有效达成的重要因素。充分利用现有的课程资源,积极开发新的课程资源,是深化教学改革、提高教学质量的重要途径。

不同地区、不同学校的课程资源丰欠不一,特点也不一样。从总体上看,课程资源大致包括以下几类:学校资源、社区资源、家庭资源、媒体资源、隐性资源。教学管理者应当因地制宜,充分利用当地的这些资源。生物科学与技术是20世纪以来发展最为迅猛的学科之一,光靠有限的课堂教学难以满足学生了解生物科学与技术进展的渴求。生物课的课程资源目前可以利用的主要有三部分:一是校内的课程资源,如生物实验室、图书馆及各类教学设施和实践基地;二是校外的课程资源,包括图书馆、博物馆、展览馆、科技馆、工厂、农村、科研院所等广泛的社会资源及丰富的自然资源;三是信息化课程资源,如校内信息技术的开发利用、校内外的网络资源等。培养学生应用信息技术的能力,是发展学生终身学习的必备环节;适应信息化、分享网络资源,是时代对教育提出的新课题。

二、我国现行的教学管理制度及改革

(一)我国现行的教学管理制度

当代的课程管理体制出现了一种中央、地方和学校权力分散化的趋势。长期以来,学校自主管理课程主要体现在高等教育领域,因为自古以来,大学就一直保持着学术自治的传统,大学教师常常被认为是该研究领域的专家,代表着知识的权威性和先进性,没有人可以帮助他或者比他更知道如何开发一个更专业化的课程。在基础教育领域,学校自主的课程管理倾向始于20世纪60年代对"学科结构运动"失败的反思。在反思过程中人们认识到,那种由专家决定的下派给教师的课程,实际是人为地割裂了课程决策与课程实施之间的有机联系,作为课程实施者的教师无法清楚地了解课程的意图和课程目标中每一个细微的革新因素。

我国现行的教学管理制度的学校实践形态主要有以下两种:

第一种是复制导向的课程管理模式。这种管理常常把学校以上的中央或地方教育主管部门制定的整套课程系统当做绝对的命令严格执行,以期达到复制或"不走样"的目的。复制模式不仅认为课程目标是不可变动的,就连教科书和教学参考书也都被视为圣经,以追求标准、统一。在这种情况下,学校和教师均丧失了主动性和创造性,处于被动应付的地位,所谓的课程管理沦为了课程执行。但实际上,这种管理是否真的达到了复制的目的,还受许多因素制约,还要具体分析。

第二种是考试导向的课程管理模式。虽然中央与地方颁布了学校的总体课程计划,但学校为了在社区或学区赢得良好的生源市场或社会声望,常常发挥自己的"主体性",把校外举行的各种重大筛选性考试作为指挥棒,调整学校的课程计划、教学用书和课程实施策略,以期达到提高升学率的目的。与复制模式相比,考试模式开始摆脱完全被动应付的地位,表现出了一定的主体性,但由于一切课程管理均围绕考试转,结果仍然逃脱不了追求标准、统一的牢笼。在这种情况下,课程管理变成了市场经营,"考试科目和试题"成了学校课程管理最灵敏的市场信号,升学率几乎就成了学校的"利润率",学校课程管理水平的高低也常常以学校的升学率来衡量。这是现阶段我国最普遍的教学管理制度。

我国的课程管理要真正实现国家、地方和学校三级课程管理权力的分享,不仅要不断提高教师的专业化水平,促进复制型与考试型的课程管理向目标型和发展型转变,还要建立一种机制,使教师超出"围着课本转"的怪圈,以使教师能有更多的时间和精力关注社会发展、关注全球问题,跟上时代前进的步伐,形成教师接受变革、勇于变革的精神,这不仅对全球化课程的开发有利,也对任何新课程变革的推动有利。

(二)我国现行的教学管理制度改革

1. 用新课程的理念修订教学常规

重建符合新课程理念的教学管理制度是推进课程改革的当务之急。学校结合课改实验的要求,主要从以下几个方面着手修订:

(1)修订教学常规,加强对教学过程的管理。

(2)积极探索对师生的评价,改革考试制度,使评价有利于调动教师的工作积极性,有利于激发学生的学习兴趣,有利于学生的发展。

2. 按新课程的理念指导课堂教学

课堂教学是师生共同的活动,是课程实施的关键环节。新课程理念下,课堂不仅仅在教室,教材不仅仅是课本。课堂上教师的角色作用在于充分调动学生的积极性,在于有效组织起学习活动,促进学生创新思维的形成,用支持、宽容的课堂氛围接纳学生的多元思想,分享学生的成功与喜悦,与学生共同合作,一起寻找知识的真谛。只要突破"授—受"的学习模式,让学习方式多起来,让学生动起来,让课堂活跃起来,就能使学生主动学习的方式进入课堂。按这一理解,一切受学生欢迎的方式都可以尝试,自主学习、探究学习、合作学习、实践学习应成为学生学习的核心。在教学管理上,我们将课堂学习方式是否转变,作为考察教师教学能力和效果的重要依据。

3. 探索三级课程的管理模式

对校本课程的管理,本着发展性、人文性原则制定出了《高中校本课程的实施要求》。对校本课程的教师培训、课题的申报与审议、教材的撰写、课程的教学环节、工作量的计算、课堂教学的组织形式,均作了详细的规定。特别是对校本课程的评价,做了细致的探索。着眼于学生的发展,承认差异,进行多种形式的评价。可撰写论文,可进行展评。目的是帮助学生认识自我,了解成长中的需求。

三、高中生物新课程的管理策略

新课程方案是在学校中通过生物教师的创造性的劳动变成现实的。学校管理者,特别是生物教师的管理理念及所产生的行为将直接决定新课程在学校中的实施状况,而新课程中新的教育理念要求管理发生相应的变革。因此,学校管理者特别是生物教师必须正确认识新课程给学校管理带来的巨大变化,并通过管理创新来应对变化,确立新的学校观和管理观。突出以人为本,学校管理为学生、教师和学校的发展服务的思想,尊重广大师生,激励他们不断自我发展,从而保证新课程的顺利实施,提高学校的办学水平和教育质量。

(一)尊重学生,并让他们学会自我尊重

时下,"以人为本"的管理已成为广大生物教师的共识。所谓"以人为本",就是以学生和教师的成长、发展为本,这是教育的根本。"以人为本",首先就是要尊重师生的意愿,尊重他们成长和发展的规律,按教育教学规律办事。那种见物不见人的管理,与新课程改革的精神是背道而驰的。

新课程改革从课程改革的目标、课程结构、课程标准、教学过程、课程评价、课程管理等方面都突出了对学生主体或教师主体的关注和尊重。新课程改革基于为了中华民族的复兴,为了每位学生的发展,在突出伦理政治和适应社会生活的课程价值取向的同时,强调了个人发展的课程价值取向。这种课程价值取向的基本特点是注重课程的个人发展价值,强调课程对学生个体发展需要的适应和促进。新课程结构方面,小学阶段以综合课程为主,初中阶段设置分科与综合相结合的课程,高中以分科课程为主;加强选择性,以适应地方、学校、学生发展的多样化需求;确保均衡性,促进学生全面、和谐地发展。

新课程评价方面,不仅强调要发挥评价的教育功能,促进学生在原有水平上的发展,还强调要建立促进教师不断提高的评价体系。新课程管理方面,为保障和促进课程对不同地区、学校、学生的要求,实行了国家、地区和学校三级课程管理。学校在执行国家课程和地方课程的同时,应视当地社会、经济发展的具体情况,结合本校的传统和优势、学生的兴趣和需要,开发或选用适合本校的课程。

关注人是新课程的核心理念,是"一切为了每一位学生的发展"在教学中的具体体现,它意味着:第一,关注每一位学生;第二,关注学生的情绪生活和情感体验;第三,关注学生的道德生活和人格养成。新课程认为学生是发展的人,是具有独立意义的人。因此,新课程的推进要致力于建立充分体现着尊重、民主和发展精神的新型师生伦理关系。

教师必须尊重每一位学生做人的尊严和价值,尤其要尊重以下六种学生:①尊重智力发育迟缓的学生;②尊重学业成绩不良的学生;③尊重被孤立和拒绝的学生;④尊重有过错的学生;⑤尊重有严重缺点和缺陷的学生;⑥尊重和自己意见不一致的学生。尊重学生同时意味着不伤害学生的自尊心:①不体罚学生;②不辱骂学生;③不大声训斥学生;④不冷落学生;⑤不羞辱、嘲笑学生;⑥不随意当众批评学生。

在学校管理中,我们必须承认人的发展的能动性,从关注人作为生命的整体发展出发去尊重师生的个性,把尊重、发展师生的个性作为学校管理的一个基本理念。

"尊重的管理"的最高境界是:在"尊重"的环境里让师生学会尊重他人——平等待人、爱心助人、善于合作、宽容大度;学会尊重社会——履行义务、承担责任;学会尊重自己——热爱生命、维护尊严、发展自己。

(二)发现优势和长处,并让学生学会自我发现

美国成功心理学大师克利夫顿认为,人本管理的关键,就是在对人性的科学理解的基础上,看准人的优势和利用这些优势。也就是发现和肯定,就是以人的发展为核心。发现每一个人的独特的价值,发现每一个人身上的闪光点和不同点,然后激励之、弘扬之。

新课程改革要求将学生的发展作为课程的总目标,要求教师成为课程的开发者和创新者,要求生物教师成为积极有效的课程开发者和管理者。总而言之,新课程要求学校成为一个充满生机的地方。学校的根本意义在于学生的发展,学校的目的不应该是单一的传授知识,而应该是最大限度地促进学生的发展。因此,学校应该成为学生发现自己潜能的地方,能够成为学生获得最大帮助的地方。

在新课程评价方面,《纲要》中指出:"评价不仅要关注学生的学业成绩,而且要发现和发展学生多方面的潜能,了解学生发展中的需求,帮助学生认识自我、建立自信。"

在新课程管理方面,《纲要》中指出:"学校在执行国家课程和地方课程的同时,应视当地社会、经济发展的具体情况,结合本校的传统和优势、学生兴趣和需

要,开发或选用适合本校的课程。"

总之,新课程要求管理者要有敏锐的观察力和实践探索精神,在工作中不断发现被管理者——学生和教师的兴趣、需要、优势和长处,积极调整教育教学管理活动,创造相应的条件,营造适宜学生和教师发展的空间和氛围,从而促进学生、教师和学校的健康发展。

(三)激励师生,并让他们学会自我激励

《纲要》指出:要改变课程过于注重知识传授的倾向,强调形成积极主动的学习的态度,使获得基础知识与基本技能的过程同时成为学会学习和形成正确价值观的过程;要改变课程结构,适应不同地区和学生发展的需求,体现课程结构的均衡性、综合性和选择性;要加强课程内容与学生生活的联系,关注学生的学习兴趣和经验,倡导学生主动参与、乐于探究、勤于动手,发挥评价促进学生发展的功能;要增强课程对学生的适应性。

新课程改革的这些具体目标,无疑是着眼于从课程结构、课程内容和课程评价等方方面面调动和激发学生的积极性和创造性,以改变过去那种硬性的灌输和强迫式的学习。《纲要》中指出:"教师在教学过程中应与学生积极互动、共同发展,要处理好传授知识与培养能力的关系,注重培养学生的独立性和自主性,引导学生质疑、调查、探究,在实践中学习,促进学生在教师指导下主动地、富有个性地学习。教师应尊重学生的人格,关注个体差异,满足不同学生的学习需要,创设能引导学生主动参与的教育环境,激发学生的学习积极性,培养学生掌握和运用知识的态度和能力,使每个学生都能得到充分的发展。"

第二节 高中生物新课程资源

一、生物课程资源概述

课程资源是新课程改革提出来的一个核心概念。拓展和整合了课程资源是新课程改革最为显著的变化之一。调查表明,课程资源的缺乏是新课程实施遇到的一大障碍,也是新教材在使用中教师感到困难最大的问题。因此,在新课程实施和研究过程中必须把课程资源的建设放在重要地位。

(一)生物课程资源的概念

狭义的课程资源指形成课程的直接因素,广义的课程资源指有利于实现课程目标的所有因素。与课程的四个组成部分相对应,课程资源包括课程目标设计、课程内容编制、课程实施和课程评价等整个课程发展过程中可资利用的一切人力、物力以及自然资源的综合。比如教材、教师、教学设施、评价方式,等等。根据课程资源的概念,凡是有利于实现生物课程目标的因素都可以称为生物课程资源。比如生物教科书、生命科学网站、生物教师、生物实验室、动物园、植物园,等等。

(二)生物课程资源的功能

课程资源对学生的发展具有独特的价值。与传统教科书相比,新课程教材的资源具有丰富和开放的特点,它以其具体形象、生动活泼和学生能够亲自参与等特点,给学生多方面的信息刺激,调动学生多种感官参与活动,激发学生的学习兴趣,使学生身临其境,能在愉悦中增长知识、培养能力、陶冶情操,这是传统教科书所无法代替的。所以在执行新课程标准使用新教材时,应当树立新的课程资源观,发挥课程资源的作用,使各种资源和学校课程融为一体,为学生的发展创造更大的空间。

生物科学与技术是 20 世纪以来发展最为迅猛的学科之一,光靠有限的课堂教学难以满足学生了解生物科学与技术进展的渴求,生物科普期刊和书籍则是扩大知识面的主要源泉。因此,生物课程除了利用校内的生物实验室,还应当充分利用学校的图书馆,学校应当根据新课程的要求,调整图书结构,改变服务方式,为学生服务。同时还可以广泛利用动植物标本馆、动物园、植物园、科研机构、良种站、养殖场、实验田等。自然保护区能够完整地保存自然界的本来面目,应该成为生物课程资源的重要组成部分,广阔的自然界更是生物教学的天然"实验室"。

(三)生物课程资源的分类

课程资源的组成种类繁多、数量庞大,其分类方式也各种各样。按照课程资源的功能特点,可以把课程资源划分为素材性课程资源和条件性课程资源两大类;根据课程资源的来源可以分为校内课程资源、校外课程资源、网络课程资源;

根据存在方式分为显性课程资源和隐性课程资源。

1. 素材性课程资源和条件性课程资源

素材性资源能够成为课程的素材或来源,它是学生进行生物学学习和收获的对象。比如生物学知识、实验技能、实践经验、活动方式与方法、情感态度和价值观以及培养目标等方面的因素,就属于素材性课程资源。条件性资源不是形成课程本身的直接来源,也不是学生学习和收获的直接对象,但它为课程的实施提供条件,决定着课程的实施范围和水平。比如课程资源中的人力、物力和财力,时间、场地、媒介、设备、设施和环境等因素,就属于条件性课程资源。素材性资源和条件性资源两者并没有绝对的界线。现实中的许多课程资源往往既包含着课程的素材,也包含着课程的条件,比如图书馆、博物馆、实验室、互联网络、人力和环境等资源就是如此。

2. 校内课程资源与校外课程资源

校内生物课程资源主要包括本校生物教师、学生、生物实验室、生物园、多媒体教室、生物模型、挂图、校内多媒体及网络资源等;校外生物课程资源主要包括学校以外的图书馆、动植物标本馆、动物园、植物园、养殖场、实验田,以及家长、大学、科研机构、工厂、企业、广播、电视、野外以及校外的网络资源。

3. 显性课程资源和隐性课程资源

显性课程资源主要是指生物实验室、生物园、教学模型和挂图、媒体资料等具有明显形态的课程资源;隐性课程资源主要是指教师的教学思想、学生已有的知识和经验、态度情感、价值观以及家长的支持态度和能力等没有具体外显形态的课程资源。

(四)生物课程资源的特性

1. 多样性

生物课程资源的存在形式是多样的。就校内课程资源而言,课程资源包括各种场地和设施,如图书馆、实验室、信息中心、实习农场等,还包括校内的人文资源,如教师、学生、班级组织、科技小组等,以及和教育教学密切相关的各种活动,如实验实习、科技活动等。就校外资源而言,包括家庭、社区乃至于整个社会中可以用于生物课程教育活动的设施和条件以及丰富的自然资源。

2. 差异性

生物课程资源呈现多样性，但是就不同的地域、文化传统、学校以及师生而言，生物课程资源又呈现差异性的特点。不同地区可供开发的生物课程资源不同，其构成和表现形态各异；学校的性质、规模、位置、传统以及教师素质、办学水平不同，可以开发和利用的课程资源自然有异；学生个体的家庭背景、智力水平、生活经历不同，自然可供开发的课程资源也千差万别。相对而言，城市中学，特别是我国沿海经济发达城市的中学，条件性课程资源比较丰富，像教室、实验室、多媒体、生物模型、挂图比较完善，农村中学则比较落后。农村中学像动植物资源、生态植被、生物体实物则比较容易获得，而城市中学则比较欠缺。同时，我国地域辽阔，南方和北方、内地和沿海动植物的种类、生态系统的类型不同，课程资源也有比较大的差异。

3. 多功能性

同一课程资源对于不同课程或同一课程的不同领域有不同的用途和价值。例如，学校附近的山川，既可以用于艺术教育中陶冶学生的情操，也可以用于生物学中调查动植物的种类。动植物资源既可以成为学生学习生物学知识的资源；也可以成为学生学习环境学、生态学，进行调查统计的资源。

4. 间接性

如前所述，课程资源是客观存在的各种事物，它具有转化为学校课程或支持课程实施的可能性，但还不是现实的课程资源。课程资源首先需要经过筛选以确定其教育教学价值，然后经过教育学和心理学的加工、整合才能成为现实的课程资源。因此，课程资源不像学校课程那么明显直接，有时候课程资源中的教育因素与非教育因素可能交织在一起，课程资源必须通过转化才可能成为学校课程，或有利于课程实施的基本条件。

二、生物课程资源的开发

（一）生物课程资源开发的原则

1. 开放性原则

包括类型的开放性、空间的开放性和途径的开放性。类型的开放性是指不论以什么类型、什么形式存在的课程资源,只要有利于提高生物学教育教学质量和效果,都可以并且应当是开发的对象。空间的开放性是指不论是校内还是校外的、城市还是农村的、国内还是国外的,只要有利于提高生物学教育教学质量和效果,都可以并且应当是开发的对象。途径的开放性是指课程资源开发不应当只局限于一种或几种途径或方式,而应当探索多种途径或方式,并且能够尽可能地协调配合使用。

2. 经济性原则

包括开支的经济性、时间的经济性、空间的经济性和学习的经济性。开支的经济性是指用最节省的经费开支达到最好的开发效果。时间的经济性是指尽可能开发那些对当前教育教学有现实意义的课程资源。空间的经济性是指课程资源的开发应当就地取材不要舍近求远。学习的经济性是指尽可能开发容易激发学生学习生物学兴趣的课程资源。

3. 针对性原则

课程资源开发是为了课程目标的有效达成,针对不同的课程目标应该开发与之相对应的课程资源。因此,课程资源的开发必须在明确的课程目标的前提下,认真分析与课程目标相关的各种各类课程资源,认真掌握其各自的性质和特点,这样才能够保证开发的针对性和有效性。

(二)生物课程资源开发的策略

1. 从学生的发展需要出发,开发生物课程资源

新课程改革一个重要的理念就是关注学生的发展,强调以学生为本。开发课程资源首先要从学生的需要出发。一方面要对学生的兴趣以及各种他们喜爱的活动进行研究,在此基础上开发课程资源。从学生的兴趣着眼开发出来的课程资源,是学生自己的课程资源。从某种程度上说也是最适合他们的课程。这样,他们才愿意参与进来,可以充分调动学生的积极性。所以,在开发课程资源时,我们要更多地从学生的角度来看待周围的一切。教师的视角和学生的视角是不完全一样的,我们要努力寻找学生的兴趣所在,力求选择出来的课程资源应该是"学生化"的课程资源。因为开发出来的课程资源是提供给学生自我建构的,而不是简单地把教师眼中的课程资源倒进学生的脑袋里。另一方面要对学

生各方面的素质现状进行调查分析,看看这些学生的素质到底达到了多高的水平,把握学生接受和理解课程资源的能力。对于生源条件好的学校来说,可以在选择的量上和深度上超过一般的学校,让学生有一个比较深入的研究;一般的学校可以更多地作一些通识性的介绍,让学生对家乡风貌有所了解。

2. 从学校的师资条件出发,开发生物课程资源

师资条件是开发课程资源的一个基础要素,并直接制约对课程资源的有效合理利用。从学校现有的师资情况出发,看看教师具有什么样的素质,他们在哪些方面有专长、特长,开发课程资源时教师们才能游刃有余,这是一种非常实际而有效的开发策略。比如,对于实验能力比较强的教师,可以引导学生进行更多的生物学实验;对于组织协调能力比较强的教师,可以组织学生开展更多的实践活动;对于信息技术比较突出的教师,可以组织学生开发更多的网络资源。

3. 从学校的特色优势出发,开发生物课程资源

学校特色是学校的资源优势,充分利用好学校课程资源的优势,也是对学校进一步形成和深化学校办学特色的促进。教育部、农业部颁布的《关于在农村普通初中试行"绿色证书"教育的指导意见》特别强调因地制宜、自主选择,其确定"绿色证书"教育的具体内容就体现了这种课程资源的开发思路:不同的学校具有各自独特的课程资源,"绿色证书"教育的内容也应该各不相同,实际上就是要求农村学校从自身的特色出发,挖掘学校的特色资源。比如,有的学校硬件条件相当好,设施设备现代化的水平非常高,计算机已经在学校普及化。那么,就可以在信息类课程资源开发上寻求突破,通过多种方式,让学生与信息技术紧密接触,使学校成为一所建构在信息技术基础之上的学校,不仅让学生掌握信息技术,更为重要的是培养学生的信息素养。有的学校具有得天独厚的大学资源,就可以充分开发大学的实验条件、师资队伍为学校教学服务。

4. 从社会的发展需要出发,开发生物课程资源

为社会输送合格的社会成员是学校的一个主要任务。从社会需求的角度出发开发课程资源,培养学生在这些方面的素质,可以让学生将来较好地适应社会。我国在课程资源的建设中涉及如环境恶化、人口极度膨胀等问题,这在特定时期对整个社会产生了负面作用,成为影响社会正常前进的阻碍因素。社会需

要学生对这些问题有一定的了解,成为消除这些问题的积极因素,从而导致环境教育、人口教育这些内容作为课程资源被开发,并整合进学校的课程中来,这实际上就是根据社会需求开发课程资源。

5.课程资源开发主体的多样化

课程资源的开发主体要多样化。课程结构要适应地区差异、不同学校的特点以及学生的个别差异,为学生提供更多的选择。因此课程资源的开发除了需要发挥专家、学校和教师的主体作用外,还必须充分发挥学生及学生家长在课程资源开发中的主体作用。要鼓励学生和学生家长发挥自身优势,积极参与课程资源的开发实践。在课程资源的开发与利用中,教师是主角,不仅要学会主动地和创造性地利用资源,而且要充分挖掘各种资源的潜力和深层次价值,引导并帮助学生走出教科书、走出课堂、走出学校,在社会大环境里学习和探索;学生是课程资源开发的主体和学习的主人,应当学会自觉、自发地利用可用资源,为自身学习、实践、探索性活动服务;家长由于与社会接触面广,有其自身优势,也应当积极配合,带领孩子进行课程资源开发活动。

课程改革是一项系统工程,需要全社会的支持和帮助,课程资源的拥有者应当提高为社会、为教育服务的意识,应当建立一套社会广泛参与课程资源开发与利用的运行机制。全社会都应当树立为学校教育服务、为学生发展服务的意识。各类社会资源只有与学校教育,特别是学校课程与学生学习有机地结合在一起,才能实现其更大的功能与价值。

(三)生物课程资源开发的基本方法

1.学校是生物课程资源开发的主战场

校内外的课程资源对于普通高中的课程实施都有重要价值,但它们在性质上还是有区别的。就利用的经常性和便捷性而言,校内课程资源的开发和利用应该占据主要地位。校内课程资源是学校课程资源建设的基础和重点,是学校课程实施质量的主要保证。

(1)创造条件,加强条件性课程资源开发

学校教学设备是课程资源的重要组成部分,也是完成生物课堂教学、实验教学以及科技活动等教学活动的必要物质条件。一方面学校要创造条件按照教育主管部门颁布的生物教学仪器配备目录,购置必需的显微镜、解剖镜、解剖器具等教学仪器设备,购买必要的药品和低值易耗品,满足实验、实践教学活动的需要。生物科学是实验科学,应高度重视学校生物实验室建设,积极营造良好的实验、实践环境。另一方面,教师和学生要充分发挥主观的积极性和创造性,利用身边廉价的器具和材料,设计富有创造性的实验和实践活动,发挥实验条件的最大效益。我国幅员辽阔,不同地区的不同学校在规模、环境、师资、资金以及体制方面都存在一定的差异。对于条件性资源相对欠缺的地区和学校,教师尤其要因地制宜,积极发挥现有设备的作用,提高生物教学质量。

校园和生物园中的生物也是学校重要的生物课程资源。在课程实施中不仅要关注仪器设备的配置,还应重视生物材料的合理开发和利用。生物园是学生探究和实践的最重要的资源之一,应当让学生成为生物园的主人,参与生物园的建设和管理。

(2)积极拓展知识、信息的获取途径和渠道

20世纪以来生物科学技术发展迅猛,仅靠有限的课堂教学难以满足学生对生物科学技术进展知识的渴求。生物科普期刊和书籍是学生扩大知识面的重要源泉。学校图书馆是课程资源的重要组成部分,对于扩大学生的知识面,培养学生搜集信息的能力等方面具有重要作用。学校应调整图书结构,并通过调整延长服务时间、改变服务方式、方便学生借阅等措施提高图书馆的使用效率,切实为提高学生科学素养服务。

(3)优化组合,合理使用不同类型的课程资源

不同的教学内容对课程资源的需求可能会有较大的差异。例如,关于生物体的结构,实物或模型具有真实感和立体感,可以作为首选的课程资源。挂图或投影片具有图像清晰、有明确标注等优点,可以在观察实物或模型后用来进一步观察和识别。关于动态过程的内容,如细胞分裂,用静态图解表示则有较大局限性,用动画、录像片或多媒体课件进行教学,则能收到事半功倍的效果。因此,对各种课程资源的选择和整合,是合理利用课程资源需要遵循的重要原则。学校的课程资源并不只是为教师准备的,其中不少资源应当用于学生的自主学习、主动探究。图书馆、资料室、生物园、生物实验室等地方,都是学生进行自主学习

和主动探究所需要的场所,应当鼓励学生利用课余时间搜集资料,做探究性实验。

2.社区是生物课程资源开发的重要阵地

社区中存在着很多生物课程资源,它们是学校课程资源的重要补充。获取丰富多彩的课程资源对于充分实现课程目标具有重要价值。校外课程资源的开发一直没有得到应有的重视,所以今后应该予以足够的重视,使校内外的课程资源之间保持一种动态的平衡。

社区的课程资源有:社区图书馆、博物馆、展览馆、动植物标本馆、动物园、植物园、少年宫、科技馆、生物科学研究机构、良种站、环保机构、卫生防疫站、医院、园林绿化部门、环境问题突出或环保先进的企业,社区的动植物资源、公园、菜市场等。农村学校在这方面独具优势,田野、树林、灌木丛、草地、池塘、河流等,都为学生学习生物学提供了丰富的自然资源。充分利用社区图书馆的图书资源可以弥补学校图书资源的不足。博物馆常常陈列、保藏着自然标本,是科学技术、文化的传播机构和科学研究的场所。各地自然博物馆的馆藏标本中就有大量的动物、植物、古生物与古人类的标本。利用社区课程资源的方式有多种。从课程重视培养学生的创新精神和实践能力这一目标出发,结合具体教学内容的学习,发动学生走出教室、走向自然、走向社会,进行调查研究,是利用社区课程资源的主要方式。此外,请有关专家来校讲演、座谈,观察社区中的动植物,分析社区提供的有关资料等,也是利用社区课程资源的重要方式。

3.适当开发学生家庭中的课程资源

学生家庭中往往也有不少课程资源可以利用。比如,有位老师在讲"植物的呼吸作用"时,班里有个学生家长是做水果生意的,老师就请这位家长在课堂上给大家讲解水果保鲜的意义,他还告诉学生水果保鲜的办法,这样的资源就很有说服力。有的学生家长能够指导或参与学生的学习活动,有的家庭中往往还有生物学方面的书刊和可供学生做探究使用的材料用具,还有的家庭栽种植物、饲养动物。农村学生的家长平时会谈及作物栽培、禽畜饲养、病虫害防治等,学生耳濡目染,会积累不少感性知识,这也给学生运用生物学知识参与家庭事务的讨论提供了机会。利用学生家庭中的课程资源,要设法取得家长的支持。这可以通过家长会或让学生回家介绍，使家长理解生物课程的学习对学生终身发展的重要意义，以取得家长的支持。利用家庭中的课程资源，还应当注意适度，不要造成学生和家长过重的负担。

4.重视媒体资源和网络资源的开发

媒体资源包括报纸、杂志、广播、电视、互联网等。各种媒体上关于生物科学发展的信息很多，这些信息在教科书中不可能及时而全面地反映，师生应注意充分利用这些媒体资源。此外，利用媒体上关于环境问题、生物多样性问题、营养和保健问题等方面的报道作为学生课堂讨论的素材，时效性强，容易引起学生的关注。在利用媒体资源时，应当注意信息源的可靠性和信息内容的真实性，注意提高学生信息评价的意识和能力，这对于学生的终身发展是非常重要的。网络是发展最迅速的媒体资源，它包括互联网资源和校园网资源等。网络资源具有信息量大、链接丰富、实时性和互动性等特点。有条件的学校，教师应当积极参与校园网的建设，使校园网上的生物课程资源尽快丰富起来，并不断补充最新的生物科学信息，及时反映生物科学的新进展。有网络教室的学校，有些教学内容在课堂上可以采取网络教学的模式：课前将有关图片资料和反馈练习等内容制成网页，并使之形成完善的链接；课堂上让学生上网学习，教师也通过校园网接受学生的反馈，给予适当的指导。这种方式能够更好地体现学生学习的自主性，有利于满足不同学生的需要。多媒体课件是学校广泛使用的媒体形式，具有表现力强、交互性好、信息量大等优点。从市场上购买的软件难以完全满足教学的需要，教师应与计算机专业人员合作，适当参与课件的开发。

5.挖掘和利用无形的课程资源

无形的课程资源是指非物化的课程资源，主要是学生的生活经验以及所了解的生物科学信息。例如，学生普遍接种过疫苗，对身边的动植物大都进行过一定的观察，一些学生有过饲养动物或种植植物的经历，一些学生体验过野外考察的甘苦，一些学生参观过动物园、植物园，等等。又如，学生通过阅读课外读物、看电视等途径，已经了解了不少生物科学信息。这些都是生物课程的无形资源，是使生物课程紧密联系学生实际、激发学生兴趣、强化学习动机的重要基础。与有形的课程资源不同，学生的生活经验和已掌握的信息存在于学生头脑中。教师可以通过交谈、问卷调查等方式进行了解,从中寻找教学的切入点。在教学过程中,还应当鼓励学生相互交流,集思广益。

下篇
高中生物新课程的教学理论与实践

第六章
高中生物新课程的教学设计

教师的备课是一种传统的教学设计，但它往往是建立在教师个人经验的基础上。随着教学过程的日益复杂和教学手段的现代化，仅仅依靠教师经验为基础的教学设计已不能适应现代教育的发展。20世纪60年代以来，世界上出现了一种新的教学设计观，它以传播理论、学习理论、教学理论等为基础，利用系统科学的方法研究教学过程，综合考虑教学过程中的各种因素，不仅为优化教学过程提供了理论指导，而且提供了许多具体操作方法，形成一门以解决教学问题为宗旨的独立的新兴应用科学。

第一节 教学设计概述

教学设计（instructional design）是指运用系统的方法，分析教学问题和确定教学目标，建立解决问题的策略方案、试行方案、评价试行结果和对方案进行修改的过程。

教学设计以学习理论、教学理论和传播理论为基础，以优化教学效果为最终目标，把各种教学因素（教师、学生、教学内容、教学条件、教学目标、教学方法、教学媒体、教学组织形式、教学活动等）有机地结合起来，并用一套具体的操作程序进行协调和配置，使教学过程形成一个功能完整的系统。这个系统中的每一个程序都有相应的理论和方法作为科学依据，每一步的"输出"决策是下一步的"输入"，而每一步又从下一步的反馈中得到经验，从而使教学过程成为紧密联系的整体。因而，使教学设计显示出具有很强的理论性、科学性、再现性和操作性。

教学设计属于教育科学体系中的一门应用科学，有着连接学科的作用。教学设计最早萌芽在军队和工业培训领域，20世纪60年代引入到学校，目前已在教学领域、工业、农业、金融、军队、服务等行业，以及其他部门的职业教育和培训领域中得到广泛的应用。

一、教学设计的理论基础

教学设计是以教学系统、教学过程为研究对象,用信息论的观点看待教学过程。教学是一个传播教学信息的过程,在这个传播过程中,有它内在的规律和理论。所以,教学设计以传播理论作为自身的理论基础。同时,教学设计还对教和学双边活动进行设计,并以人类学习的心理机制为依据,探索教学机制和建立合理规划、安排教学过程的理论与程序。因此,学习理论和教学理论也作为教学设计的理论基础。

二、教学设计的作用

教学活动的一个重要特征就是计划性。通过教学设计,可以减少教学中的盲目性,增强教学的计划性。可以说,没有优化的教学设计就不会产生优化的教学活动,也就难以取得最佳的教学效果。所以,教学设计是开展教学活动的前提和基础,它既提供教学"施工"的蓝图,又指导教学的实际工作,如评价、反馈等活动。通过教学设计,能使教师清楚地知道学生要学的内容,学生将产生哪些学习行为,并以此确定教学目标,使学生了解学习的方向和自己所要达到的目标。

通过教学设计,教师可以依据教学目标和学生特点,采用有效、可行的技术策略,选择适当的教学方法和媒体,实施已定的教学方案,保证教学活动的正常进行。通过教学设计,教师还可以有效地掌握学生学习的初始状态和学习后的状态,并以此为依据调整下一阶段的教学措施。

教学设计作为一个过程,既适用于新的教学系统的设计,也适用于一门课程的设计,既可用于一个教学单元的设计或课堂教学设计,也可用于教学软件的设计。

三、教学设计的原则

(一)系统性原则

系统性原则是指教师在设计教学时必须采用系统分析的方法去考察教学系

统的各个要素,分析各要素的功能、作用以及要素之间的关系,从系统状态和相互联系中构思教学活动。教学是由教师、学生、教学内容、教学手段等要素组成的系统,只有对这些要素从功能、结构以及相互关系等方面进行系统的分析,把握在具体教学内容和特定教学对象条件下的教学系统特征,才能对教学作出最佳设计。

(二)整体性原则

整体性原则是指教学设计时应对教学过程及构成教学系统的诸要素作综合性的、整体的考虑。这一原则含有两层意思:一是教学设计要考虑认知、情感、技能等多重教学目标,将它们纳入教学设计的整体方案中去,这也是检验教学设计是否成功的一个标准。二是教学设计时要全面考虑教学系统的各个要素,把它们看成一个整体,不能只注重某一个或几个要素。

(三)最优化原则

最优化原则是指教学设计要建立最优的标准体系,如最优的教学目标和评价标准体系,选择或组合最佳的教学策略、方法和程序等,以取得最好的教学效果。苏联教育家巴班斯基认为,教学的"最优化"不等于"理想化",最优化是指在一定条件下是最好的,换言之,最优的标准是相对的,教学设计是在特定的教学任务下,针对某群体具体的学生进行的。

(四)灵活性原则

灵活性原则是指教学设计不应恪守一种模式或一种程序,而应在反映教学活动规律的前提下采用多种方式或方法,从而使设计具有更广泛的适用性和针对性。

第二节 新课程对教学设计提出的要求

我国当前的基础教育课程改革,是一次深刻的基础教育整体变革。随着课程功能、课程理念、课程内容、课程架构、课程实施与课程评价的变化,新课程必然对教师的教学活动(包括教学设计、教学实施、教学评价等)提出一定的要求。新课程对教学设计的要求主要体现在以下五个方面。

一、要充分体现新课程的基本理念

基础教育课程改革把"学生发展为本"作为基本的课程理念。"学生的发展"既指全体学生的发展,也指全面和谐的发展、终身持续的发展、活泼主动的发展和个性特长的发展。新课程的教学设计要为每位学生的发展创造合适的"学习的条件"。

(一)促进全体学生的最佳发展

新课程建构了一个符合素质教育要求的,具有普及性、基础性和发展性的课程体系,这为教学设计提供了一个很好的平台。新课程的教学设计要以提高全体国民素质为目标,面向全体学生,促使每位学生在原有基础上得到最大限度的发展。面向全体学生的实质是面向每一个有差异的学生"个体"。因此,在教学中,教师要把基本要求同特殊要求结合起来,把着眼全体同因材施教结合起来,把班级授课同差异教学结合起来。

(二)着眼学生的基本素养的全面提高

学生的素养是他内在的心理特性,取决于他的心理结构及其质量水平;提高学生的素养,就必须化知识为智慧,积文化为品性。新课程把课程的功能定位于促进学生的全面发展,因此,新课程的教学设计不仅要重视基础知识的教学和基本技能的训练,发展学生的智慧和能力,而且要促进他们积极的情感和态度以及正确价值观的形成。

(三)引导学生生动、活泼、主动地学习

为了培养适应新世纪要求的、具有创新精神和实践能力的一代新人,新课程的教学设计要注重充分发挥学习者的主体作用,创设合适的教学情境和条件,激发学生的学习热情和动机,引导他们主动参与、乐于探究、勤于动手,在自主的活动中理解、掌握和运用所学的知识。

二、应整体把握教学活动的结构

我们通常把教学活动的结构看成是教师、学生、教材和环境四个因素相互作用的动态系统。新课程对"课程"含义的理解,也从强调"教材"这一单一因素走

向强调教师、学生、教材、环境四个要素的整合。因此,新课程的教学设计应当以系统的眼光和动态的观念看待教学活动,处理好各个要素之间的相互关系,整体地把握其结构。

(一)课程的目标结构决定教学的活动结构

课程目标是课程编制的根据,也是教学活动的出发点和归宿。新课程的教学设计作为达成课程目标的一种筹划,它必然以课程目标为依归。在国家课程标准中,不仅对课程的总目标、具体目标以及内容标准进行了清晰的叙述,而且还提出了每一部分目标的多维度结构框架,即知识与技能、过程与方法、情感态度与价值观。因此,新课程的教学设计,要把教师的教学、学生的学习、教材的组织以及环境的构建统一起来,使之围绕这四方面的要求形成有序运行的系统。

(二)整合教师、学生、教材、环境四个结构要素

在新课程的视野中,教材绝不就等于课程,教学设计也并非只是备"课"。新课程强调把课程视为学生的经验,强调教学过程本身的价值。这就必然把课程视为教师、学生、教材、环境四因素持续交互作用的动态情境,课程由此变成一种动态的、生长性的"生态系统"和完整文化,教学设计当然也就应当注重对教师、学生、教材、环境四个因素的配合与整合。

(三)实现学生学习、教师教学、教材呈现等方式的同步变革

新课程的实施要求改变学生的学习方式,确立学生在课程中的主体地位,建立自主、探索、发现、研究以及合作学习的机制。而要真正转变学生的学习方式,就必定要改变教材的呈现方式、教师的教学方式和师生的互动方式,这可以说是新课程的教学设计的着力点。事实上,当代的课程学习方式已经走向以理解、体验、反思、研究、创为根本,现代信息技术也已全面介入教学过程。这一切都不能不促使新课程的教学设计有一次新的跨越。

三、要突出创新精神与实践能力的培养

江泽民同志指出:"必须把增强民族创新能力提到关系中华民族兴衰存亡的高度来认识,教育在培育民族创新精神和培养创造性人才方面,肩负着特殊使命。"素质教育就是以培养学生创新精神和实践能力为重点的教育,新课程的教

学设计必须凸显这一要求。

(一)培养学生的多种能力

《中共中央国务院关于深化教育改革全面推进素质教育的决定》指出,智育工作"要让学生感受、理解知识产生和发展的过程,培养学生的科学精神和创新思维习惯,重视培养学生搜集、处理信息的能力、获取新知识的能力、分析和解决问题的能力、语言文字表达能力以及团结协作和社会活动能力。"新课程的实施落实了这一精神,勾画出面向未来的人才在智慧和能力方面的发展要求,同时也为新课程的设计提供了一个基本的思路。

(二)让学生感受和理解知识的产生与发展的过程

新课程把过程与方法作为课程目标之一,强调"过程",强调学生感知、理解并参与新知识的寻求与获得,这是新课程实施很重要的特点。就学科知识的掌握而言,"过程"表征该学科的探究经历与方法,结果表征该学科的探究成果,只有二者的完善结合,才能算是真正地全面占有了知识。而且,感受和理解知识的产生与发展的过程,对于教会学生学习、弘扬科学精神、提高科学素养、培养创新意识与实践能力、发展学生的创造个性,都有重要的意义。

(三)创设学生自主参与、探究发现、合作交流的教学情境

为了培养学生的创新精神与实践能力,教学设计应当创设一定的情境,安排一系列的"教学事件",并提供相应的教学条件,通过教材呈现方式的变革、活动任务的"交付"、教学方式与师生互动方式的变化,最大限度地组织学生亲历科学探究的过程。在动手、动口、动脑和"做中学"、"用中学"的协作参与中,发展他们的个性和能力。

四、应依据学科特点和知识类型

教学设计总是针对特定的学科和不同的知识类型而做出的具体筹划。学科特点的相异和知识类型的差别,必然是教学设计要认真研究的一个重要方面。新课程在学科观和知识观上的变化,更要求我们更新教学观念,努力探索符合不同学科特点和知识类型的教学设计思路和教学模式。

(一)超越学科中心与知识本位取向

随着当代课程价值观的变化和课程功能观的调整,以学科为中心、知识为本位的取向被"以学生发展为本"所取代,"学科观"也赋予了新的内涵——学科是培养学生生存与发展能力的教学内容,是谋求学生整体发展、有利于学生主体活动而选取的经过整合的文明成果;学科知识的框架是假设性的、动态变化的;学科的学习是以人类文化遗产为线索展开的对话;各门学科知识的学习是建立在超学科的综合性学习的基础上的。

(二)凸显本学科在目标、内容、方法上的特点

每一门学科都有自己特定的研究对象和范围,它们的体系建构和知识集合也各具特色,反映了客观世界的多样性和各种关系与联系的复杂性。教学设计必须认真钻研课程标准对各门学科的性质界定、目标设置、内容构成以及教学建议,针对各自学科的特点,提出有效教学的模式和具体措施。

(三)按照知识类型组织教学

当代对知识的分类多种多样,针对不同类型知识的教学设计也异彩纷呈。加涅根据学习结果的分类以及他对教学事件同学习过程关系所作的研究,已经为人们所熟知并进入了教学设计的操作领域。晚近引起人们注意的是以安德森、梅耶为代表的认知心理学家对知识的分类,即按照陈述性知识、程序性知识和策略性知识进行不同的教学设计。这种主张为我们的教学设计拓宽了思路。

五、要适应学生的学习心理和年龄特征

学习理论是教学设计最重要的理论基础。当系统理论为教学的整体设计勾勒出大的方向与图景以后,学习理论便为教学设计提供了具体的指导。学习理论中的知觉、强化、记忆、转换、理解、迁移、问题解决等研究成果,都对教学设计产生深刻的影响。

(一)认真研究学生的阶段特征和学习准备

"为学习而设计",做到"心中有人"。学生是发展中的人,在某一年龄阶段,都会出现一些一般的、典型的、本质的心理特征。教学设计应当认真分析并根据学生的发展水平、认知方式和已有的知识经验准备,提供适当的学习指导和条件

支持,以保证他们的学习需要与动机、知识经验与智慧技能、认知策略与学习方式能与课程的习得很好地匹配起来。

(二)考虑学习活动中动力因素与智力因素的统一

在影响学生学习成效的心理变量中,动力因素、智力因素和策略因素总是综合地发生作用的。教学设计应当将这三者统一起来,使情知渗透、过程与方法统合,在强化认知活动中发展学生的智力、兴趣和学习效能感,以志趣和理智感趋动认知的积极化,使学科学习的过程成为学生全面和谐发展的过程。

(三)注意学生课堂学习心理动力变化同教学事件的配合

课堂教学中学生的心理动力变化是有规律的,这种心理动力的变化通常就成为我们教学程序安排的一种重要参照。教学设计大师加涅提出,将课堂学习中学生的心理状态同教学事件进行匹配,这为我们提供了一个很有价值的操作框架。

另外,在新课程的教学设计中,还应辩证认识和处理好课堂教学中的多种关系。教学设计作为一种对教学活动中各种要素、各种资源的系统规划与安排,必然要处理好诸如教与学、书本知识与学生经验、知识的结论与过程、目标与策略方法等关系。在认识和处理这些关系时,一定要多一点辩证法,少一些绝对化,多一点具体分析,少一些一刀切。

第三节 高中生物新课程教学设计的基本环节与模式

一、高中生物新课程教学设计的基本环节

教学设计的对象是教学系统,它可以大到一门课程,小至一个课时甚至其中一个环节。相应地可以把它分为课程教学设计、学期(学年)教学设计、单元教学设计和课时教学设计等类型。课时教学设计是大量和经常进行的一种类型,下面主要讨论课堂教学的课时教学设计。

对高中生物课堂教学的设计,无论采取何种步骤,都可大致分为四个环节,即明确教学目标、了解学生特点、制定教学措施和实施教学评价。教学设计时这四个环节是密切相关、互相影响的。

(一)明确教学目标,分析教学任务

从任务分析的角度看,此环节主要对学生学习后的终点行为进行分析。所谓终点行为是指学生学习的最后结果,即教学目标规定的预期学习结果。教学目标是教师的教和学生的学的重要依据。教学是一个受多种因素影响的复杂活动,需要有一系列明确、具体的教学目标作为教学活动的参照点。它指明教学活动运行的方向,让教师了解学生应学习哪些内容,学到何种程度。它还能引导学生的活动,使他们明确要掌握的内容,减少学习中的盲目性。

教学目标也是建立教学评价标准的依据。确定了教学目标之后,经过教学活动,教师需要依据教学目标检查自己的教学工作,评价学生的学习水平,了解是否完成了教学任务。教学目标一定要明确、具体,便于操作和评价。在明确教学目标这个环节,教师的主要工作是:从教学目的和要求出发,认真分析教学内容,找出内容中的知识点,并根据对学生情况的了解,写出教学目标。

(二)了解学生特点,掌握起点行为

这个环节亦称作诊断性评价。进行教学设计,除了确定教学目标、分析学生的终点行为、分析教学内容外,还要对教学对象有个客观、正确的了解,即对学生学习前的起点行为进行分析。所谓起点行为是指学生已有的与新学习有关的能力或倾向的准备水平。教学的起点总是以学生已有的水平为标准,起点过高或过低都不能激发学生的学习动机,促使学生正常发展。所以,了解学生、进行诊断性评价是教学设计不可缺少的环节。诊断得来的资料,既可以作为确定教学目标的依据,又能成为制定教学措施的参考。

了解学生已有的水平可以从下列三个方面进行:①知识基础,包括学生已有的知识结构、学生对新知识的了解程度等;②心理发展水平,包括学生的年龄特征、智力和能力发展水平、学习生物学的动机和兴趣;③社会环境,包括学生家庭的文化背景和职业背景、学校的教学环境、班级群体的学习风气等。教师应根据教学的需要和教学内容的具体要求去了解学生。了解学生可通过问卷法、谈话法、观察法、课堂提问、测验和考试等方法进行。

(三)制定教学措施,选择教学策略

这是教学设计中一个具有规划性和创造性的环节。前两个环节是教学设计的前提,这个环节则涉及教学设计的实质性内容。它要解决的中心问题是:如何依据教学目标和学生已有的水平合理地选择教学策略、教学方法和教学媒体,形成系统的教学过程实施方案。

教学策略是指为了达到教学目标而采用的教学方式、途径和步骤的总称。教学策略可分为教学组织策略和教学表达策略。教学组织策略解决以什么样的方式和程序进行教学的问题,制定教学组织策略,就是确立教学的基本环节和步骤。教学表达策略则解决以什么方式和方法呈现教学内容、引导学生的学习行为以实现教学目标的问题。同时,它为选择教学方法和教学媒体提供了参照条件。

选择教学方法和教学媒体是制定教学措施的重要内容。教学方法是为实现教学目标、完成教学任务而运用教学媒体进行的师生相互作用的方式。教学方法不是某件物质实体,它是对媒体或工具运用过程中形成的一系列活动;而教学媒体则是指教学过程中所采用的信息传递工具,如黑板、教科书、挂图、标本、模型、幻灯、投影、录像、电视、电影和计算机等。不同的媒体在呈现教学信息上有着不同的功能和特点。

教学方法和教学媒体是实现教学目标的重要条件,也是教学策略得以实施的重要支柱。从系统科学方法的角度看,选择教学方法和教学媒体要全面地、整体地和综合地考虑各种因素,如教学目标、内容特点、媒体功能、学生差异、教师水平以及教学环境,等等,对它们多方考虑,加以权衡取舍。

(四)实施教学评价,改进教学方案

实施教学评价是教学设计的重要环节。教学评价就是依据教学目标,运用评价的手段和方法对教学过程及其预期的效果给予价值上的判断。教学评价的目的是获得有关教学活动的反馈信息,使师生知道教学处于何种水平以及学生达到教学目标的程度,并使教师了解已采用的教学策略、方法和手段还有什么缺陷,以便调整、补充和修正。教学评价除了解学生已有水平,确定其初始能力的诊断性评价外,还有形成性评价和总结性评价。

上述四个基本环节概括地说明了高中生物教学设计要做的四项主要工作。在具体的设计过程中,四者没有严格的先后关系。在教学设计时,第一、第二两个环节往往是同时开展的。

二、高中生物新课程教学设计的基本模式

虽然高中生物课堂教学设计大致可分为确定教学目标、了解学生特点、制定教学措施和实施教学评价四个环节，但在教学实践中，根据具体的教学任务，依据不同的教学指导思想，可以采取不同的设计步骤，从而形成不同的教学设计模式。能较好体现新课程要求的高中生物课堂教学设计模式是系统方法模式和过程设计模式。

(一)系统方法模式

这种教学设计模式是以教学目标为基点进行系统的设计，最终以实现教学目标为目的，亦称为以目标为基础的教学设计模式，设计步骤呈直线型。该模式具体分为以下九个步骤。

1. 确定教学目标

设计初始，首先根据总的教学目标确定行为目标，即确定学生经过学习之后能够做什么？达到何种程度？并确定课程中的重点、难点以及其他特殊的要求。

2. 进行教学分析

确定教学目标之后，通过对目标的分析，确定学生必须学到的各级知识和技能，并确定掌握某种技能的过程或步骤，然后用图表或框图将其表示出来。

3. 确定初始行为及其特征

为了保证教学的进行，必须提前了解学生已有的能力和知识水平。看他们能否完成学习任务，是否需要做适当的补充或调整。

4. 写出操作目标

完成了对教学的分析和学生的初始行为的阐述之后，教师还要写出操作目标，明确地陈述学生在完成学习之后能具体做什么，即学到的技能以及运用技能的条件和操作成功的标准等。

5. 确定测验项目的参考标准

要求以教学目标为依据，设立测验评价的参照标准。这些参照标准的好坏要用目标来衡量，并且测验项目和要求与目标所陈述的行为类型应有关联。

6. 设计教学策略

根据前面五个步骤所得到的信息,教师可以确定在教学中采用什么样的策略,即采用什么样的信息表达方式,什么样的教学方法、教学媒体和教学组织形式来引导学生实现教学目标。

7. 选择教学材料

这项工作要求充分考虑如何运用已确定的教学策略开展教学活动,如何多方面地利用有用的资料,其中最重要的是教科书、学生活动报告册、教师教学参考书、试卷等。

8. 进行形成性评价

在构思了一个完整的教学方案之后,还需要作出一系列评价,以便对此方案进行修改和调整。

9. 修正教学

根据形成性评价所得到的资料,可以发现教学中的不足之处,从而修正教学方案。

(二)过程设计模式

过程设计模式与系统方法模式的区别主要是它的步骤是非直线型的。这种模式的设计步骤可以根据教学的需要从任何一点起步,具有较强的实用性。

1. 确定教学目的和课题

这一步骤主要解决教学中想要完成什么任务的问题。首先要了解总的教学目的,然后选择教学的课题,即列出在总的教学目的中所要讲授的主要课题,这是进行教学的基础。

2. 列出学生的重要特点

这一步主要研究有哪些因素会影响学生的学习进展,它主要了解学生的一般特征、能力、兴趣需求以及影响学生的主要因素是专业知识还是心理发展水平或社会环境等。

3. 确定学习目标

这一步要确定学生通过学习应该掌握的知识与技能,确定通过学习应使学生的行为产生哪些变化。对于这些行为变化,应作具体的陈述或表达。

4. 确定学习目标的具体内容

这一步骤是进行任务分析,即考虑为了实现每个学习目标,学生应该学习哪些具体内容。在分析教学内容时应考虑:①所要教和学的内容和类型;②哪些现象、事实、概念和原理与这些内容有关? ③为了掌握这些内容,需要哪些过渡性的知识? 回答了这些问题,教学内容也就清楚了。

5. 对学生的有关知识水平进行预测

为了减少教学中的盲目性,要对学生进行预测。这一步旨在了解学生对学习某个课题有无基本准备,他们是否具备了学习的基础,以便对教学方案的部分内容进行删改和补充,使其更具针对性。

6. 构思教学活动,选用教学资源

这一步是要确定完成教学目标用什么样的教学方法和教学资料最合适。一般地说,教师要对选择的教学方法和教学资源的优缺点有所了解,在使用上要符合学生的特点,使各种资源和活动形式达到最佳的配合。

7. 评价和修正教学方案

根据学生完成学习任务、达到教学目标的情况,评定学生的学习,并评价和修正教学方案。

以上两种基本的教学设计模式有着各自的特点,教师在进行高中生物课堂教学设计时,可以参照其程序要求进行具体的设计。

第四节 高中生物新课程课堂教学设计案例

生物课程教学设计活动的结果最终要体现在教学设计方案中,教学设计方案是对教学设计活动的系统、全面的陈述,是教师创造性劳动的产物。课堂教学设计方案是将教材的每一节划分成一课时或几课时。按课时设计的教学方案,通常简称为教案。教案不是课本的简单照搬,是教师结合个人的具体情况、学生的实际、学校的条件、课时教学内容特点、教学方法和教学手段等因素进行整体地、综合性地思考,为最优地完成课时教学目标而进行创造性劳动的结晶。因此,它是教师进行课堂教学活动的重要依据,也是教师进行教学研究、总结教学经验的重要资料。

一、教案编制应注意的问题

(一)目的性

指一堂课要达到什么教学目的。教学目的是否明确,不在于教学设计方案中是否写上,而在于教师能否真正认识并贯彻到教学设计中。如果不明确教学目的,其结果将导致教学内容不是面面俱到、详略不分,就是喧宾夺主、多而不当。

(二)科学性

指所编写的教案,无论是思想观点或知识内容,都应当准确无误、合乎科学。具体地说,就是教案对教材中概念的表达、理论的论证以及语言文字的表达等都不应有错误;引证和补充的材料也必须查对出处,准确无误;教案的语言必须简明通顺。

(三) 整体性

主要指教学内容的选择、教学过程的安排、教学方法的运用以及各教学环节时间的分配等,都要紧紧围绕教学重点进行整体设计。以重点带动一般,使重点内容贯穿教学始终,在教学过程中不断得到深化、理解、巩固和应用。

(四)灵活性

指编写教案要留有余地,充分估计教学过程中可能发生的问题及其解决的办法。例如,课堂教学中出现时间不够的情况下,采取什么措施,删去哪些内容?若时间出现剩余又如何?安排这些时间,教案中都要留有伸缩的余地。教案写好后,必须熟悉教案,在运用时不应拘泥于教案,并在运用中不断改进。

二、教学案例

教学案例1 神经冲动的产生和传导

【教学内容】

生物课程必修模块"稳态与环境",第一单元第三章第一节"神经冲动的产生和传导"。

【教材分析】

1.教材的地位及知识的前后联系

本节课教学设计的根据是：中国地图出版社出版的普通高中课程标准实验教科书，生物必修模块"稳态与环境"，第一单元第三章"动物稳态维持的生理基础"之第一节"神经冲动的产生和传导"。教学对象是高中一年级学生。本节是初中教材中神经调节部分的延伸，在高中教材中是学生学习整个第三章的基础，其中生物电的验证实验也是第三章中课题研究的内容，体现了新课标的特点。

2.教学重点、难点

教学重点：生物电的发现；膜电位的产生；动作电位的传导。

教学难点：蛙腿论战的探究活动；膜电位的产生。

【教学目标】

1.知识目标

知道蛙腿论战；通过动手实验，理解生物电现象的存在；理解膜电位产生的原理；知道钠—钾泵；理解动作电位的传导方式，并会应用相关知识解决问题；了解动作电位在神经纤维上传导的一般特征。

2.情感态度与价值观目标

通过对科学发现史的学习，使学生认识到科学论战会加速科学的发展，乐于学习生物学，养成质疑的科学精神和科学态度；通过学习钠—钾泵、离子通道及膜电位的产生和动作电位的传导，使学生形成生物体的结构与功能、局部与整体相统一的观点。

3.能力目标

通过重复蛙腿论战中的部分实验，使学生能够正确使用简单的解剖器械；了解蟾蜍坐骨—腓肠肌标本的制作方法；初步学会客观地观察和描述生物现象，从中提出并解决相关的生物学问题。

【教学方法】

本节课采用实验法、讨论法为主，结合演示法、讲述法等多种教学方法，运用多媒体辅助教学，通过学生自己动手，实现边学边探讨的教学方式。学生有兴趣，真正参与到教学过程中，把科学现象的发现重现出来，初步掌握实验的操作步骤。让学生通过讨论探究问题，在不知不觉中攻破知识上的难点，也提高了发现问题、分析问题、解决问题的能力。

【教学准备】

利用多媒体辅助教学，主要向学生展示相关的图片、动画，将微观世界呈现给学生，使学生有一个较为形象、具体的认识，便于理解所学内容。

【教学过程】

1. 教学流程图

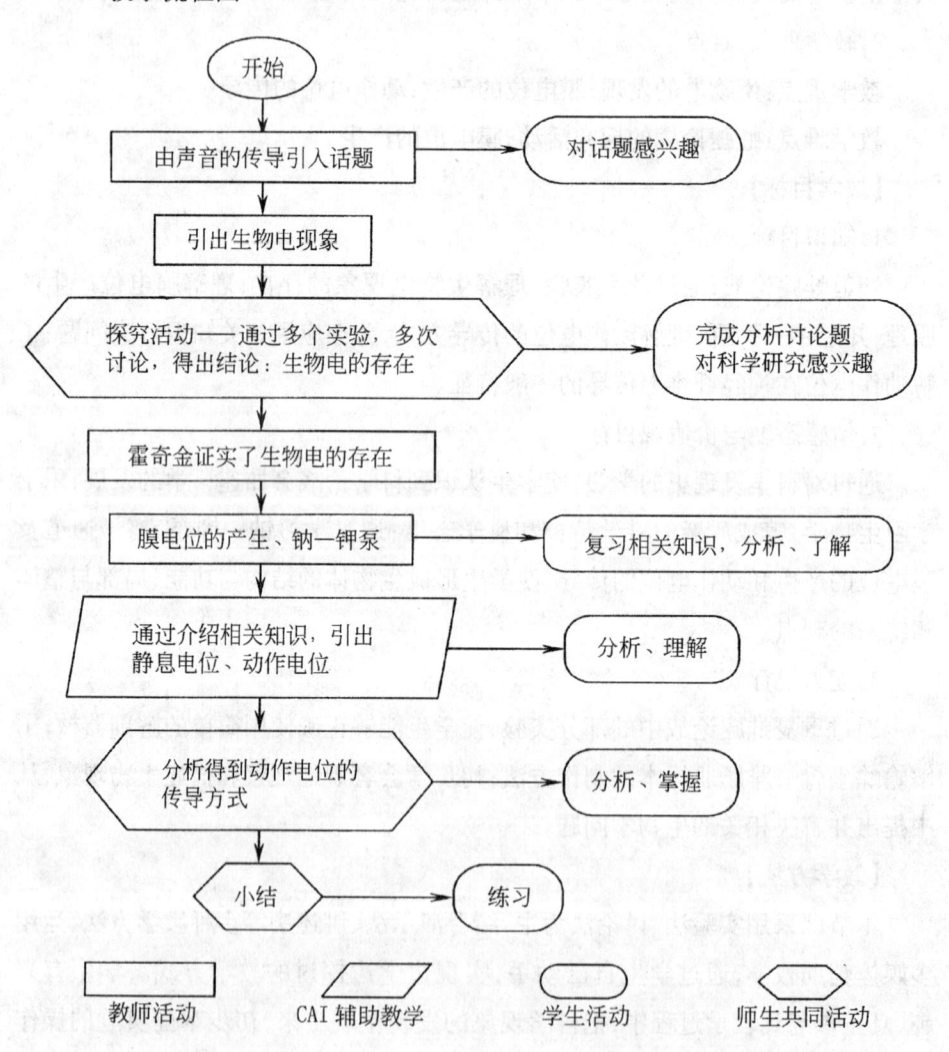

```
                    开始
                     │
         ┌───────────▼───────────┐         ┌──────────────┐
         │  由声音的传导引入话题  │────────▶│ 对话题感兴趣 │
         └───────────┬───────────┘         └──────────────┘
                     │
         ┌───────────▼───────────┐
         │     引出生物电现象     │
         └───────────┬───────────┘
                     │
      ┌──────────────▼──────────────┐       ┌────────────────────┐
      │ 探究活动——通过多个实验，多次│──────▶│  完成分析讨论题    │
      │  讨论，得出结论：生物电的存在│       │  对科学研究感兴趣  │
      └──────────────┬──────────────┘       └────────────────────┘
                     │
         ┌───────────▼───────────┐
         │ 霍奇金证实了生物电的存在│
         └───────────┬───────────┘
                     │
         ┌───────────▼───────────┐         ┌────────────────────────┐
         │ 膜电位的产生、钠—钾泵  │────────▶│ 复习相关知识，分析、了解│
         └───────────┬───────────┘         └────────────────────────┘
                     │
         ┌───────────▼───────────┐         ┌──────────────┐
         │ 通过介绍相关知识，引出 │────────▶│  分析、理解  │
         │   静息电位、动作电位   │         └──────────────┘
         └───────────┬───────────┘
                     │
         ┌───────────▼───────────┐         ┌──────────────┐
         │  分析得到动作电位的   │────────▶│  分析、掌握  │
         │      传导方式          │         └──────────────┘
         └───────────┬───────────┘
                     │
              ┌──────▼──────┐      ┌──────┐
              │    小结     │─────▶│ 练习 │
              └─────────────┘      └──────┘


   ┌──────────┐      ╱──────────────╱     ⬡──────────⬡      ◇──────────◇
   │ 教师活动 │     ╱ CAI 辅助教学 ╱      │ 学生活动 │      │师生共同活动│
   └──────────┘    ╱──────────────╱       ⬡──────────⬡      ◇──────────◇
```

2. 教学过程

程序	教学过程		设计意图
	教师活动	学生活动	
导入新课	提问:图片上的两个人在干什么? 为什么电话可以传导声音?将声音转换成了什么? 画面上这个人又在做什么? 她如何控制自己的运动?	打电话。 转换成电信号。 打高尔夫球。 通过神经系统。	由学生熟悉的问题切入,调动学生的积极性。
生物电的发现 / 引子	生物电现象在动植物体内是普遍存在的。 那么生物电是如何发现的呢?是在伽伐尼和伏打两位科学家的科学辩论中发现的。 下面,我们分成几个小组,重复科学家的实验,注意思考、发现问题。		过渡到主题。
生物电的发现 / 探究活动	演示蟾蜍坐骨—腓肠肌标本的制作方法,强调注意的问题。 简单介绍任氏液。 要求学生制备蟾蜍坐骨—腓肠肌标本。 带领学生重复伽伐尼和伏打的实验,并引导他们思考: 1.用双金属回路接触标本。 让学生讨论。 提出伽伐尼的解释。 提出伏打的疑问。 2.用单金属回路接触标本。 让学生与伏打的解释对比。 3.做伽伐尼支持者们的两个实验。 总结"无金属实验"的妙处。	学习制作标本。 制备蟾蜍坐骨—腓肠肌标本。 进行实验。 观察现象,思考原因。 将自己的想法与伽伐尼的解释作对比。 实验、讨论,与伏打的观点对比、讨论。 实验。 分小组讨论,派代表发言,得出结论。	为实验做好准备。 通过学生实验和讨论,使学生理解生物电的存在及其发现过程,提高学生的动手能力和分析问题的能力。
生物电的发现 / 膜电位	霍奇金的实验证实了生物电的存在。 提出膜电位的概念。		

(续表)

膜电位的产生	产生原因	细胞膜内外的离子浓度不同造成的。复习细胞排钠保钾的特点。介绍主要离子的分布。	复习细胞排钠保钾的特点。	将前后知识相联系。
	钠—钾泵	展示课件,简单介绍钠—钾泵。与主动运输的知识联系。	简单了解钠—钾泵的作用。	为后面的知识作铺垫。
	静息电位 动作电位	通过课件说明神经处于静息状态时,钾离子的运动方向及形成的电位。当细胞受到刺激后,钠离子的运动方向及形成的电位。	结合化学的有关知识,掌握离子运动的规律及电荷的分布。	
动作电位的传导	冲动的传导	引导学生分析兴奋区与静息区电荷分布的特点,分析动作电位传导的方式。	思考电荷流动的方向与兴奋传导方向的关系。理解兴奋的双向传导。	调动学生积极性,互动教学。
	相关链接	介绍动作电位在神经纤维上传导的一般特征。引导学生与生活经验相联系。	了解相关知识。联系实际,体会生理完整性、绝缘性等特征。	
小结		教师带领学生回顾本节重点内容。		培养学生归纳知识的能力,检查学习效果。
练习		学生回答,归纳,教师指点,完成课本上的"巩固提高"的题目。		

【教学设计说明】

这部分内容知识点不多,但有一定难度。要想让学生透彻地理解并不容易。可以以蛙腿论战为突破口,让学生对神经、生物电有一个较为感性的认识,通过讨论得出生物电存在的事实。再将钠—钾泵、离子通道等微观的东西用多媒体动画展示出来,结合他们已有的物理、化学知识,问题就会一个个迎刃而解。

本节内容与学生自身有密切的联系,学生也有一定的相关经验,在初中时学习过神经元、神经纤维等有关知识,他们对这部分知识很感兴趣,有学习的欲望。而且这节课是通过重现科学发现史,让学生自己动手来验证科学结论。教师要利用这一点,充分调动学生的好奇心和求知欲,发挥他们的动手能力,通过自己的实践验证科学家的论断。本节的最大特点就是"论战"这部分,让学生从不同观点出发,充分讨论。在质疑、争论中得出正确的观点,从而提高学生分析问题、总结问题的能力,培养学生的科学素养,体现新课标的精神。

【教学反思】

"神经冲动的产生和传导"一节课,课标要求能说明神经冲动的产生和传导,"说明"是理解层次的行为动词,也就是能解释和阐明神经冲动的产生和传导。本节课包括3个知识点,即生物电的发现、膜电位的产生和动作电位的传导。生物电的发现这部分内容,通过探究活动——蛙腿论战,重现科学发现史,培养学生分析问题、解决问题的能力以及正确的科学实验方法,提高学生的科学素养。膜电位的产生这部分内容,结合多媒体课件,了解钠—钾泵的作用特点,从而理解膜电位产生的原理,即当神经细胞处于静息状态时,使细胞处于膜外带正电、而膜内带负电的静息电位;当神经细胞受到刺激后,使细胞处于膜内带正电、而膜外带负电的动作电位。动作电位的传导这部分内容,通过引导学生分析兴奋区与静息区电荷分布的特点,理解动作电位传导的方式和兴奋的双向传导。本节课通过学生讨论,教师引导、点拨,运用多媒体课件辅助教学,师生共同探究神经冲动的产生和传导,使学生掌握膜电位产生的原理和动作电位传导特点的知识,提高学生的实验设计能力和分析问题、解决问题的能力,培养学生的科学精神、科学态度和科学素养。

教学案例2 酶在代谢中的作用

【教学内容】

生物必修模块"分子与细胞",第三单元第一章第二节"酶在代谢中的作用"。

【教材分析】

1. 教材的地位及知识的前后联系

酶是生物催化剂,新陈代谢实质上是细胞内高度有序的酶促反应的总称。只有了解酶的特性,才能真正理解生命的本质,才能采取有效的措施控制新陈代谢的速度。

2. 教学重点、难点

探究酶的作用特性——高效性、专一性；探究温度、pH等因素对酶活性的影响。

【教学目标】

1. 知识目标

举例说出什么是酶；指出酶与无机催化剂相比有什么特点。

2. 情感态度与价值观目标

通过亲自完成实验的设计和操作，体验科学研究过程，培养学生学习生物科学的兴趣，养成质疑、求实、创新、勇于实践的科学精神和科学态度。

3. 能力目标

通过了解科学研究的一般过程，尝试用实验的方法证明温度能影响酶的活性；模仿老师的实验方法和过程，设计实验，确定唾液淀粉酶的最适温度；运用"酶活性与温度的关系"的知识，解释一些生活中有关的现象；选择适当的材料用具，设计并完成实验，比较过氧化氢酶和 Fe^{3+} 催化效率的高低；选择适当的材料用具，设计并完成实验，验证酶是否具有专一性。

【教学方法】

本节课采用实验课的形式，让学生像科学家那样进行研究，通过实验得出结论。对实验中遇到的问题，通过小组讨论、研究或者再设计实验加以论证。在学生活动中潜移默化地渗透科学研究过程，训练科学的思维方法，培养学生的科学素质。

【教学准备】

1. 演示实验所需的材料用具：3%的淀粉溶液、新鲜的稀唾液、稀碘液、恒温水浴箱、冰块、酒精灯、火柴、试管夹、试管架等。

2. 学生分组实验的材料用具：3%的淀粉溶液、3%的过氧化氢溶液、20%新鲜肝脏研磨液、3.5% $FeCl_3$ 溶液、新鲜的稀唾液、稀释的过氧化氢酶溶液、稀释的淀粉酶溶液、稀碘液、试管、滴管、卫生香、火柴等。

3. 制作多媒体课件：将主要知识以文字、图表的形式串联起来，以利于学生对主要知识的归纳、整合。

【教学过程】

1.导入新课:用学生熟悉的化学反应——工业上利用氮气合成氨,引出在生物体内也有同样的反应,但反应的条件不同。工业上合成氨需要高温、高压等极端条件,在细胞内合成氨是在常温、常压等温和的条件下进行的,并且反应速度极快,这是因为细胞内有特殊的催化剂——酶。

2.简述科学研究的一般过程:提出问题→作出假设→验证假设→分析结果→得出结论。然后用两个具体的事例——①酶的活性是否受温度影响,②高温、低温处理后的酶是否能恢复活性——来教给学生怎么用实验的方法进行研究。教师在演示实验过程中强调,设计实验要科学严谨,要有可重复性以避免偶然因素的影响,要有对照实验,对照时要遵循等量原则、单因子变量原则等。

3.以上实验得出结论:酶的活性与温度有关,低温处理后的酶没有变性,高温处理后的酶已经变性。用这个结论解释生活中的一些现象。

(1)过氧化氢酶和Fe^{3+}相比,是否具有高效性?让同学们根据老师的示范,作出假设,预测可能的结果;根据提供的实验材料,设计并完成实验,得出结论:酶具有高效性。

(2)酶是否具有专一性?教师提供的实验材料有多种,同学们从中选择自己需要的,设计不同的实验,相互交流、讨论、分析,最后通过实验得出结论。

(3)教师总结:细胞内每时每刻都在发生着数千种化学反应,这就是新陈代谢。几乎所有的化学反应都是由酶催化的,酶的高效性和专一性保证新陈代谢的高效而有序。温度、pH等都能影响酶的活性,从而影响新陈代谢的速度。新陈代谢是细胞内全部的化学反应的总称,酶决定着反应的速度和方向。

【教学设计说明】

掌握一般的科研过程,理解对照实验的设计方法。通过实验比较酶与无机催化剂的特点,从而培养学生的实践创新能力,是本节课的教学目标。本节课除实验内容已经确定外,实验方法步骤、实验材料的选择以及整个实验过程都是开放的。教师在实验过程中只提出实验的目的和要求,讲清实验原理,对学生的实验过程进行监督和指导,让学生参与实验的全过程,给学生提供更多的动手、动脑和独立思考的机会,鼓励学生在实验方法步骤设计过程中积极创新。例如"探索酶是否有专一性"实验中,老师给学生准备了唾液、淀粉酶、过氧化氢酶、肝脏研磨液、淀粉溶液、过氧化氢溶液等多种实验材料。选择过氧化氢酶或肝脏研磨液的实验结果是完全一样的,但是选择什么样的材料直接会影响到实验的结论?同学们通过讨论,各自发表自己的意见,选择了淀粉酶、过氧化氢酶这样的只含有一种酶的实验材料,设计了四种不同的实验,分别得出"一种酶只能催化一种反应"、"一种反应只能由一种酶来催化"的结论,这两者结论合起来,就是酶专一性的含义。通过实验,学生加深了对酶专一性概念的理解,加深了对酶与新陈代谢关系的理解。

在实验中注重培养学生严谨治学、尊重事实的科学态度。在引导学生提出实验设计时,教师要及时指出学生实验设计中欠合理的一面。例如:温度能否影响酶的活性?老师先演示实验过程(如下表):

温度对酶活性的影响

试管编号	1	2	3
淀粉溶液	2ml	2ml	2ml
温度处理	37℃恒温箱	冰水混合物	沸水浴
稀唾液	1ml	1ml	1ml
稀碘液	2滴	2滴	2滴
实验结果	不变蓝	变蓝	变蓝

实验得出的结论是:温度能影响酶的活性。但是能否得出37℃是酶的最适温度的结论?通过激烈的讨论,学生们领悟到这个实验只能证明不同温度条件下酶活性不同,并不能证明37℃时酶的活性最强。要想证明37℃时酶活性最强,还要设计不同的实验。在教学中,要引导学生遵循客观事实,敢于批评质疑,敢于对问题进行深入的研究,正确分析实验结果。再例如:经过100℃和0℃处理后的酶是否能恢复活性?怎样用实验来验证,同学们提出截然不同的两套实验方案:①把唾液淀粉酶先经过100℃和0℃处理,然后再恢复到37℃,看看这时候酶还有没有催化作用。②经过100℃和0℃处理的酶与淀粉反应后,加入碘液,试管中出现蓝色,把已经变蓝的试管放在37℃的恒温箱中,反应一段时间,看蓝色能否褪去。这两套方案最后得出的结论是完全不同的。哪套方案是科学

合理的,学生们现有的知识,可能还不能得出正确的判断。这些都是老师在上课之前应该预测到的,课堂上应从理论方面来引导,以避免将学生引入歧途。

正确对待学生实验中可能出现的错误。生物学实验所展示的生命现象是各种因素共同作用的结果,实验结果经常与预想的结果不同。实验的过程既能展示学生的聪明才智、独立个性,也能暴露学生的各种疑问、困难。学生在探索过程中会面临许多问题、困惑、挫折和失败。甚至有可能花了很多时间和精力,其结果却是一无所获。这时候,老师不要轻易否定学生,要帮助学生从实验设计到材料选择,再到具体的操作步骤,甚至结果的分析,找到原因,从错误中吸取教训、积累经验。例如:在比较催化效率的实验中,有些同学没有采取等量对照的原则,两个试管中加入的过氧化氢酶和 Fe^{3+} 量不同;有些同学用同一个滴管先后向不同的试管中分别滴加过氧化氢酶和 Fe^{3+},以致最后的结果不明显,等等。老师应采用表扬操作认真规范的同学的方法,教育对待实验操作马虎不规范的同学。

【教学反思】

"酶在代谢中的作用"一节课,课标要求能说明酶在代谢中的作用,探究影响酶活性的因素。"说明"是理解层次的行为动词,也就是能解释和阐明酶在代谢中的作用。"探究影响酶活性的因素"要求能独立设计实验、完成实验,并对实验结果进行分析。在课堂通过相互配合、相互讨论、亲自设计完成实验,学生的思维被充分调动起来,主动参与学习。本节课的教学目的在于培养学生的科学素质,培养学生动手动脑能力。为此本节的知识大都是通过实验得到的。为了合理利用时间,提高课堂效率,教师要提前做好准备工作,包括对实验材料用具的准备,对学生认知能力的了解,对课堂中可能出现的新情况、新问题的研究与预测。否则,当异常情况出现时,就会束手无策、惊慌被动,影响实验教学的效果。

第七章

高中生物新课程的教学模式

第一节 教学模式概述

教学模式是教育教学工作者在长期教学实践中,根据社会的需要和教育教学的发展不断总结、改进教学而逐步形成的,它起源于教学实践,又指导教学实践,是影响教学效率与质量的重要因素。我们了解教学模式的发展及其规律,对于提高教学质量和效率具有重要意义。

一、教学模式的含义

对教学模式(instructional model)概念的界定,国内外学者的看法不尽相同。国外较有影响的是美国的乔伊斯和韦尔在《教学模式》一书中的定义,他们认为,教学模式是构成课程和课业、选择教材、提示教师活动的一种范型或计划。在我国较为一致的一种观点认为,教学模式又称教学结构,简单地说就是在一定教学思想指导下所建立的比较典型的、稳定的教学程序或阶段。(冯克诚:《教改手册》,中央编译出版社,1996)教学模式的研究与教学过程的研究密切相关。教学模式也是一个综合性的课题。它的核心是用系统、结构和功能等观点来研究教学中已经运用或尚未开发的教学过程的方式,同时,考察其理论的和实践的基础,并建立一种系统化和多样化相统一的教学模式体系,以便成为教学可借鉴的基本模式框架。

教育是人类特有的社会现象,它是一种创造性艺术。从它的诞生之日直至发展到今天,教育的内容、方式、方法都有很大的发展变化。特别是近两个世纪,由于教育观念的更新和现代手段的引进,其发展变化的速度之快是空前的。教育本身永远因人、因地、因时而变化无穷。由此看来,教学没有一成不变的、刻板的固定模式。但是,它又遵循发挥制约作用的客观规律,这些规律常以不同的教育教学的形式和方式表现出来。教学中出现的稳定化、系统化和理论化的形式,就是我们现在所说的教学模式。

教学模式的研究起源于20世纪70年代。美国在1972年出版了乔伊斯和韦尔合著的《教学模式》一书。他们认为教学方式上的"好"与"坏",都是相对于具体教学任务和教学对象而说的,因此,不存在某种适用于一切教学任务和对象的"最佳"的教学形式,应提倡多种教学方式。为此,他们从所搜集的关于教学过程的理论、学说、研究方案和纲领中选出22种,组织成较规范的形式进行分类研究和阐述。此书出版后,在教育界引起了很大的反响。特别是近些年来,国外许多教育学和心理学书籍中都有专门论述教学模式的内容。

乔伊斯和韦尔还认为,"所谓教学,就是创造由教育内容、教学方法、教学作用、社会关系、活动类型、设施组成的环境"。而组成教学的"这些要素是彼此相互作用,规定着教师的行为的"。因此,教学模式理论的研究,对教学法、课程计划和教学系统设计,都会提供有益的启示。

二、教学模式的构成要素

从教学论的角度来审视教学模式,一般认为,一种教学模式应具备以下基本的构成要素。

(一)指导思想

教学模式都是在一定的教学理论和教学思想指导下构建的。例如:程序教学模式是新行为主义派代表斯金纳根据行为心理学提出来的,并成为建立各个教学模式的理论基础。

(二)主题

每一种教学模式的构建不仅遵循一种教学思想,还必须有一个鲜明的主题。这个主题贯穿整个教学模式并起主导作用。它支配构成模式的其他因素,同时,产生出与主题有关的一系列范畴。例如:问题教学模式的主题是"问题性"。它的理论基础是"实验逻辑"的反省思维学说。它是以儿童为中心,教师针对儿童在生活和活动中遇到困难提出问题,然后帮助学生分析、寻求假设、进行实验,以便获得解决问题的方法,并获得一定的知识。因此,这个主题不仅制约着这个模式的目标、内容、程序和方法,而且产生"问题情境"、"学习性问题"、"学生假设"等一系列问题。

(三)目标

目标是教学模式中要完成主题所规定的任务。例如布鲁纳创立的"发现探究"教学模式,使学生通过发现去学习,其目标是使学生具有一定的创造能力,成为"研究者"、"创造者"。目标可使主题进一步具体化。

(四)程序

程序是完成目标的先后顺序、步骤和过程。由于教学模式各不相同,每一种模式都有自己独特的操作程序与步骤。

(五)策略

策略是完成教学目标的一系列途径、手段和方法体系。例如,范例教学的目标,一是克服教材内容的繁琐性;二是让学生活动,在活动中获得知识和获得认识科学的方法。因此,在教学策略上要求达到四个统一:教学与教育统一;解决问题的学习与系统的学习统一;掌握知识与培养能力统一;主体与客体统一。在教学策略上达到四个统一的同时,还要求教师做到五个分析:基本原理的分析;智力作用的分析;未来定义的分析;内容结构的分析;内容特点的分析。

(六)内容

内容是指每种教学模式都有适合自己主题的课程内容和设计方法,以形成达到一定目标的课程结构。例如:范例教学的模式,在教学内容上要求遵循基本性、基础性、范例性三个原则。

(七)评价

每种教学模式为了检验教学效果,都有适合自己特点的评价标准和方法。

上述教学模式的七种因素彼此是相互联系、互相制约的,它们共同构建起有特点的教学模式。然而,教学模式中各个因素和各个因素中的具体内容,则因教学模式的不同而产生差异。

三、生物课程教学模式的特点

生物课程教学模式作为一般教学模式的子系统，首先具有一般教学模式的普遍特点，同时还具有其独特性。概括地看，生物课程教学模式具有以下方面的主要特点。

（一）系统性

无论从理论上还是从实践上看，生物课程教学模式都表现出一定的系统性。理论上它是由指导思想、主题、目标、程序、策略、内容和评价等要素构成；实践上它是将教学方法、教学手段和教学组织形式等方面融为一体的程序系统。

（二）独特性

独特性是指生物课程教学模式特有的性能。任何一种生物课程教学模式，都有其特定的应用目标、条件和范围。如果超越了或不具备其特定的目标、条件和范围，就很难产生好的教学效果。

（三）操作性

教学模式是教学过程中应遵循的、比较稳定的教学程序及其方法、策略体系，它比一般的教学理论更接近于教学实践。生物课程教学模式不仅结合生物学科特点提出了比较具体的教学流程，而且提出了运用此流程中师生应扮演的角色和需运用的教学策略，具有很强的可操作性。

（四）中介性

教学模式在教学理论与教学实践之间起中介作用。它来源于教学实践，同时又是某种教育思想或教学理论的简化表达形式；它使教学理论具体化，又使教学实践概括化。这种中介性保证了教学理论对教学实践的指导作用，同时保证教学实践反过来进一步丰富和发展教学理论。

（五）发展性

生物课程教学模式一旦形成，其基本结构保持相对稳定，但这并不意味着教学模式的内部要素和基本结构不发生变化，它会随着生物课程教学实践、概念和理论的变化而不断地被发展。从整体上看，会有新的教学模式不断出现，也会有落后的教学模式逐渐被淘汰，这使得教学模式体系不断向着多样化和现代化发展。就某一个具体的教学模式而言,也具有一定的发展性,有一个不断被修正和被完善的过程,其教学程序允许存在若干个变式。

第二节　高中生物新课程的基础教学模式

一、新授课

新授课是指运用各种教学方法和手段使学生学习新的知识和技能、培养能力、发展情感态度与价值观的一种教学形式。新授课是一种最重要、最经常使用的生物课型。

高中生物新课标倡导探究性学习,力图促进学生学习方式的变革,引导学生主动参与探究过程,勤于动手和动脑,培养学生的多种能力。探究性学习不应成为惟一的方式,根据教学内容、学生、教师和学校情况等的不同,可采用各种不同的教学方式、方法、手段和模式,如演示、讲授、模拟、游戏、专题讨论、项目设计、个案研究等,它们具有各自的特点、优势和适用条件。但新授课的教学过程通常包括组织教学、复习检查、学习新知识、复习巩固和布置作业等基本环节。

教学案例:细胞的基本结构
【教学目标】
1. 知识目标
了解细胞的基本结构;掌握细胞器的结构和功能;理解各种细胞器之间的分工协作。
2. 情感态度价值观目标
培养科学的实验态度,普遍联系的辩证唯物主义观点以及团队合作精神。
3. 能力目标
能够用显微镜观察细胞的基本结构;能够快速识别动植物细胞的亚显微结构图;能够叙述各种细胞器的功能,并能对各种细胞器之间的功能进行一定的联系和综合;培养科学的实验能力和探究能力以及交流与合作能力。

【教材分析】

细胞的结构是细胞进行各种生理活动的基础,各种细胞器的功能在各种代谢活动中更是至关重要,因此细胞器的结构和功能是本节课的重点。细胞器的种类较多,功能各不相同,也决定了细胞器的结构、功能及其分工合作同时又是本节课的难点。

【教学过程】

复习提问:构成细胞的化合物主要有哪些种类?

生:水、无机盐、糖类、脂质、蛋白质、核酸。

师:由这些化合物构成了细胞结构,然后才有细胞的各种代谢活动,那么大家回忆一下在初中学习的细胞的结构都有哪些?(导入新课)

生:细胞膜、细胞质、细胞核、液泡。(如果学生说不全,老师给予引导和补充)

师:好,下面大家一起通过实验再一次验证初中学习的关于细胞结构的知识,并仔细观察,看有没有新的发现。下面同学们先打开课本的第19页,按照实验2的要求两分钟内完成第一和第二两步并记录时间,然后按照课本第18页实验1的要求进行实验,先在低倍镜下观察并记录你观察到的细胞结构,然后换用高倍镜观察并记录细胞结构,观察3分钟后同桌之间交流观察结果。

学生进行实验1并进行交流。(6分钟,整个过程中教师要巡视指导学生使用显微镜)

师:大家都已经在显微镜下观察了细胞的结构,现在我问问大家,在低倍镜下大家都要观察哪些结构?

生:细胞壁、细胞膜、细胞质、细胞核、液泡。

师:对,这些结构大家在初中都已经学习过,现在咱们通过显微镜观察过了,这些结构大家都能看到吗?

生:不能。

师:你看到了哪些,哪些又没看到?

提问几个学生来回答,结果可能有所不同。

教师强调:细胞壁是较厚的一层,大家很容易看到;但是要注意,细胞膜是紧紧贴在细胞壁内侧的薄薄的一层膜,不容易直接看到;细胞质是无色的液态物质也很难看到;液泡比较大,容易看到;细胞核相对小一些,但折光性较强,通过调节细准焦螺旋就可以看到。

师:一起小结一下观察到的细胞结构。

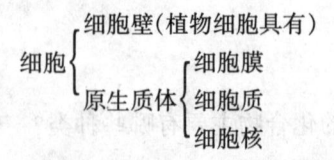

$$细胞 \begin{cases} 细胞壁(植物细胞具有) \\ 原生质体 \begin{cases} 细胞膜 \\ 细胞质 \\ 细胞核 \end{cases} \end{cases}$$

细胞就是由细胞膜包被的原生质体,原生质就是活细胞内的全部生命物质,包括细胞膜、细胞质和细胞核。原生质体的中央是细胞核。细胞膜以内,细胞核以外的原生质称为细胞质。植物细胞在原生质团的外面具有细胞壁。细胞质是不均匀的,它含有许多结构,其中在光学显微镜和电子显微镜下能显示出来的,具有一定形态特点并执行特定功能的结构称为细胞器。如大家刚刚看到的液泡就是一种细胞器,还有大家看到的那些绿色的小颗粒,那也是一种细胞器,叫叶绿体。细胞器有多种,下面咱们一起学习关于细胞器的知识。同学们打开课本第 20 页,阅读教材第 20、21 页,然后总结关于细胞器的种类、结构及功能等的相关知识,填出下面表格的空白部分(10 分钟)。

20 分钟已经到了,等一会儿咱们再一起来完成表格,现在大家先回到刚才试验 2 的步骤,完成第三、四步骤。(4 分钟,教师指导学生完成)

由实验观察转到表格上来,边提问讲解边填表格。

细胞器的种类、结构和功能

细胞器	膜结构	功能及举例
线粒体		
叶绿体		
内质网		
高尔基体		
溶酶体		
液泡		
中心体		
核糖体		

1. 线粒体

刚才大家看到的细胞中深色的小颗粒是一种细胞器,它就是线粒体。线粒体普遍存在于动物细胞和植物细胞中。如果用电子显微镜观察,线粒体由双层膜围成,是细胞的有氧呼吸的主要场所,细胞生命活动所需能量的95%来自线粒体,是细胞的"动力车间"。比如肌细胞进行收缩活动时,所需能量就是由线粒体有氧呼吸提供的,大家讨论一下看看还可以举出哪些生理活动是由线粒体提供能量的?

生:细胞对某些物质的吸收与运输、细胞内物质的合成……

2. 叶绿体

同学们在实验1中看到的绿色的小颗粒就是叶绿体,叶绿体是植物细胞中光合作用的场所,由双层膜围成,能将光能转化为化学能,是细胞内的"能量转化车间"。大家思考一下叶绿体在哪些细胞中会更多一些?(叶肉细胞中)

3. 内质网

内质网是由单层膜围成的网状管道系统,在细胞质中的分布十分广泛,增大了细胞内的膜面积,为各种化学反应的进行提供了有利条件。内质网与蛋白质、脂质和糖类的合成有关,也是蛋白质等物质的运输通道。

4. 高尔基体

高尔基体由排列比较整齐的单层膜围成的扁平囊和小泡组成,植物细胞的高尔基体与细胞壁的形成有关,动物细胞的高尔基体与细胞分泌物的形成有关。

5. 溶酶体

是动物细胞中由单层膜围成的细胞器,内含多种酸性水解酶,执行细胞内消化作用,是细胞内的"酶仓库"。

6. 液泡

液泡是由单层膜围成的囊泡,内有细胞液。细胞液中溶解着一些有机小分子和无机的物质,使其具有一定的浓度。它与细胞的吸水有关。

7. 中心体

中心体存在于动物细胞和低等植物细胞中,每个中心体由两个互相垂直的中心粒组成,与细胞分裂过程中纺锤体的形成有关。

8.核糖体

核糖体是椭球形的粒状小体,有些附着在内质网及核膜的外表面,有些游离在细胞质中,是合成蛋白质的场所。

每种细胞器都有其各自的功能和相互联系。线粒体提供的能量可供细胞中各种代谢活动利用,而能量的释放是由一系列蛋白质组成的酶催化完成的,这些酶又是由细胞中的核糖体、内质网、高尔基体等参与合成加工的。例如人类唾液的分泌过程,先由核糖体合成唾液中的一些相关的酶,然后由内质网运输,高尔基体进一步加工并分泌到唾液腺细胞的外面。整个过程中,合成、加工、运输、分泌等所消耗的能量都依赖线粒体提供。所以,细胞中的各种细胞器既有分工又相互协作,共同维持着细胞的正常生命活动。

学生看书回顾教材知识并自己进行小结。(3分钟)

做基础训练练习题:先由学生独立完成,然后小组讨论,最后师生一起订正。(6分钟)

【教学设计说明】

学生在初中已经学习了细胞的显微结构,但对于细胞更细微的结构并不了解,所以通过两个小小的探究实验让学生对细胞的亚显微结构有一个初步的认识。在此基础上学生就会更主动地去了解各部分亚显微结构及其功能,最后可以举例引导学生分析各细胞结构之间的相互联系。

由于观察鸡肝细胞中的线粒体的实验染色时间较长,所以,在教学过程的安排上可以在上课初就让学生把该实验的前两步做完,等染色时间到了之后再继续学习有关线粒体的知识。

二、实验课

生物学是一门以实验为基础的科学,观察和实验是生物学基本的研究方法。现代生物学的发展是跟研究方法的进步分不开的,正是由于实验技术和手段的不断进步,才使得生物学从初期的描述性科学发展为今天的实验科学。可以说,生物学家通过实验发展了生物科学,同样的道理,学生也必须进行观察和实验,才能真正学好生物学基础知识和获得能力。高度重视观察和实验,是现代生物学的一个重要特征。总之,实验性是生物学的一个突出特点,实验教学是生物课程教学的重要内容、方法和形式。

实验课是在教师指导下,学生利用一定的仪器设备和材料亲自动手、独立操作的实验形式。按照实验的作用可划分为两种类型,一是通过实验结果去验证生物学理论和规律的验证性实验;二是通过实验结果去探究生物学规律的探究性实验。按照实验的组织方法来分,一般分为学生的独立实验和结合讲授内容进行的随堂实验。

教学案例:叶绿体色素的提取与分离
【教学目标】
1.知识目标
理解叶绿体中色素提取与分离的原理,学会叶绿体中色素提取与分离的方法。
2.情感态度价值观目标
培养学生的探究精神和严谨细致、实事求是的科学态度。
3.能力目标
掌握提取和分离叶绿体色素的方法;了解叶绿体中色素的种类;培养学生的动手能力和进行科学实验的一些基本技能。
【教材分析】
叶绿体中色素分离的原理相对比较复杂,只有真正理解了色素分离的原理,才能在实验过程中更好地、更正确地操作和把握,因此色素分离的原理是本节课的难点,色素分离的方法是本节课的重点。

课前准备的实验材料有:菠菜叶片、丙酮、石英砂、碳酸钙粉、层析液、研钵、漏斗、三角瓶、剪刀、滴管、培养皿、圆形滤纸、小试管、毛细吸管、尼龙布、脱脂棉、量筒、天平、药匙。
【教学过程】
1.提出目的要求

(1)掌握提取和分离叶绿体色素的方法。

(2)了解叶绿体中色素的种类。

2.分析实验原理

(1)叶绿体中的色素不溶于水,而溶于丙酮等有机溶剂,故可用丙酮等有机溶剂来提取色素。

(2)叶绿体中的各种色素在层析液中的溶解度不同,它们随层析液在滤纸条上的扩散速度也不同,一定时间后,各种色素就分布在滤纸条的不同位置而分离开。

3.提出注意事项

(1)丙酮和层析液都易挥发并且有毒,因此实验过程中应严格按照实验要求,研钵用滤纸覆盖,滤液试管用棉塞塞口,层析烧杯要加盖培养皿等。

(2)为了色素沿滤纸扩散同步,滤纸条要剪去两个角;在滤纸条上画滤液细线时要均匀,要细而直,并重复画几次。(为什么?)

(3)层析时,层析液千万不能没及滤液细线。(为什么?)

4.实验过程(学生完成)

(1)叶绿体色素的提取。

(2)叶绿体色素的分离。

5.分析讨论(先学生讨论,然后师生共同完成)

(1)试验成功的关键是什么?

(2)讨论画滤液细线的要求及原因。

(3)观察滤纸条上色素的种类和颜色。

【教学设计说明】

实验成功与否与学生对该实验原理的认识直接相关。因此,先进行实验原理的分析再进行实验,实验比较容易成功。也可以先不分析实验原理就进行实验,等部分同学实验出现失误以后再探讨和强调实验原理和注意事项也会取得较好的效果,不同班级可以采用不同的办法。

三、复习课

教学实践证明,学习生物学的宏观或微观结构的知识,如果不经过复习是不可能完全掌握的,往往复习所支出的时间并不少于首次学习所需的时间。复习的目的在于巩固知识,但是它又不仅仅是起巩固知识的作用,更重要的是改造知识,使知识结构化,提高知识的质量。在教学过程中,复习不只是学生的事,而且也是教师教学工作的重要组成部分。

生物复习课是指为了巩固、加深、扩展学生所学生物学知识而组织的一种生物课程教学形式。生物学知识的复习有经常性复习和阶段性复习两种:经常性复习包括引入新课前的复习、边教边复习、巩固新课的复习以及课后复习,其目的是及时巩固生物学知识,随时将新旧知识联系起来,并起温故而知新的作用;阶段复习包括章或单元复习和总复习,目的是把这一阶段所学的知识系统化,进一步巩固生物学知识。

教学案例:细胞的构成
【教学目标】
1.知识目标
复习细胞构成的相关知识,识记细胞的化学组成,理解并掌握细胞的基本结构,能够区别真核细胞和原核细胞。
2.情感态度价值观目标
培养合作学习精神。
3.能力目标
培养知识的综合能力,能够进行相关知识的整合。
【教材分析】
细胞结构是细胞生理活动的基础,是本章的重点和难点,在识记的基础上对各部分结构和功能之间进行综合联系,熟练掌握运用细胞结构知识解决实际问题。

【教学过程】

(一)复习串讲

1.细胞的化学组成

(1)构成细胞的化学元素

大量元素：C、H、O、N、P、S、K、Ca、Mg 等。

微量元素：Mn、Zn、Cu、B、Mo 等。

都是无机自然界常见的元素,说明生物界和非生物界具有统一性。

(2)构成细胞的化合物

①糖类：与班氏试剂煮沸产生砖红色沉淀。(还原糖检测)

②脂质：脂肪与苏丹Ⅲ出现橘红色。

③蛋白质：蛋白质遇双缩脲试剂显紫色。

④核酸。

⑤水。

⑥无机盐。

2.细胞的基本结构

(1)细胞壁

(2)细胞膜

(3)细胞质

①细胞质基质。

②细胞器：线粒体、高尔基体、溶酶体、中心体、核糖体、液泡、内质网、叶绿体,每种细胞器各有其结构和功能,细胞器之间既相对独立又相互联系。

(4)细胞核

3.真核细胞与原核细胞

真核细胞有核膜,有具膜的细胞器；原核细胞无核膜,无具膜的细胞器；原核生物向真核生物的进化极大地促进了生物界由低级向高级发展。

(二)列出本章的知识结构(由学生自己完成,15分钟)

选择学生中完成较好的知识结构进行投影展示,不完善部分给予指正。(3分钟)

细胞的构成知识结构图如下：

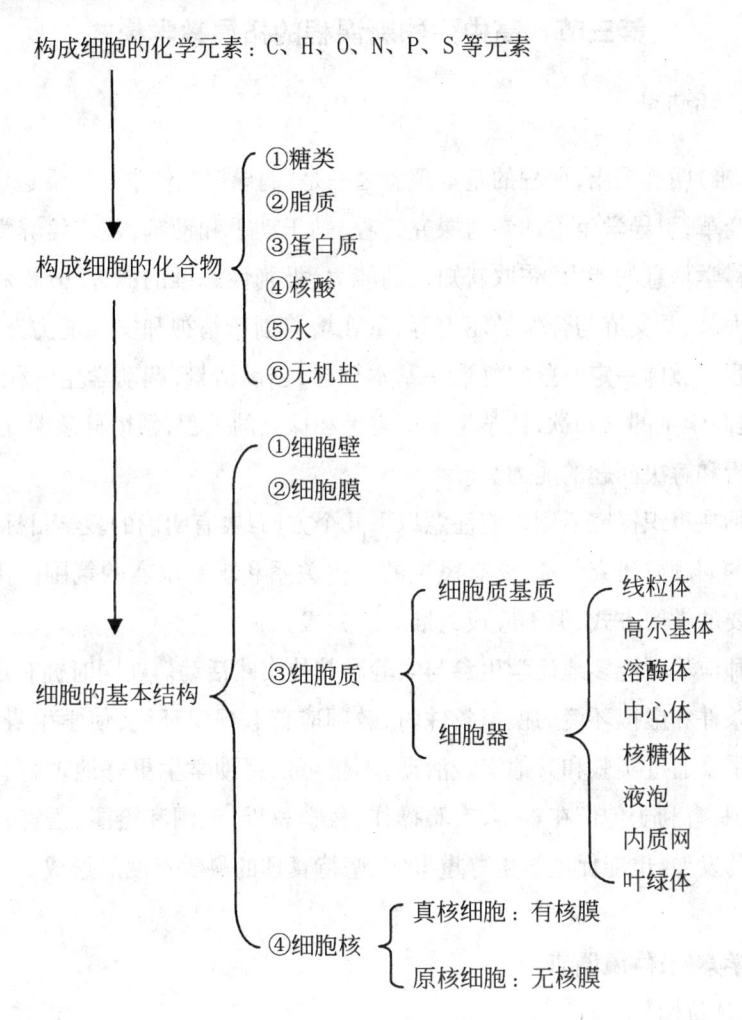

构成细胞的化学元素：C、H、O、N、P、S 等元素

构成细胞的化合物 { ①糖类 ②脂质 ③蛋白质 ④核酸 ⑤水 ⑥无机盐 }

细胞的基本结构 {
①细胞壁
②细胞膜
③细胞质 { 细胞质基质；细胞器 { 线粒体、高尔基体、溶酶体、中心体、核糖体、液泡、内质网、叶绿体 } }
④细胞核 { 真核细胞：有核膜；原核细胞：无核膜 }
}

(三)巩固练习

做基础训练单元练习。

【教学设计说明】

按照课本章节顺序，教师引导学生回忆教材相关内容，部分重要内容可以以提问的形式进行，将教材串讲一遍；然后由学生自己列出本章的知识结构，选择较好的投影展出；最后进行练习巩固。

第三节 高中生物新课程的拓展教学模式

一、活动课

《标准》明确提出,课程的基本理念之一是"倡导探究性学习",促进学生学习方式的变革,引导学生主动参与探究过程、勤于动手和动脑,逐步培养学生搜集和处理科学信息的能力、获取新知识的能力、批判性思维的能力、分析和解决问题的能力,以及交流与合作的能力等,重在培养创新精神和实践能力。因此,在教学过程中教师一定要落实好这一基本理念,创设情景,调动学生的积极性、主动性,提高学生的求知欲,让学生亲历思考和探究的过程,领悟科学探究的方法,提高分析和解决问题的能力。

教师在组织探究活动时应注意以下几个方面:要有明确的教学目标,要有值得探究的问题或研究任务,要有民主的师生关系和求真求实的氛围。探究性学习是重要的学习方式,但不应成为惟一的方式。

教师应尽可能多地让学生参与实验和其他实践活动。在同时拥有现实环境的实验条件和虚拟环境的模拟条件时,教师应首选现实环境,使学生身临其境、亲自动手。通过实验和其他实践活动,不仅可以帮助学生更好地理解和掌握相关的知识,有利于他们在观察、实验操作、科学思维、识图和绘图、语言表达等方面能力的发展,也能促进学生尊重事实、坚持真理的科学态度的形成。

教学案例:体温调节
【教学目标】
1.知识目标
了解机体产热与散热的平衡及意义;了解体温调节的过程。
2.情感态度与价值观目标
用辩证的观点看待人的体温过高或过低。
3.能力目标
培养学生调查、分析、总结、绘制原理图的能力。

第七章 高中生物新课程的教学模式

【教材分析】

本章的重点:体温调节的过程及意义。本章的难点:体温调节的过程及机理。

【教学过程】

(一)导入新课

上一节课,我们布置了一个活动,请同学们测量并记录一天当中不同时间外界环境和教室内的温度及体温,下面请一位同学展示一下你测量的结果。

学生用投影仪展示测量记录数据及根据数据绘制的柱形图。

温度与体温 (单位 ℃)

时间 环境	6:00	9:00	12:00	15:00	18:00	21:00	平均
室外	17.3	20.5	25.7	24.6	22.5	20	21.77
室内	22.5	25.6	27.6	26.9	25.7	24.6	25.48
体温	36.5	36.7	36.7	36.8	36.6	36.7	36.67

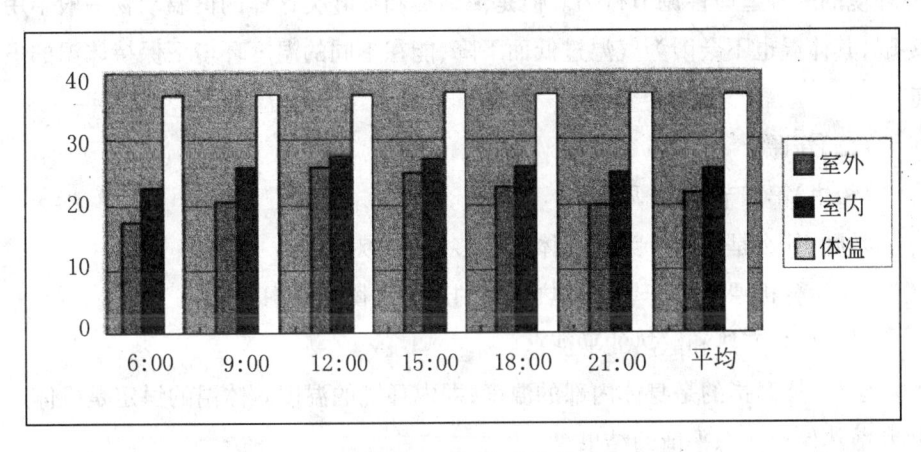

室内外温度与体温的关系

教师提出问题:

1.室外温度一天中的最高值和最低值相差多少?室内温度一天中的最高值和最低值相差多少?哪一个差值大?为什么?

2.体温一天中的最高值和最低值相差多少?与前两个差值相比,有什么特点?

学生根据展示的数据分析讨论后回答:

室外温度一天中的最高值和最低值相差8.4℃,室内温度一天中的最高值和最低值相差5.1℃,室外的温度差值要大一些,室内的温度差值要小一些。因为室内相对封闭,受外界环境影响较小,受人为因素如室内人数、通风情况等影响大一些。

体温一天中的最高值和最低值相差0.3℃,与前两个差值相比,体温变化幅度较小,相对来说保持稳定。

教师:我们经常会关注自己的体温,正常人体温一般在37℃左右保持相对恒定,哪些动物与人一样能保持体温恒定呢?它们又是如何保持体温恒定的呢?

学生:鸟类和哺乳类动物体温恒定。

教师:对。在冬天的时候,我们一般见不到青蛙、蛇等变温动物,因为天冷了它们要冬眠,而且它们的身体随寒冬的到来会变得冰冷。冬眠是一些动物对寒冷环境的一种适应性调节行为。但是像鸟类和哺乳类这样的恒温动物一般不用冬眠,其体温也不会因为气温过低而下降,能在不同的温度环境下保持体温的恒定。

(二)新课

(板书)第四节 体温调节

教师:什么是体温?为什么体温能够保持相对恒定?

(学生分析课本中产热和散热之间的动态平衡示意图)

(板书)1.产热和散热的平衡

学生:体温指的是身体内部的温度,即内环境的温度。体温的恒定是机体产热和散热保持动态平衡的结果。

教师:人体在生命活动过程中不断地产生热量,同时又通过一定的途径不断地散失热量,产热和散热保持了动态的平衡,从而使体温保持了相对恒定。空调就是根据这一仿生学原理设计制造的,我们布置了让同学们查找相关资料,了解变频空调的工作原理的作业,下面请同学们相互交流讨论一下有关的几个问题。

(教师通过上述内容引导学生进行探究活动"家用空调器的仿生学原理",并按实验步骤要求让学生绘出空调的工作原理图、人体体温调节的过程原理图。)

投影相关分析讨论问题:

1. 人体体温调节的过程和原理与空调的工作原理有哪些异同?
2. 讨论利用仿生学原理生产的仪器设备,能否达到生物体内的精度。
3. 列举其他仿生学研究的实例。

(学生交流讨论一段时间后,教师安排学生投影绘制的原理图,并加以点评。)

学生交流"分析讨论"中的问题:

1. 相同点是先探测感受外界环境的温度,然后做出相应的反应,通过产热或散热进行调节以达到平衡。不同点是人体的体温调节更加复杂、更加精确。

2. 生物体是一个高度复杂的有机整体,在神经和体液的调节下,各方面都能维持在相对稳定的状态,以适应各种变化的环境条件。生物的各种感觉器官,经过千万年的锤炼,无论在选择性、适应性、灵活性、灵敏度、抗干扰性、微型化等方面和我们目前各种自动装置中的传感器相比较,都优越得多。利用仿生学原理生产的仪器设备,是模仿生物体的调节机制,由于其调节机制单一,很难达到生物体内的精度。

3. 照相机、飞机、雷达、潜艇、超声定位仪,等等。

教师:在"分子与细胞"必修模块中,我们已经学习了细胞代谢的相关知识,下面请同学们阅读课本探究活动后的两段内容,并思考下面的问题。

产热的主要器官是什么?

产热的主要细胞器是什么?

主要能源物质是什么?

学生:产热的主要器官是内脏、骨骼肌和脑。安静状态下以内脏特别是肝脏产热为主,运动时以骨骼肌产热为主。

产热的主要细胞器是线粒体。

主要能源物质是糖类。

(通过以上几个小问题,使学生回忆以前所学的知识,加强了生物学有关知识的联系。)

教师:体温恒定是不是体温维持在一个数值上?体温是如何保持恒定的?

(板书)2.体温的调节

教师:教材中的图1-2-11是体温调节的机制,结合课文中的内容,分析讨论体温调节的机制,注意以下几个问题。

体温调节中枢在哪里?

哪些激素与体温调节有关?

寒冷及炎热环境下,机体怎样进行调节?

(教师一定要引导学生积极主动探究,使学生能掌握体温调节的过程和原理。)

学生通过分析讨论,得出结论:人的体温是产热和散热保持动态平衡的结果,因此不会稳定在一个数值上不变,而是稳定在一个正常的较小的范围内。体温调节的中枢在下丘脑。肾上腺激素和甲状腺激素可以促进机体氧化分解有机物,使机体产热增加。寒冷环境中机体通过一定的途径减少散热,增加产热;炎热环境中增加散热,减少产热。

教师:要是人体散热大于产热或产热大于散热时,会出现什么样的结果?体温为什么要保持相对稳定?

(板书)3.体温恒定的意义

学生讨论后回答,应注意:人体调节体温的能力是有限的,当长时间置身于寒冷环境中,机体产生的热量不足以补偿散失的热量,会引起体温降低;而在高温环境中时间过长,会因体内热量不能及时散失,导致体温升高。

教师:体温恒定是内环境稳态的一个重要方面,是生命活动正常进行的必要条件。相对恒定的体温可以保证酶在最适温度下发挥作用,以保证新陈代谢的顺利进行。

由于各种原因,如感染致病微生物、内分泌失调、机体受伤、肿瘤、毒物和药物作用等,人体有时会发烧,发烧是人体在应激状态下的正常生理反应,有其有利的一面。发烧时,人体会出现诸如新陈代谢速度加快、肝脏解毒功能增强、抗体生成多、白细胞增多等生理现象,能使病人抵抗疾病的能力提高。但体温过高或发热时间过长,对机体会有危害,甚至会有生命危险。因此,我们要正确对待发烧现象,不能盲目采取退热措施。

体温过低会使酶的活性降低,从而使新陈代谢发生障碍,严重时也会危及生命。

【设计思路】

教师应提前布置给学生两个任务:一是测量一天当中不同时间的外界环境温度、教室内温度及体温,将测量结果记录下来并绘制成图表;二是了解变频空调的工作原理和绘制原理图。在课堂上让学生将测量结果用投影仪展示给同学们,提出一系列相关问题引导学生思考讨论,发展学生分析问题的能力。学生学习的过程是在教师指导下进行的探究学习过程,能够体现新课标的课程基本理念。

二、研究性学习

上海教科院普教所和上海教委教研室于1998年开始的"研究型活动课程"研究,为高中学生开展研究型活动课程提供了相关的理论基础知识和研究方法指导。目的是要探究学校中培养学生创造能力的科学的、系统的方法。

研究性学习以学生的自主性、探索性学习为基础,学生在教师指导下,从学生生活和社会生活中选择和确定研究专题,主要以个人或小组合作的方式进行。通过亲身实践获取直接经验,养成科学精神和科学态度,掌握基本科学方法,提高综合运用所学知识解决实际问题的能力。在研究性学习中,教师是组织者、参与者和指导者。

设置研究性学习的目的在于改变学生以单纯地接受教师传授知识为主的学习方式,为学生构建开放的学习环境,提供多渠道获取知识,并将学到的知识加以综合应用于实践的机会,促进他们形成积极的学习态度和良好的学习策略,培养创新精神和实践能力。

在普通高中课程标准实验教科书《生物》(中国地图出版社)系列教材中,每一单元的每一章开始,都安排了一个课题研究。课题研究模仿或遵循科学研究的一般过程,选择一定的课题,通过调查、测量、文献资料搜集等手段,搜集大量的研究资料或事实资料,运用实验等研究方法,对课题展开研究,解决问题,并撰写研究报告或研究论文。当然课题研究更为重要的目的是让学生掌握科学研究的过程,体验科学研究的甘苦,培养学生发现问题、分析问题、解决问题的能力和探索创造的精神,并不期待学生有惊天动地的发明创造。

教学案例:种群的稳态与调节

【教学目标】

1.通过查阅相关资料和设计酵母培养条件,培养鉴别、选择、运用和分享信息及设计可行的实验方案的能力,培养科学的思维方式。

2.通过培养酵母,观察、搜集数据,利用数学方法处理和解释数据,主动构建科学模型。探究酵母种群数量变动,亲身体验和理解知识的形成过程,感悟种群变动的内在规律性,发展科学探究能力。

3.通过实验过程中的合作交流、信息共享,使全体学生共同发展;培养求真务实、客观公正的科学态度。

【教材分析】

生物圈中的每种生物都不是以个体的形式存在的,每种生物都组成一个集体,同时它们的数量也始终处于动态变化之中,在一定时间段内,生活在某一栖息地的每种生物的数量都有其发展变化的一般规律。研究某一地区某种生物的个体数量是科学家关心的基本问题,也与我们的生产和生活关系密切。同研究其他科学问题一样,在研究这一基本科学问题时,选择合适的研究材料对于科学研究的进展至关重要。酵母繁殖速度快、个体小,作为研究种群变化的材料,容易建立具有代表意义的科学模型。

可以与参与研究的同学相互交流实验过程的有关情况,实验前或实验过程出现某种问题也可寻求教师的帮助;对于家长或亲友从事有关微生物、生态学研究或者从事发酵工业化验、检验工作或卫生检疫工作的学生,可以从家长或亲友那里获取培养、计数酵母的基本方法;可以通过网络、图书馆查阅相关资料。

第七章 高中生物新课程的教学模式

【教学过程】

1. 课题小组成员查阅相关资料，准备好实验器具、材料、设计好实验方法和培养条件，设计计数的时间与方法，设计研究结果的记录表格。

2. 实施探究实验。酵母的培养和记数请参照下面的方法。

(1)培养基的配制。可采用豆芽汁蔗糖培养基。配制方法是：称新鲜豆芽100克，放入烧杯中，加水1000毫升，煮沸约半小时，用纱布过滤。用水补足原量，再加入蔗糖50克，煮沸溶化。98千帕，温度约120℃，灭菌20分钟。

(2)培养。无菌条件下接种适量啤酒酵母(或其他酵母)，在25℃、有氧、无菌条件下培养24小时。

(3)计数。可采用显微镜直接计数法计数。具体步骤如下：

①取样。从接种后开始，每隔1小时吸取一次样液，连续吸取24小时。培养后期，菌体浓度变大，可适当稀释(记录稀释倍数)。

②加样品。将清洁干燥的血球计数板盖上盖玻片，用无菌的细口滴管将啤酒酵母菌液由盖玻片边缘滴一小滴(不宜过多)，让菌液沿缝隙靠毛细渗透作用自行进入计数室。注意不可有气泡产生。

③显微镜计数。静止5分钟后，将血球计数板置于显微镜载物台上，先用低倍物镜找到计数室所在的位置，然后换成高倍镜进行计数。每个计数室选5个中格(可选4个角和中央的中格)中的菌体进行计数。位于格线上的菌体一般只数上方和右边线上的。如遇酵母出芽，芽体大小达到母体细胞一半时，即作为两个菌体计数。为了减小误差，计数一个样品要至少从两个计数室中计得的值来计算样品的含菌量。

④记录。将结果记录于下表中：(A表示五个方格中的总菌数；B表示菌液稀释倍数)

	各中格中菌数					A	B	菌数/ml	二室平均值
	1	2	3	4	5				
第一室									
第二室									

如果一个计数室有25个中格，计数的五个中格的菌数为A，菌液稀释倍数

为 B，由于一个计数室的容积为 0.1 立方毫米，因此 1 毫升菌液中的总菌数为：

$$N = \frac{A}{5} \times 25 \times 10 \times 1000 \times B = 50000AB \text{ 个}$$

将每小时计数的酵母种群数量填写在自己设计的表格中。

培养和记数过程要尊重事实，不能主观臆造，应真实记录。

3. 总结交流

根据设计要求绘制酵母数量随时间变化的曲线，对曲线的动态过程进行分析，分析影响曲线变化的有关因素。各小组总结自己得出的结果，相互比较，分析曲线差异的原因，共同建立种群数量变动的科学模型。

【教学设计说明】

课题研究一般需要学生在教师的指导下，独立或分组设计完成。让学生体验科学研究过程，不能按传统的老师教，学生记的方法进行。时间安排上应注意课题不能太大，应能够在课程方案要求的教学周期中顺利完成。学生最终写出研究报告并进行交流，这一点是非常重要的，通过课题研究，培养学生发现问题、分析问题、解决问题的能力和团结协作、积极探索、勇于创新的精神。

三、综合能力培养

生物学科综合能力，主要是指学生理解、掌握、运用生物学知识，并能从多角度、多层次地分析和解释自然界和社会生活、生产实践中的生物学问题的能力。

能力的形成必须要以知识的积累为基础，知识是能力的载体。在教学中必须要使学生牢固掌握基础知识，并按其内在联系有机地组合起来，形成完整的知识网络。这样既有利于知识的记忆和迁移，又能在应用时迅速而灵活地提取，从而培养学生学科内的综合能力。

生物与物理、化学、地理等联系密切，要注意学科间的交叉与整合，各学科间互为基础、互为条件、相互补充，从而培养跨学科综合能力。

学习生物学，应时刻关注社会、生活中的热点问题，寻找与生物教材基础知识的切入点，掌握好两者的衔接，并运用所学概念原理分析和解决新情境和现实生活中的实际问题，培养学生综合分析能力。

在生物实验教学过程中,要有目的地指导学生针对具体问题进行的实验设计、观察分析、结果预测等,加强训练,重视实验过程的原理与探究,以培养学生的实验综合能力。

教学案例:内环境与稳态
【教学目标】
1. 知识目标
理解细胞内液、血浆、组织液、淋巴之间的密切联系。说明稳态的生理意义。
2. 情感态度与价值观目标
认识生物体局部与整体的辩证统一关系。
3. 能力目标
通过实验,学会一些实验设计的方法、实验操作技术,培养实验综合能力。
【教材分析】
本章的教学模式是实验探究学习。本章的重点:内环境;稳态的意义。本章的难点:细胞内液、血浆、组织液、淋巴之间的密切联系。
【教学过程】
(一)导入新课
教师:在本章的课题研究中,同学们都设计并进行了实验,证明了血液在维持稳态方面具有重要作用。

血液循环系统是与动物新陈代谢有着密切关系的系统,承担着运输营养物质和代谢废物的功能。机体的绝大多数细胞不能与外界环境直接接触,因而不能直接与外界环境进行物质和能量的交换,细胞所需要的营养物质及所产生的代谢废物都要通过循环系统来运输,血液在这一过程当中起了至关重要的作用。

(二)新课
(板书)第一节 内环境与稳态
教师:(投影草履虫的显微照片)草履虫生活在水中,可以直接与外界环境进行物质交换,从水中获得营养物质,将代谢废物排到水中。对高等多细胞动物来说,机体的绝大多数细胞不与外界环境直接接触,必须通过内环境间接实现与外界环境之间的物质交换。

(板书)1.细胞与内环境

教师:与其他生物一样,人体内含有大量的液体,主要成分是水,里面溶解有多种物质,这些液体总称为体液,大约占体重的60%。这些液体都分布在人体的哪些地方呢?

学生:血浆、组织液和淋巴。

教师:这些都是存在于细胞外面的液体,细胞内有没有液体?

学生:有。

教师:细胞内哪些地方存在液体呢?

学生:细胞质基质、线粒体基质和核液。

教师:对,体液分两类:细胞外液和细胞内液。其中,细胞外液构成了体内细胞赖以生存的液体环境,称为内环境。

(投影图片)教材中的图1-2-2是细胞生活在内环境中,并与内环境进行物质交换示意图,下面请同学们仔细分析此图,注意几个问题:

血浆、组织液和淋巴之间有什么联系?

机体的细胞是如何通过内环境进行物质交换的?

你认为血浆、组织液和淋巴三者哪一个是最主要的?为什么?

(学生经过分析讨论回答)

学生1:血浆、组织液和淋巴可以相互交换。

学生2:淋巴不能渗透出来形成组织液。

(教师总结并用图解的形式表示出血浆、组织液和淋巴三者之间的密切联系。)

学生3:机体的细胞从内环境中获得营养物质,把代谢产物排到内环境当中。

学生4:血浆是内环境最主要的部分。因为血浆在血管中不断循环流动,在流动到毛细血管时,渗透出来形成组织液,给组织细胞提供氧气和养料,带走组织细胞产生的二氧化碳和其他代谢废物。因此血浆是内环境中最为活跃的部分,成为沟通各部分组织液、淋巴以及细胞内液的媒介。

教师：通过以上学习，我们可以理解，高等复杂的多细胞动物，体内的细胞通过内环境实现了与外界环境之间的物质交换。

细胞外液中血浆、组织液和淋巴三者之间的关系可表示如下：

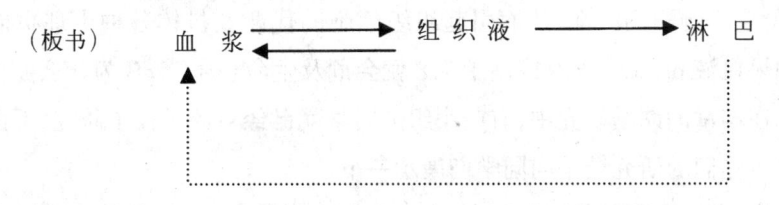

（板书）　血　浆　⇌　组　织　液　⟶　淋　巴

与外界环境不同，细胞所生存的内环境是保持相对稳定的。

（板书）2.内环境与稳态

教师：什么是稳态？内环境的理化性质你认为都有什么？请同学们阅读教材中这一部分的第一段和下面的相关链接。

学生：内环境的理化性质如温度、渗透压、pH、各种物质含量等维持相对稳定的状态称为稳态。

教师：好。下面我们进行一个探究活动"血浆渗透压和酸碱度对红细胞的影响"。课前同学们已经预习，并且计算好了配制不同浓度的 NaCl 溶液和不同 pH 的溶液所需已给溶液的量。现在我们根据自己设计的实验方案和课本中的活动程序，完成实验，按照相关链接中"红细胞破裂的判断标准"，仔细观察并记录好实验结果。

（投影红细胞破裂不同程度的照片，让学生参考。学生完成实验。）

教师：我们讨论两个问题。NaCl 溶液的浓度和溶液的 pH 对红细胞有何影响？红细胞破裂的原因是什么？

学生讨论后回答：

在浓度低于生理盐水的 NaCl 溶液中，红细胞会吸水膨胀以致破裂；在浓度高于生理盐水的 NaCl 溶液中，红细胞会失水收缩；在过酸或过碱的条件下，红细胞会破裂。

红细胞破裂的原因是因为在一定条件下，细胞膜不能保持原有的完整性。

教师：这一实验说明了什么问题？

学生：说明内环境只有保持在相对稳定的状态，机体的细胞才能完成正常的生命活动。稳态受到破坏，细胞就会受到影响。

教师：正常人血液的 pH 在 7.35—7.45 之间的小范围内波动，如果超过正常范围，就会影响酶的活性，从而引起组织细胞的代谢及机体各种生理机能的紊乱。如果血液 pH 低于 6.9 或高于 7.8 就会危及生命。血液 pH 为什么能保持稳定呢？在本章的课题研究中，有些小组的同学就已经对此进行了研究，下面请一位同学将你们的研究结果向同学们展示一下。

学生：人体在新陈代谢过程中，会产生许多酸性物质，如磷酸、硫酸、碳酸等无机酸以及乳酸、脂肪酸等有机酸。人的食物（如蔬菜、水果）中往往含有一些碱性物质，如碳酸钠。这些酸性和碱性的物质进入血液，就会使血液的 pH 发生变化。实际上，正常人血液的 pH 通常在 7.35—7.45 之间，变化范围很小。这是由于血液中含有许多对具有对酸碱度起缓冲作用的物质——缓冲对，如 $H_2CO_3/NaHCO_3$、NaH_2PO_4/Na_2HPO_4 等。缓冲对都是由一种弱酸和相应的一种强碱盐组成的，既能抗酸，又能抗碱，所以具有缓冲作用。例如，当机体剧烈运动所产生的大量乳酸（HL）进入血液时，或过多的碱性物质（碳酸钠）进入血液时，由于血液中缓冲对的调节作用，可以使血液的酸碱度不会发生很大的变化，从而维持在相对稳定的状态。

（投影如下图片）

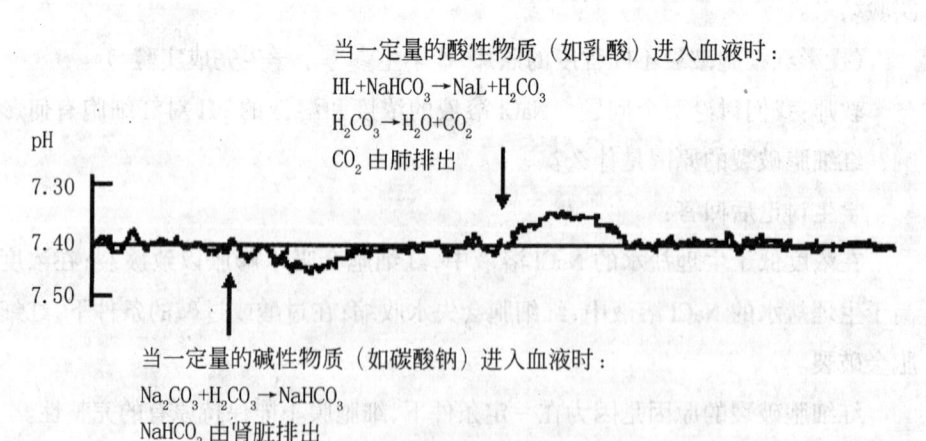

当一定量的酸性物质（如乳酸）进入血液时：
$HL+NaHCO_3 \rightarrow NaL+H_2CO_3$
$H_2CO_3 \rightarrow H_2O+CO_2$
CO_2 由肺排出

当一定量的碱性物质（如碳酸钠）进入血液时：
$Na_2CO_3+H_2CO_3 \rightarrow NaHCO_3$
$NaHCO_3$ 由肾脏排出

血液的酸碱度一旦偏离了正常值,人体就会出现酸中毒或碱中毒的症状。酸中毒会导致中枢神经系统、心血管系统等的功能障碍,病人会出现嗜睡或昏迷、脑组织能量供应不足、血压降低、心肌收缩力减少、心律失常等症状,严重时会引起病人休克或死亡。碱中毒会导致中枢神经系统兴奋性增强、神经肌肉功能障碍和呼吸功能的变化等,病人表现为烦躁不安、精神错乱、手足抽搐、肌肉无力或麻痹、机体缺氧等症状。

(三)总结

通过本节课的学习,我们理解了稳态的重要意义。除了血液 pH 以外,内环境中的体温、血糖含量、水的含量、无机盐离子浓度等也要保持相对稳定。稳态对维持细胞的形态和保证细胞行使正常的生理功能具有重要的意义。

【教学设计说明】

本节内容是整章的基础。首先要让学生了解细胞与内环境的密切联系,这一部分知识,学生已经在初中有所了解,可以让学生根据教材中的图 1-2-2,分析细胞内液、血浆、组织液和淋巴之间的关系,明确液体流动的方向,理解物质如何进行交换。关于内环境与稳态,教材当中安排了一个探究活动"血浆渗透压和酸碱度对红细胞的影响",因此这节课要在实验室内完成。课前需要学生预习,根据相关学科的知识,计算好配制不同浓度的 NaCl 溶液和不同 pH 的溶液所需已给溶液的量。血浆渗透压与酸碱度的稳定,还涉及物理、化学的知识,因此,通过本节课的学习,培养学生分析问题、解决问题的能力、学科间综合能力、实验设计及操作能力。

四、现代信息技术与生物教学的整合

人类已进入信息时代,因此在信息技术条件下,我们必须用新的理念来认识新课程。2000 年 10 月,时任教育部部长的陈至立在全国中小学信息技术教育工作会议上,针对当时中小学信息技术教育及其他学科教育的实际情况,第一次明确指出:"要努力推进信息技术与其他学科教学的整合,鼓励在其他学科的教学中广泛应用信息技术手段,并把信息技术手段与其他学科教学融合起来。"

从现代教育理念看,信息技术与课程的整合,不仅仅是把信息技术作为辅助教师的演示工具,而是要使现代信息技术手段与生物学科教育融合为一体,从而提高教育质量,适应现代社会对教育的需求。整合的主要目的:一是使学生在学科教学中有效地学习使用信息技术,培养学生的信息素养;二是通过整合使学生在学科教学中提高学习的主动性,提高学习的质量和效率。

教学案例:生物多样性简介
【教学目标】
1.知识目标
了解生物多样性的三个层次;理解生物多样性的含义及生物多样性三个层次的关系。
2.情感态度与价值观目标
理解保护生物多样性的重要意义。
3.能力目标
培养学生识图、分析能力;应用互联网查询资料的能力。
【教材分析】
本章的教学模式是应用网络信息进行探究性学习。本章的重点:生物多样性的三个层次。本章的难点:生物多样性三个层次的意义。
【教学过程】
(一)情景导入
1.教师通过投影使学生明确本节课的学习目标,要完成的任务与方法。然后向学生展示一系列图片、图像资料,内容为我国不同地区的不同气候、复杂的地貌、多种多样的生物类群,给学生一个视觉上的冲击,让学生先对生物多样性有一个直观的认识。
2.向学生提出问题:什么是生物的多样性?包括哪几个方面?
学生活动:明确学习目标和学习方法;观看教师展示的资料,阅读课本第一段内容,回答教师的问题(生物多样性反映了地球上的植物、动物、菌类等在内的一切生命各不相同的特征及其生存环境,它们相互存在着错综复杂的关系,包括遗传多样性、物种多样性和生态系统多样性)。

(二)自主探究

1.遗传多样性

教师提出问题:什么是遗传多样性?分哪几个层次?教师可将学生分为几个组,布置学生进行信息搜索,各组总结并准备相互交流。

学生活动:通过互联网搜索。

http://www.eedu.org.cn/Article/Biodiversity/Diversifying/200404/232.html

http://www.eedu.org.cn/Article/Biodiversity/Diversifying/200404/239.html

http://www.eedu.org.cn/Article/Biodiversity/Diversifying/200404/229.html

http://www.enviroinfo.org.cn/Biodiversity/index.html

http://www.biodiv.gov.cn/swdyx/145804037936119808/20040226/1046355.shtml

教师指导学生阅读课本,并根据搜索的信息回答教师提出的问题:遗传多样性主要是指物种内不同种群和个体间的遗传变异总和,也称为基因多样性,包括分子、细胞和个体水平3个层次的多样性。分子水平的多样性分为DNA的多样性和蛋白质的多样性。

探究活动:遗传多样性分析。

教师指导学生对教材中"翅果油树的3个种群的DNA聚类图和蛋白质聚类图"进行分析,并讨论后面的问题。

学生通过互联网搜索,进行交流分析。回答分析讨论中的问题。

http://www.biodiv.gov.cn/swdyx/145804037936119808/20040226/1046355.shtml

http://www.cbcf.org.cn/kpyd/kpwj/0105.htm

http://www.e8e.net/tvguide/onlinestory/dsmh/20040523/100230-2.shtml

2.物种多样性

教师提出问题:什么是物种多样性?布置学生分组进行信息搜索,各组总结并准备相互交流。

学生活动:通过互联网搜索。

http://www.buu.edu.cn/home/campus-cult/lvfengshe/hbzs/32.htm

http://www.ee-cn.com/Article/ecology/ecologyth/communityeco/200404/175.html

http://www.eedu.org.cn/Article/Biodiversity/Species/200405/935.html

http://www.eedu.org.cn/Article/Biodiversity/Species/200405/936.asp

http://www.eedu.org.cn/Article/Biodiversity/Species/200404/327.html

http://www.cbcf.org.cn/kpyd/kpwj/0203.htm

教师指导学生交流信息,理解物种多样性、保护及意义等。

物种多样性是物种水平的多样性,是用一个区域的物种种类的丰富程度和分布特征来衡量的。我国是世界上物种多样性最丰富的国家之一,但大量物种处于濒危状态,应采取措施加以保护。

3.生态系统多样性

教师提出问题:什么是生态系统多样性?布置学生分组进行信息搜索,各组总结并准备相互交流。

学生活动:通过互联网搜索。

http://www.cbcf.org.cn/kpyd/kpwj/01index.htm

http://biodiv.coi.gov.cn/hyswdyx/dyx3.htm

http://biodiv.coi.gov.cn/hyswdyx/dyx2.htm

http://www.szerc.com/kejian/gz/zhm/study/pagegncc.htm

http://www.coi.gov.cn/hygb/hyhj/20shjimo/huanji7.htm

http://www.cbcf.org.cn/kpyd/kpwj/0204.htm

http://www.biodiv.gov.cn/swdyx/1458040379361198O8/20040226/1046354.shtml

教师指导学生交流信息,理解生态系统多样性、保护及意义等。

生态系统多样性是指生物圈内生境、生物群落和生态过程的多样化,以及生态系统内生境差异和生态过程的多样性。我国自然条件复杂,因而有复杂的生态系统类型。我国生态系统受威胁的情况十分严重,以森林生态系统为最。

教师在以上教学内容完成之后,提出问题:生物多样性的三个层次之间有什么关系呢?

学生活动:分析中图版高中生物教材中的图 4-2-7 并通过互联网搜索。

http://www.scau.edu.cn/wlkj/sht/ycjx1/ntecochap4.htm

http://www.szerc.com/kejian/gz/zhm/study/pagegncc.htm

遗传多样性导致了物种的多样性,物种多样性与多种多样的生境构成了生态系统的多样性。人类文化的多样性也可认为是生物多样性的一部分。人类文化(如游牧生活和移动耕作)的一些特征表现出人们在特殊环境下生存的策略。文化多样性有助于人们适应不断变化的外界条件,文化多样性表现在语言、宗教信仰、艺术、音乐、社会结构、作物选择、膳食以及无数其他的人类社会特征多样性。

(三)协作交流

这一教学流程贯穿在第二部分自主探究学习过程当中。教师要对学生的交流进行组织,并对交流的情况及时进行点评、引导,以保证交流的准确有效。学生要做好信息的汇总、交流等工作。

(四)反馈与评价

教师根据教学内容,适当进行练习并根据学生情况进行点评。学生要积极思考,完成练习,巩固知识。

(五)归纳总结

在学生交流的基础上,帮助学生形成较为完整的知识体系,结合我国实际情况,使学生对我国生物多样性现状有清醒的认识,形成强烈的保护意识,并落实在实际行动当中。

【点评】

本节课运用网络信息技术进行组织教学,可以提高学生的学习兴趣,扩大学生的视野,培养学生的自主探究能力、协作交流能力、归纳总结能力和语言表达能力等。充分运用互联网上丰富的资源,使学生体验到现代信息技术带来的学习方法与环境上的革命。本节课采取情景导入、自主探究、协作交流、反馈与评价、归纳总结等一系列流程来组织教学。关于现代信息技术与生物教学的整合教学模式,还有待于进一步研究。

第八章

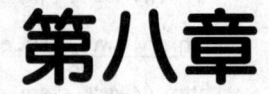

高中生物新课程的教学实施

第一节 高中生物新课程的教学原则

教学原则是根据教育目的和教学过程的主要规律制定的教学工作的基本要求,是教学实践经验的总结。教学原则在教学理论体系中占有重要的地位,它反映了一定的教育、教学目的对教学过程的基本要求,是教学过程中教师的教和学生的学的基本依据。教师要有效地进行教学工作,学生要顺利地完成学习任务,就必须遵守教学原则,并把它贯彻于教学实践活动的始终。

一、主体性原则

在新课程的教学过程中,学生是学习的主体、发展的主体,学生的学习和发展只有通过他们自己的学习实践才能实现。为体现主体性原则,可以从三个方面入手:首先,要在学习过程中充分发挥学生的主动性,要能体现出学生的首创精神;其次,要让学生有多种机会在不同的情境下,去应用他们所学知识(将知识外化);第三,要让学生根据自身行动的反馈信息来形成对客观事物的认识和解决实际问题的方案(实现自我反馈)。以上三点,即发挥首创精神、将知识外化和实现自我反馈可以说是体现主体性原则的三个要素。应注意:(1)尽可能多地为学生提供独立活动的机会、时间和空间。(2)主体性学习应有"质"的规定,学生主动参与的要求必须正确、有层次、可操作,时间必须充分合理,形式也要多样,还应是全员、全程、全方位参与;主体性学习的实质是要有学习的积极性、主动性、独立性和创造性,强调学生参与的广度和深度。

二、发展性原则

发展就是必须在课堂教学活动中体现学生的能动作用,使外在的教学环境与条件适应不同层次学生的各自不同的心理特征,借助学生在兴趣、动机、意志等方面的心理优势促使其人格的和谐提升,在认识客观世界的同时认识和塑造自我的过程。现代心理学告诉我们:学生是发展中的人,其生理、心理、知识、能力、经验都处于发展之中,处于不成熟、不完善的状态。这种发展包括两个方面,一是认知水平的发展,二是人格的发展,也就是说,学生在获取知识的过程中既要学会学习,也要学会做人。二者相得益彰,和谐统一。创新教育是发展性教育,其宗旨就是实现学生认知和个性的和谐发展。

三、创新性原则

教师在课堂教学中要锐意开拓,冲破传统思维和教学模式的篱笆,用新异的方式处理问题,以达到培养学生创新思维和创新能力的目的。进行创新思维训练时,至少要做到三点:(1)选择多种结论的问题,否则思维容易缠绕在一棵树上无法散开。(2)培养学生思维的流畅性、变通性和精确性,尤其要在变通性方面下工夫。(3)鼓励学生大胆运用假设,对一个问题提出的合理假设越多,创新的可能性就越大。

四、开放性原则

创新教育过程应该是一个开放的教学空间。一是学生在课堂教学中的心态是开放的、自由的、不受压抑;教师对学生的差异进行"分层教学",心中只存在有差异的学生却没有"差生",因"人"施教,促进学生的个性发展。二是教学内容既不拘泥于教材,也不局限教师的知识视野,鼓励学生把知识与社会和生活联系在一起,善于从阅览室、媒体、互联网"下载"知识。三是教师要重视对学生进行开放性的思维训练,不能轻率地否定学生的探索,使学生的学习过程产生丰富多彩的学习体验和个性化的创造表现。四是教学方法不能局限和满足于课本,不能受权威及所谓的"标准答案"的制约等。教材和课堂不能为一切问题提供全部答案,学生要学会从不同角度、不同层面上从条件或资料中梳理或提取出结论,训练自己分析、推理和整合的能力。

五、民主性原则

教学中要求的"民主",就是要通过教师和学生建立起新型、平等、和谐的师生关系,达成情感水乳交融、信息良性循环、充满朝气的课堂生态。张扬民主的课堂教学强调教育教学过程中要形成有利于创新的民主氛围,如师生关系、教学环境、学生自由发展度等,以体现师生之间、学生之间的民主、合作的和谐关系。表现在:(1)教师要爱每个学生,学生亲师信道。(2)教师和学生在人格上是平等的。(3)彻底改变了满足于满堂灌、一言堂的弊病;教学过程要使师生间、学生间互动的信息传递和情感交流通畅而不淤滞,教学气氛要宽松、融洽,师生双方在追求知识的过程中身心俱醉、如沐春风。

六、问题原则

问题即思维,一切探究、发现、创新都是围绕问题展开的。课堂教学中,教师要以教材为凭借,问题为线索,引导学生不断探索新知,不断进入自己的"最近发展区"。首先,教师在课堂上设计问题一定要注意新颖性与层次性,问题要有思考价值和可探索的余地,多设计"为什么"和"怎么样"之类的问题,少问简单的"是什么"之类问题,以让学生通过问题激发学生思维或让学生动脑思考、讨论,要鼓励、诱导学生的求异思维。其次,教师不能直接向学生提供现有的结论或解决问题的方法,应当让学生通过自己的探索去发现;同时,不仅要重视学生思维的结果,更要重视学生思维过程和解决问题的策略。第三,教师要善于启发学生提出问题。教师在课堂上一定要创设问题的环境,容忍学生幼稚的甚至荒诞的想法,使学生逐步做到想问、敢问和善问。

七、活动性原则

活动是人的天性,活动能最大限度地激发学生的兴趣与动机,使他们生动活泼地得到发展。活动即实际参与。美国教育家彼得·克莱恩说:"学习的三大要素是接触、综合分析、实际参与"。把实际参与看成学习的最高水平,这是因为在活动中和实际参与中学习知识,易于遇到新情况和新问题,这就是创新的过程。课堂教学中应设计具有明显操作性的自主学习式的活动,多采用启发式、发现法和研究法,在这些活动中优化认知结构。

八、激励性原则

包括成功激励、评价激励等。成功激励要重视学生的个人感受,强调让学生获得成功的经验,从已有的成功中获得激励,从而增强创新的动机、热情和信心,主动去争取新的成功,这是"创新"的动力因素。评价激励就是评价学生的出发点和落脚点,是寻找学生的成功和进步;评价要以学生个体表现为参照系,即强调每个学生在自己原有的基础上的进步,坚持表扬、激励,对学生的不足要宽容,使学生不感到任何压力,乐意去做和学。

九、综合性原则

课堂教学是一个复杂的开放体系,教师必须以系统论为指导,充分挖掘和发挥教学体系中各种因素的资源优势,合理配置教学资源,以提高课堂教学效益。这项原则要求运用教学方法和教学媒体的综合优势,以实现教学过程的整体优化。它包括传统教学手段与现代化媒体的有机结合,实现多媒体的组合教学;也包括教法与学法的协调统一,相互补充,实现教与学的均衡发展;还包括学生内在因素与教学环境和条件的相互适应,尤其是在注重传统的意识领域优势的同时,加强对无意识领域资源的开发,充分发挥暗示、移情等对课堂教学的积极作用,获得最佳的教学效果。

第二节 高中生物新课程的教学策略

教学策略(instructional strategy)在教育心理学中是指教师的教学是有计划地引导学生学习,从而达到教学目标所采用的一切方法。广义地理解是指一般教学上所考虑采用的教学取向。狭义地理解是指用于某种科目的教学方法。从教学取向来说,教学策略可分为两种,一种是以教师为主导的教学策略,另一种是以学生自学为主导的教学策略。从狭义的教学方法来说,教学策略的分类则是五花八门。这里,只介绍几种与生物教学及我国第八次课程改革关系比较密切的常用的教学策略。

一、基于教学内容的教学策略

(一)形态结构、概念、原理、规律的教学策略

1. 生物形态结构的教学

(1)教学特点

生物的形态结构是生物的生活习性和生理功能的基础,在高中生物新课程中占有一定的比重。形态结构部分,不但专用名词较多,而且内部结构较细微、复杂,学生难以想像和记忆。因此教学过程中应根据信息加工理论,积极引导学生参与信息的输入、加工、贮存、输出过程,以提高学生的记忆水平。其教学的主要过程是:激发注意、主动获取信息→双重编码、深入加工信息→加强联系、有效贮存信息→反复提取、正确输出信息。

例如,细胞膜的亚显微结构,首先介绍细胞膜是细胞的界膜,担负有保护细胞内部的作用,同时细胞代谢需要与外界交换物质和能量,细胞膜又担负着物质交换的"重任";另外可用熟知的"输血"问题,引发出"凝集原"与细胞膜的识别功能。"结构总是与功能相适应的",这易于激发学生学习细胞膜结构的兴趣。通过对挂图、模型的观察和感知,分析细胞膜的各种化学成分及其在空间上的配置情况,如磷脂以双分子层的形式构成了膜的基本骨架,蛋白质则镶嵌在膜上,或贯穿在膜中,多糖链则和蛋白质结合成糖蛋白分布在膜的表层,使学生在主动获取信息中,形成正确表象。其次,通过对细胞膜的结构特点的分析,结合变形虫的吞噬过程,对获取的信息进行双重编码、深入加工,让学生意识到膜的流动性是其完成功能的基础。第三,将结构与功能相联系,在理解的基础上形成记忆,有效贮存信息。第四,通过各种举例和练习,反复提取和应用相关的信息,使之得到巩固、强化并能正确输出,以至形成长期记忆。

(2)教学的主要策略

①激发注意,有效输入信息。学习者对学习活动的间接兴趣、智力活动的积极性及生理和情绪状态是影响注意的三个主要因素,讲授新课前应创设情境激发学生的学习兴趣,以积极的状态接收信息。教学过程中,要借助各种教学媒体,引导学生观察、启发学生思维,调动学生智力活动的积极性,维持学生注意力,提高学生信息加工水平,营造良好的教学环境、和谐的师生关系、平等互助的教学气氛,进行积极的情感交流。

②多角度参与,精细加工信息。学生对所接收信息的加工程度,直接影响信息的贮存和提取。教学过程中应充分利用各种媒体,从不同侧面客观真实地反映有关结构的平面与立体状态,了解各结构间的相互关系,以形成正确的表象;提供机会让学生参与听、说、看、摸、做等活动,加深对相关结构的认识;发挥学生知觉系统的功能,强化信息的叠加效果,增强记忆;通过图像与语义的有机结合,对有关结构实行双重编码,进一步提高学生的抽象记忆水平。比如学习线粒体的结构时,可让学生比较线粒体与叶绿体的异同:都是双层膜细胞器,都与能量代谢有关,但一个储存能量一个释放能量;都有少量DNA、RNA,遗传上都有一定的独立性;都有增大反应面积的"手段",但一个靠形成"嵴",一个则靠"片层结构"垛叠;都有大量的酶,但酶附着的场所不完全相同;等等。通过对比,精细加工信息,有利于学生形成鲜明的表象。

③加强联系,有效贮存信息。孤立地记忆有关形态、结构的名称是比较困难的,因为它没有一定的逻辑性和系统性,若将它与其功能或生活习性联系起来,就比较容易记住。还可以通过联想达到记忆,并将新知识纳入学生原有的认知结构,形成系统的知识。如对细胞膜糖蛋白功能的理解,有些学生就把糖链想像成"天线"、"触角"等,这显然与其对细胞识别和接受信息功能的理解有直接的关系。

④提取和应用,巩固信息。获得的信息只有经常提取应用,才能得以巩固。在形态结构知识教学中,学生通过识别图像、模型,绘制结构简图,编写结构纲要及功能与结构的联系,类似结构的归类比较等,不断提取和应用有关信息,使之得到巩固和强化。为什么脂类物质能优先通过细胞膜?细胞膜的选择透过性主要与磷脂还是蛋白质有关?这类小问题的解决就能起到这样的作用。

教学案例:"真核细胞和原核细胞"教学片段

教学内容:中国地图出版社(简称中图社)高中教材,"分子与细胞"模块,第一单元第二章中真核细胞和原核细胞。

教师:通过刚才的探究活动,在显微镜下你看到的大肠杆菌和酵母菌在形态结构上有何不同?

学生:在相同的放大倍数下,大肠杆菌要比酵母菌小许多。

教师:我们为什么要专门把大肠杆菌和酵母菌放在一起观察比较呢?就是因为它们分别代表了两类生物。

学生:原核生物和真核生物。

教师:对,酵母菌带一个"菌"字,是不是细菌?

学生:它是真菌,属于真核生物。

教师:原核生物和真核生物包括哪些类群?

学生1:原核生物包括细菌、放线菌、蓝藻、衣原体、支原体、立克次氏体等单细胞生物。

学生2:真核生物包括自然界各种类型的植物、动物、真菌等。

教师:大家请看教材中的图1-2-13电镜下的原核细胞和真核细胞图像及其细胞模式图,请某某同学到前面板演,画出其大致结构,注意要体现其结构的最主要的区别。

(学生画图,教师巡回指导……)

教师:原核细胞和真核细胞结构上最主要的区别是什么?

学生:细胞内遗传物质是否有核膜包被是原核细胞和真核细胞的最重要的区别。

教师:对,当然原核生物和真核生物在结构上还有很多不同之处,下面请看投影大屏幕上对这二者的比较表,记住它们的相关区别。

	大小	细胞壁	细胞质	细胞核	遗传物质
原核生物	体积一般较小,直径0.2~10微米	由肽聚糖组成	没有复杂的膜性细胞器,有核糖体	有核膜和核仁	核中有一定数目的染色体

(续表)

| 真核生物 | 体积较大，直径10~100微米 | 由纤维素、果胶组成 | 有以膜系统为基础的复杂的细胞器，如线粒体、内质网、高尔基体等 | 无核膜和核仁 | 拟核中只有一条"裸露"的DNA分子 |

……

点评：该教学片段注意了在"形态结构"教学方面的"信息"整理，通过实物观察、读图、绘图、表格归纳等方式，从不同角度和侧面不断提取和应用有关信息，使之得到巩固和强化，并适当拓展学生的知识视野，可让学生对原核和真核细胞的结构形成一个完整的"印象"。

2．生物学概念的教学

（1）教学特点

概念学习实质上就是掌握同类事物共同的本质的特征。如何选择有代表性的事物，怎样引导学生进行归纳比较，揭示事物的本质特征，如何用简洁准确的语言给予定义，又怎样通过辨析达到强化，是上好这类课的关键。从概念获得的过程看，主要有两个途径：一是概念的形成，二是概念的同化。

①概念的形成。对于缺乏相关知识的新概念，学生必须凭借思维，从一定的事物与现象中提取其本质特征，加以总结，并用语言给予界定，它是概念获得的初级形式。概念形成的主要教学过程是：列举事实分析特征→突出要点揭示本质→分析比较明确外延→准确表达给予定义→实际运用达到巩固。例如酶的概念：a．根据学生的基础知识和生活经验，列举常见的现象让学生分析，如加酶洗衣粉为什么需要在温水中使用效果更好？b．通过分析、比较揭示酶的本质，用简洁、准确的语言加以界定。给概念下定义时，首先要明确概念的属性，然后再充实它的要素。酶的概念是：活细胞产生的一类具有催化功能的生物大分子，其中绝大多数的酶是蛋白质（中图社教材"分子与细胞"）。其中"具有催化功能的生物大分子"是概念的内涵，它反映了酶的本质特征。"活细胞产生"、"绝大多数的酶是蛋白质"是从来源和化学成分上反映了酶的属性，因此，是概念的外延。由于概念的内涵和外延是从不同的方面反映了同一事物特有的本质。教师只有明确了概念的内涵和外延，并对概念作全面的分析，才能在教学中准确地揭示概

念的内涵,明确外延。做到概念讲解确切,重点突出,条理清楚,使学生能顺利地形成概念。概念作为思维的基本单位,只有当学生掌握它后,才能对生物学知识进行判断和推理,才能正确地进行思维,并清晰、正确地表达生物学思想。c. 通过应用加深理解。例如,可从新疆哈密瓜特别甜的道理入手,分析在温室栽培作物时应该如何控制昼夜温度来影响酶的活性以提高产量;也可从为减轻对胃黏膜的刺激而把某些药物装入淀粉纸制成的胶囊的道理,加深理解酶的催化特性。

②概念的同化。新概念与学生原有概念有一定的联系,可以通过派生、深化、限定或上下位关系等,引申出新的概念。其教学过程是:首先了解新概念与学生原有概念的关系,在原有概念中寻找新概念的固着点,并揭示两者之间的关系,如上位关系、下位关系、并列关系,引导学生将新概念纳入原有的认知结构中,建立新的概念。例如"群落"这一概念是在"种群"这一概念的基础上通过延伸、扩展形成的,其教学过程是:展示一幅生物群落图,从中找出各种生物,进而复习种群的概念,然后分析各种群之间的关系,如竞争、捕食、共生、寄生及一些间接关系,引申出"群落"的概念。明确群落是由多个种群构成的,各种群之间必须具有直接或间接的关系,种群受时间和空间的限制,因此群落也必须是指一定的时间和一定的自然区域内多种生物的总和。两者间是一种从属关系,由此将群落纳入种群的认知结构中,使之形成联系。同理,在"群落"的基础上可以引申出"生态系统"、"生物圈"等概念。然后将个体→种群→群落→生态系统→生物圈联系起来进行比较,揭示其内在联系。

(2)教学的主要策略

①注重系统性。生物学概念之间具有较强的隶属关系,可以根据生物的分类原则和进化顺序,对有关概念进行归类,使学生对概念间的相互关系有比较明确的认识,并可用"树图"表示。

生物学概念间又有较强的层级性和包容性,有一定的层次关系,可以按一定的结构关系联系起来。例如,生命系统可形成"元素→化合物→原生质→细胞→组织→器官→系统→个体→种群→群落→生态系统→生物圈"这样由微观到宏观的层次;而生存斗争的内涵可用一组大圆圈套小圆圈的"集合"关系表示(如下图),如果能从中选出正确的一项,那么种内斗争、种间斗争、生物与无机环境的斗争以及竞争、捕食、寄生等概念的外延宽窄肯定就了然于胸了。

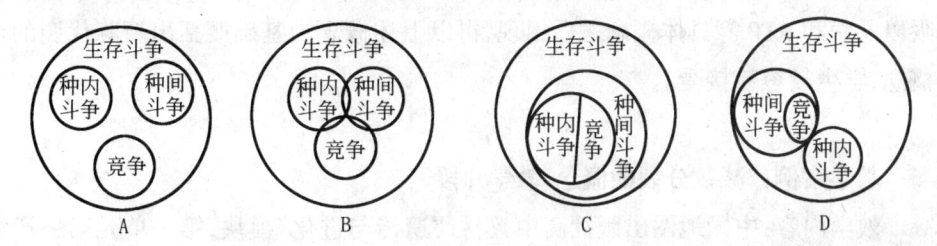

```
   生存斗争           生存斗争            生存斗争            生存斗争
  ┌─────┐          ┌─────┐           ┌─────┐           ┌─────┐
  │种内 种间│        │种内 种间│         │ 种内 种 │         │种间 竞 │
  │斗争 斗争│        │斗争 斗争│         │ 斗争 竞 间│        │斗争 争 │
  │         │        │  竞争   │         │     争 斗│        │   种内 │
  │  竞争   │        │         │         │        争│        │   斗争 │
  └─────┘          └─────┘           └─────┘           └─────┘
      A                B                  C                  D
```

②注重渐进分化。因为从已知的较一般的整体中分化细节比从已知的细节中概括整体容易一些,所以生物概念的教学以下位学习为主,从具有概括性或包摄性较强的上位概念入手,通过层层剖析的方法从整体到部分到细节地学习有关生物学概念。"染色体→DNA→基因"的学习层次显然要比"脱氧核苷酸→脱氧核苷酸长链→双螺旋结构→有遗传效应的片断→基因"这种顺序获取"基因"的概念更能"得风顺水"。

③注重综合贯通。即重视概念间的相互关系,将新概念及与之易混淆的相近或相反的概念进行比较和分析,发现彼此的异同点。如显性基因与隐性基因、等位基因与非等位基因构成概念组,再与其他相关概念联系起来构建概念网络,可以深化对概念的理解。例如,学完"遗传"和"变异"后,从纵、横两方面将与基因有关的概念联系起来,揭示其内在联系,以求巩固、深化、发展和运用概念(如下图)。

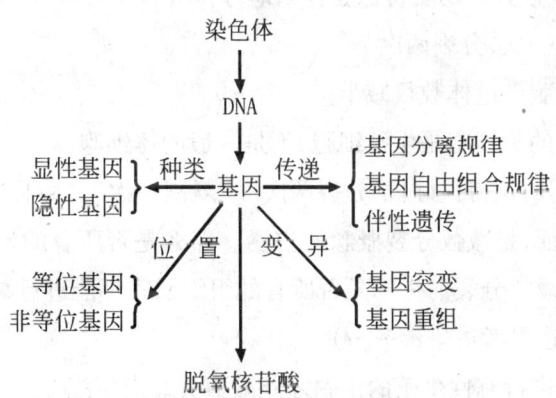

```
                    染色体
                      ↓
                     DNA
         显性基因   种类 ↓  传递   基因分离规律
         隐性基因}←─── 基因 ───→ 基因自由组合规律
                    位  变                伴性遗传
                    置  异
         等位基因}                         基因突变
         非等位基因                      { 基因重组
                      ↓
                   脱氧核苷酸
```

与基因有关的几个概念之间的关系

④注重循序渐进。注意调整概念的教学顺序,使概念学习的逻辑顺序与学

生认知过程相一致。如将"新陈代谢"这一较抽象的概念放在光合作用、细胞呼吸以及酶和 ATP 等具体概念之后出现,再以上述概念为基础概括出新陈代谢的概念,学生较容易接受。

教学案例:"减数分裂的概念"教学片段

教学内容:中国地图出版社高中教材,"遗传与进化"模块,第一单元第一章第一节"减数分裂与配子形成"。

教师:在前面我们学习过有丝分裂的概念,大家回忆一下,有丝分裂最重要的特征是什么?

学生:亲代细胞的染色体经过复制后平均分配到两个子细胞中去,从而保证了细胞前后代遗传物质的稳定性和连续性。

教师:对,那么请两位同学到前面分别画出在一个细胞周期内有丝分裂过程中的 DNA 和染色体数目随时间变化的坐标图。其他同学在下面画,并与他们比较。

(学生活动:画坐标图。教师巡视纠错,并共同评价板演的两位同学所画的坐标图。)

教师:今天再来学习一种特殊的有丝分裂——减数分裂,请大家阅读教材的相关概念,看看减数分裂到底特殊在什么地方?

学生1:复制一次,分裂两次。

学生2:子细胞染色体数目减半。

学生3:产生的子细胞是生殖细胞,不是一般的体细胞。

教师:同学们回答得很好!"分裂两次"、"复制一次"、"数目减半"反映了减数分裂本质的特征,是减数分裂概念的内涵。那么是否所有的生物都能进行减数分裂?能进行减数分裂的生物是否所有的组织器官都能进行减数分裂?

(学生活动:边思考边争论……)

学生1:只有进行有性生殖的生物才能减数分裂产生配子。

学生2:能产生配子的器官才能进行减数分裂。

教师:同学们讨论得很好,其实就在高等植物的花药、胚囊和高等动物的精巢、卵巢中的原始生殖细胞才能进行减数分裂，进而产生成熟的生殖细胞即配子。把握减数分裂的概念就要从"范围——进行有性生殖的生物"、"时间——精（卵）原细胞→精子（卵）细胞"、"特点——复制一次连续分裂两次"、"结果——产生的四个子细胞染色体数目减少一半"等这几方面来把握。大家还有问题吗？

学生：生物的一般体细胞只能进行有丝分裂，精（卵）原细胞也一定进行减数分裂，对吗？

教师：这个问题提得好！谁能回答这个问题？

学生1：我觉得这个判断是正确的。

学生2：我觉得后半句话不正确，原始的生殖细胞是一般的体细胞通过有丝分裂产生出来的，有丝分裂有周期性，它可能会继续进行有丝分裂产生更多的原始生殖细胞。

教师：精辟！大家明白了吧。下面我们以动物精子形成为例，来学习减数分裂的过程。请大家对照教材中的插图仔细阅读教材内容，并用你带来的有关材料模拟减数分裂的过程。

（学生活动：让学生根据自己的理解，用事先准备好的代表细胞、染色体、着丝粒的材料——彩色橡皮泥、软铁丝等——制作染色体模型，并模拟其在减数分裂过程中的变化。）

（教师活动：巡回指导学生，强调对于相同大小的同源染色体要用不同的颜色，模拟过程中要体现"染色体"能够复制、配对和分离，用简洁的方式体现染色体数目变化和细胞数目变化的关系。）

（学生活动：通过直观的模拟，获得感性的认识，然后总结出完整的减数分裂过程中细胞数目、染色体数目、DNA 数目的变化规律。）

教师：减数分裂的所谓"减数"发生在什么时候？

学生：染色体数目减半其实发生在减数第一次分裂，而 DNA 连续两次都减半。

教师：对！同学们一定要把减数分裂过程中染色体的从复制到联会配对形成四分体，然后同源染色体彼此分离，到第二次分裂时着丝点断裂后染色单体的分开等一系列过程联系起来，在脑海中像放电影似的再现出染色体的连续动态变化过程。下面请看图片。

（用投影仪展示一系列细胞分裂的模式图。）

教师：请大家一起来辨别哪些是有丝分裂，哪些是减数分裂，并把减数分裂的模式图按细胞分裂过程排序。然后把减数分裂过程中染色体和 DNA 的数量变化用坐标图表示出来。

（学生活动：按要求分组完成任务，并相互纠错。）

……

点评：该教学片断突出了学生的主体地位，让学生动手、动脑，能将"减数分裂"概念的内涵分解，把握住了"减数分裂"的本质特征，突出直观手段在概念掌握中的作用，将抽象、微观的生理过程直观形象化，从不同角度不同侧面围绕概念展开变式训练，应该能收到较好的教学效果。

3. 生物学原理的教学

(1) 教学特点

生物的生命活动及其原理一般比较复杂、微观、抽象，涉及的相关知识较多，学生难以观察也不易理解。要使学生更好地理解有关的原理，应充分利用学生已有知识、生活经验或相关认识，构建新旧知识间的联系，促进知识的正迁移。如：从结构特点入手分析其功能——分析叶绿体的结构中色素和酶的分布特点，理解光合作用原理和过程；应用相关学科的知识来解释有关生理现象——矿质元素离子的吸收，内环境的稳态等；设计形象生动的演示实验，说明较抽象的生物学原理——渗透吸水、蒸腾作用等。这类课一般的教学过程是：复习旧知、引入新知→建立联系、促进迁移→揭示本质、说明原理→实际应用、深化理解。

(2) 教学的主要策略

①加强学科间相关知识的横向联系。应用相关学科的知识解释生物的原理和现象，不但有利于生物学知识的理解和掌握，而且能深化对相关学科知识的运用，使各学科知识在新的基础上达到统一，促进知识的迁移。同时能培养学生的综合分析能力，活跃学生的思维，扩大学生的视野。如理解蒸腾拉力的大小可联系液柱的压强公式；结合对流、辐射、传导、蒸发的原理，能更深刻地理解体温的调节过程；理解酶的作用特点可联系蛋白质的理化性质等。（但目前中学教材中

相关知识编排次序尚不协调,理化知识往往滞后于生物学知识,对生物教学有一定影响,只能通过一些直观手段加以弥补。)

②构建良好的认知结构,促进知识的迁移。学习者原有认知结构越合理,其逻辑性、层次性和条理性越强,在遇到新的学习课题时不但越容易找到知识的"抛锚点",促进新知识的学习,而且容易辨别新旧知识的异同,不至于混淆,例如,在理解特异性免疫的过程,特别是熟悉了体液免疫的一般原理和机制后,学习过敏反应的病理便势如破竹。

③加强基本概念与一般原理的教学。原有的概念、原理巩固得越好,越有助于生物学知识的学习,如:掌握了自由扩散所遵循的一般扩散作用的原理,能更容易理解体内的气体交换和血液成分的变化;理解了细胞膜的选择透性,就找到了解释质壁分离及复原现象的"钥匙"。

④加强应用,深化理解。学生在运用有关原理解决实际问题的过程中,能深化对有关原理的理解和掌握。例如,让学生分析为什么一次施肥过多会引起"烧苗"?萎蔫的青菜要置于什么环境中才会硬挺起来?酿酒的时候为什么"先来水后来酒"?温室大棚为什么要注意通风?对类似这种理论与生产生活相联系的实例分析,可挖掘出其蕴涵的相关生物学原理,能起到了学以致用的作用。

教学案例:"性别决定的原理"教学片段

教学内容:中国地图出版社高中教材,"遗传与进化"模块,第二单元第一章第四节"伴性遗传"。

教师:根据对多种两性生物的观察,它们中的雌雄个体数比值大都是1∶1。这个比数在我们前面学习过的内容中是否出现过?(通过这一提问引导学生回忆孟德尔的豌豆杂交试验。)

学生:1∶1是测交实验的性状分离比值,是杂合体与隐性纯合体交配产生后代的性状分离比。

教师:根据这一比值,你能否对两性生物中不同性别在遗传学上的差异作出估计或假设?(只要学生理解了所要解决的问题是:要从性别比数的现象预测决定性别的遗传物质的可能情况。)

学生1:从1:1的性状分离比看,在两性生物中,某一性别可能为纯合体,另一性别可能为杂合体。(这个假设是可以完成的。)

学生2:在人群的不同性别当中,女性是纯合体——XX型,男性是杂合体——XY型。(XX型染色体或XY型染色体,学生可能不能说得很准确,这时只要说出"某一性别可能为纯合子,另一性别可能为杂合子"就已达到目的。)

教师:这个假设已经被实验观察所证明。

(出示资料,投放到大屏幕上,学生阅读。)

1901年美国细胞学家麦克朗在直翅目昆虫中首次发现并确定了性染色体。在雌蝗虫体细胞内的染色体是成对的,而在雄蝗虫体内则有一条单独的、不成对的染色体。也就是说,雌蝗虫是纯合体,而雄蝗虫可以看作是杂合体。这样在形成配子时,雌蝗虫只形成一种配子,雄蝗虫则形成两种配子。含有成对染色体的合子发育成为雌蝗虫,反之,则发育成为雄蝗虫。成对的染色体(在雌蝗虫体内)和不成对的染色体(在雄蝗虫体内),因其与性别相关联而被定名为性染色体。其他的染色体则被称为常染色体。

教师:当了解了性染色体的发现过程后,根据雌、雄蝗虫性染色体的情况,我们是否能够进一步推测其他两性生物不同性别之间染色体可能的情况呢?(通过这一问题,促使学生沿着遗传物质的思维线索发散开去,学生会提出各种各样的推测。)

学生1:雄性的性染色体是一长、一短,雌性的性染色体是两条成对的。

教师:这个思路是沿着前面介绍的情况走下来的。还会不会有其他的可能呢?(在教师的不断鼓励与启发下,学生会进一步推测。)

学生:会不会有雄性是纯合体,而雌性是杂合体的可能呢?(推测既沿着遗传物质的思路,同时又有新的开创,教师对此应予以肯定和鼓励。在推测的过程中,学生也可能会提出其他的、显得离谱的推测,对此只要没有明显的不合逻辑,教师就不要予以否定。应当建议学生进一步吸收知识,设法证明自己的假设。)

教师:科学家们已经证明了你们的假设,有的生物是XY型性别决定方式,雄性含有一对异型的一长一短两条染色体,雌性含有一对同型的性染色体;有的是ZW型性别决定方式,雄性是含有一对同型的性染色体,雌性含有一对异型的性染色体。(教师在此要作一简要介绍。)

最后,教师应带领学生对有关决定性别的染色体的讨论做一小结。这个小结主要是从染色体情况与性别之间的关系着眼。

①XY型性别决定:果蝇和人类及多种高等动物的雄性异型性染色体性别决定。(在此要对人类的染色体组型作简要介绍。)

②XO型性别决定:蝗虫的雄性异型性染色体性别决定。(因为雄性没有相应的Y染色体,所以,这种性别决定方式可以看作是XY型性别决定的一种变型。)

③ZW型性别决定:家蚕的雌性异型性染色体性别决定。

④ZO型性别决定:鸭的雌性异型染色体性别决定。(雌体ZO,雄体ZZ。这种性别决定方式可以看作是ZW型性别决定的一种变型。)

教师:关于两性生物的性别决定你知道些什么?性别只受性染色体决定或控制吗?(为使学生对生物的性别分化有一个完整的认识,最好能补充一些材料。在补充材料之前,应先问一问学生。)

学生1:蚜虫的孤雌生殖。

教师:对!某些生物的卵细胞可不经受精而发育。如:蜜蜂群中的雄蜂。(如果学生不知道或实在说不清楚,教师可以蜜蜂为例把与性别发育有关的问题作一简要介绍。)

学生2:有资料说温度影响海龟的性别分化,是真的吗?(环境温度对生物的性别发育有影响。学生表达的可能清楚也可能不清楚,对此教师最好能抓住机会,通过进一步的追问帮助学生把问题表达清楚。)

教师:是的,环境也会影响生物性别。如:蜜蜂群中的蜂王与工蜂,都具有同样的遗传物质,只是由于在幼虫期吃蜂皇浆的天数不同就发育成为可育的蜂王和不育的工蜂。某种蛙类的蝌蚪在孵化温度为20℃时雌雄比例为1:1,而在30℃条件下则百分之百为雄性,但其基因型不变。

在此基础上可以总结一下影响性别决定的内外因素。

①影响性别决定的内部因素有性染色体和基因。近些年的研究已经确定人类Y染色体的短臂上有导致胚胎发育成为男性的睾丸基因,X染色体上没有这

个基因。

②影响性别决定的外部因素有激素和温度。扬子鳄、海龟的性别分化与环境温度有关；环境温度的变化或人工施用植物激素都会影响许多葫芦科植物雌花的分化。

教师：在了解了性别决定的方式后，请同学们讨论两个问题，①为什么很多生物的雌雄个体数量的比总是接近于1：1呢？②人类属于XY型的性别决定，生男孩和生女孩是由什么因素决定的呢？（通过讨论第①题，使学生进一步明确，性别的比例是由生殖细胞的比例所决定的，仍然符合孟德尔的两个规律。通过讨论第②题，使学生明确，生男生女是不同类型的精子与卵细胞随之受精的结果。）

教师：人类研究性别决定的目的是要为人类的社会生产服务。如：奶牛业为要生产牛奶，就希望母牛产下的小牛都是母牛；种瓜的农民希望多开雌花以增加产量，等等。

点评："性别决定"原理是学习伴性遗传的基础，本教学片断能充分利用学生已经建立的认知结构，从孟德尔的分离定律及测交的比例展开讨论，促进向新知识的迁移；放手发动学生，教师只是提供资料、予以点拨或证实，学生真正成了学习的主人，体现了新课改"角色转换"的理念！

4.生物学规律的教学

(1)教学特点

通过阐述生物学的现象、事实或实验结果，揭示生物学的基本理论、观点、规律。如：生命的起源和生物的进化、生物与环境的关系、遗传的基本规律等，都是通过对现象或事实的分析、比较，经过一定的推理判断得出结论或揭示规律。如何引导学生透过现象揭示本质，如何引导学生进行分析、推理、判断和总结规律，提高学生分析问题、解决问题的能力，是上好这一类课的关键。根据判断形成的基本原理，这类课的基本教学过程是：

$$\text{提供事实或现象} \xrightarrow{\text{形成}} \text{具体判断} \xrightarrow{\text{推理}} \text{一般判断} \xrightarrow{\text{归纳}} \text{概括化判断(结论或规律)}$$

(2)教学的主要策略

①引导学生主动参与学习过程。概括性判断的形成，必须是在学生具体、感

性认识的基础上,通过自主的思考,从大量具体的事实中抽象出所包含的共同因素,通过自我抽象概括过程,形成明确的判断,揭示规律。因此,教师要创设情境、提供事实、设置问题,引导学生积极主动地参与分析、推理,以形成正确的判断。

②加强思维方法和思维能力的培养。高质量的判断必须沿着推论的路径获得,因此生物教学中要培养学生掌握一定的推论方法。如生物进化的证据是由大量的、具体的判断推论出一般判断,是归纳法。又如,从遗传的基本规律推导出伴性遗传规律,是演绎法。因此,这类教学在引导学生参与分析、推理、判断的同时,要注重逻辑思维方法的指导,提高学生的思维能力。

③渗透科学思想和科学方法的教育。注意挖掘教材内容,补充具体典型的例证,且例证的排列要具有线索意义,以帮助学生理解科学的发现过程和研究方法,如遗传规律的发现、研究、验证等。培养学生热爱科学、积极探索、勇于实践、敢于创新的思想,形成严谨的科学态度,掌握科学的研究方法,提高学生的科学素质。

以上只是根据新授课的教学内容,从教学心理方面阐述其教学特点与主要教学策略。但是一节新授课往往是多种内容的组合,同一内容从不同的角度切入,对不同年龄、不同知识基础的学生,其教学方法也有差异。因此,教学中应根据教学内容、教学对象、教师的特长等灵活运用多种教学方法,综合采用多种教学策略使之达到优化,才能取得最佳的教学效果。

教学案例:"分离规律试验"教学片段

教学内容:中国地图出版社高中教材,"遗传与进化"模块,第二单元第一章第二节"分离规律实验"。

……

教师:孟德尔从一对相对性状的豌豆杂交实验中总结出了基因的分离规律。他是如何发现和总结出的呢?请大家先阅读第一部分"杂交试验,发现问题"。请注意解释屏幕上出示的问题。

(出示问题:孟德尔针对一对相对性状的豌豆杂交过程中,子一代与子二代的性状表现有何特点？这种现象是否是偶然的巧合？什么是显性性状、隐性性状和性状分离？)

(学生阅读第一小节，并相互讨论，找出相关问题对应的答案。)

学生1：在孟德尔针对一对相对性状的豌豆杂交试验中，子一代全部表现亲本之一的性状，而在子二代中，表现出了亲本的两种性状，且比例都为3∶1。

学生2：他连续做了七对相对性状的杂交试验，结果基本相同，这说明这种现象并不是偶然的巧合。

教师：对，孟德尔并没有停留在对实验的发现上，而是从本质上探索对性状分离现象的解释，并提出了遗传因子的概念和对性状分离现象解释的假说。这种假说是如何解释实验现象的呢？让我们先进行"模拟性分离的杂交实验"。

(实验过程略)

教师：通过刚才的模拟实验，我们知道，生物体的性状是受基因控制的，一对相对性状受一对等位基因控制。白花是隐性性状，由 c 基因(相对于无色透明小球)控制；红花是显性性状，由 C 基因(相对于红色小球)控制。亲本的基因组成便是红花(CC)和白花(cc)。亲本在产生配子时进行哪一种分裂？分别产生几种类型的配子？

学生：亲本产生配子要进行减数分裂，CC(红花)的亲本产生 C 一种配子，cc(白花)的亲本产生 c 一种配子。

教师：因此，雌雄两种配子结合后形成的子一代的基因组成及性状表现如何？

学生：Cc，表现显性性状。

教师：这就像模拟实验中我们将一个红球和一个无色球放在一起后表现红球的颜色。那么，子一代(Cc)产生的配子有几种类型，子二代的基因组成及性状表现有什么特点呢？请同学们动手将杂交过程用表格的形式统计出来，再回答。(图解略)

学生：F_1(Cc)产生 C 和 c 两种配子，F_2 代有三种基因型，比例为 CC∶Cc∶cc = 1∶2∶1，有两种表现型：红花∶白花 = 3∶1。

教师：对，F_1 的雌雄配子各有 C 和 c 两种，就像模拟实验中每个大烧杯中的一红一白两个小球;雌雄配子在结合时是随机的,就像我们随机从两个大烧杯中各取一个小球重新组合在一起一样。这样孟德尔便很好地解释了杂交实验中子二代性状分离比总是3:1的实验现象。假说是否正确呢?孟德尔又设计了巧妙的实验进行了验证。

点评:对于前人总结出来的规律性的知识,通过教师的引导,学生主动学习,重温探究过程,并通过主动参与,自己动手模拟实验,加深了对基因分离规律的理解。同时,通过重温和亲身体验科学家发现的全过程,有利于学生体验科学的思维方法,培养吃苦耐劳、大胆探索的科学品质。

(二)生物学技能的教学策略

长期以来,我国的课程一直把基础知识和基本技能("双基")作为主要的课程目标。尽管后来提出强调能力培养目标的重要性,我国有专家甚至提出基本概念、基本原理、基本技能、基本应用("四基")目标,但基本技能始终处于基础教育课程目标中的重要位置。即使在新课程标准强调以学生发展为本,提倡通过探究、合作、自主学习提高学生生物科学素养的理念下,生物学基本技能仍然应当是课程教学的重要目标之一。原因是如果不掌握基本的可学技能,探究、合作、自主学习、研究性学习就无从谈起。特别是在当今国际科学教育改革普遍认同的通过探究、实践、"做科学"来学习科学的教育理念下,更加需要加强基本技能的培养和训练。生物课和其他自然科学课程一样,应当把生物学基本技能的培养作为课程的重要目标之一。只是生物学基本技能的内涵更加扩大了。20世纪80年代,我国生物课程中基本技能的含义主要指观察、测量、实验等动手操作方面的动作技能。1993年颁布的《九年义务教育生物教学大纲》中用能力培养取代了技能目标,提出了培养学生观察能力、实验能力、思维能力和自学能力,但实际上表达的仍然是包含在能力培养目标中的以操作技能为主的技能目标。

新课程顺应国际科学教育改革的基本趋势,突出了生物科学过程和方法的重要地位。根据我国生物教学的实际,要求生物学基本技能方面的目标不仅包括操作层面的动作技能,而且包括科学思维层面的心智技能;要求培养学生不仅会动手做,而且要像科学家那样会动脑筋思考。培养学生进行科学探究过程所必须的技能和要掌握的科学方法,包含三个方面:

(1)科学过程技能是指学生从事科学研究工作的能力,包括一般科学工作的方法和技能以及思想方法。如,观察、测量、数据计算和处理等。

(2)操作技能包括使用显微镜、解剖器具、练习徒手切片和制作临时装片等。

(3)智力技能就是学生对实验目的、原理、实验过程和方法步骤的认知,实验现象的观察分析、实验数据的收集处理等。它常常与学生对生物学基本概念和基本原理的掌握程度及认知策略相联结,是学生认知能力的实际表现。

新课程强调科学教育的主要目标是提高全体学生的科学素养,科学素养包括科学观念、科学精神、科学态度、科学知识、科学方法、科学实践能力等。美国科学促进协会(AAAS)在课程教学研究中将"科学过程技能"分为两部分共14种技能。其中基本的过程技能包括:①观察,②测量,③应用数值,④分类,⑤应用时空,⑥表达沟通,⑦预测,⑧推论;复杂的综合技能包括:①给出适当的定义,②形成假说,③解释资料,④建立模型,⑤控制实验因子,⑥从事实验。科学过程技能的培养作为科学课的重要教育目标,应贯穿在整个科学教育的始终。

在教学中培养科学方法和基本技能是重实践、重开放、重自主、重过程、重体验、面向全体的综合教学活动。在教学中应依照《标准》认真挖掘、组织教材内容,与教学内容有机结合起来加强对学生生物学基本技能及科学方法的培养,具体做法可从以下方面考虑:

1.介绍科学家的工作方法

在课堂教学中,科学方法教育属于教材中隐性教学内容,需要教师认真分析教材的有关知识内容,介绍科学家们在探索这些知识的过程中所采用的科学方法,并对学生适时点拨和指导,让学生去体会和感悟科学的认知规律。同时还可用现代化教学手段,结合教学内容的呈现,尽可能创设情境、精心设计、化隐为显、引导学生去探究模拟科学研究的过程,把科学教育渗透到概念、原理等知识的传授过程中。如"DNA复制"的教学设计可采用彩色橡皮泥、彩色曲别针、塑料小夹子等材料,让学生模拟减数分裂,DNA的结构和复制、转录等过程,让学生去大胆模拟、实践、想像、推理,从中领悟科学研究的方法。

2.介绍生物科学史

生命科学作为一门自然科学,其本身的发展就是科学方法运用的结果。在课堂教学中应充分利用和挖掘这些知识素材,介绍科学家研究发现问题的方法和思维过程,以启迪、培养学生的科学兴趣,同时使学生接受科学方法的教育。如鲁宾和卡门用放射性元素分别标记二氧化碳和水从而证明了光合作用产生的氧气的来源,孟德尔用数学统计的方法分析豌豆杂交实验的结果而得出了遗传的分离定律等。总之,每一部分知识、原理的发现无不渗透着科学的研究方法。

3.实验教学是掌握科学基本技能,实施科学方法教育的重要途径

生物学是一门实验性科学,实验中包含着科学的方法和基本技能。因此,在生物科学教育中重视实验、观察,其本质就是进行科学方法的训练,而这个训练并不限于显微镜的使用、装片的制作、标本的采集制作等动作技能的训练,更重要的是要训练培养学生发现并提出问题,作出假设,搜集资料信息,设计实验方案,选择实验材料,控制实验因子,结果分析、推论,得出结论等一系列科学研究的程序,提高学生科学工作的过程技能。实验课不只是为了观察而观察,也不只是为了印证某一生物知识而实验,而是让学生真正在实验中体会、学习,进而理解科学的方法,尝试体验科学的过程,加强科学方法的训练。

教学案例:"模拟探究细胞表面积与体积的关系"教学片段

教学内容:中国地图出版社高中教材,"分子与细胞"模块,第四单元第一章第一节"细胞的增殖与分化"。

教师:一个边长为 a 的正方体的表面积怎样计算?体积又怎么计算?

学生:正方体的表面积为 $S = 6a^2$,体积为 $V = a^3$。

教师:那么请大家计算一下一个边长为 1cm 的正方体的体积和表面积之比为多少?

学生:1:6。

教师:如果正方体的边长增加为 10cm 时,其体积与表面积之比为多少?

学生:1:0.6。

教师:由此我们可以看出,随着体积的增大,体积与表面积之比会越来越小。单位体积所"分摊"到的表面积会发生怎样的变化?

学生:减小。

教师：这种变化对细胞的正常生命活动有什么影响？下面让我们来做一个模拟试验。

教师：请同学们用塑料餐刀将正方体的琼脂块切出3块边长分别为3cm、2cm和1cm的正方体。然后将这3小块琼脂放在一个烧杯中，加入适量浓度为0.001g/ml的NaOH溶液将琼脂块都淹没，并用塑料勺不时翻动琼脂块10min。

（学生按要求分组操作）

教师：请同学们想一想，为什么要用塑料勺不时翻动琼脂块呢？

学生：用塑料勺是避免在翻动时弄破琼脂块，不时翻动是为了使琼脂块染色均匀。

教师：下面请同学们戴上防护手套，用塑料勺将琼脂块从NaOH溶液中取出，并用纸巾吸干琼脂表面残留的溶液后，再用塑料刀把琼脂块切成两半。请大家思考一下，为什么要在NaOH溶液被吸干后再切琼脂块呢？

学生：如果NaOH溶液未吸干便切琼脂块的话，NaOH溶液会被刀面带到琼脂块切口的深处，并使那里的酚酞试液变红，从而影响琼脂块染色深度的正常测量。

教师：分析得很好。下面我们便来测量并记录每一块琼脂块切面上NaOH扩散的深度。并完成教材中的表4-1-1。通过对琼脂块表面积与体积比值的计算及琼脂块变色深度的测量，你能得出什么结论？请大家进行讨论。

（学生测量、讨论）

学生：琼脂块的体积越大，单位体积所"分摊"的表面积越小，单位体积的染色比例越小。

教师：对，由此大家能解释高等动物细胞十分微小的原因吗？

学生：细胞微小，单位体积所"分摊"的表面积就大，新陈代谢的场所就相对大，便于细胞新陈代谢的进行和细胞核对整个细胞的控制。

教师：很好。既然如此，当细胞长大到一定程度时，为了保证细胞代谢的需要，最好的解决方法是什么？

学生：细胞分裂。

点评：对于生物学中抽象的理论，通过模拟实验，并利用相关学科的知识，循循诱导、层层深入,促成学科之间知识的融合和迁移,使抽象的理论直观化,学生易于理解。同时,通过对探究操作中一些细节的分析,使学生从本质上加深了对实验原理的理解和实验技能的掌握,对细胞分裂的必然性有更深入的体会。

(三)情感态度与价值观的教学策略

传统科学教育的目标主要关注学生知识、技能、方法、能力方面的培养,很少关注他们情感态度与价值观方面的发展。即使有,也主要是以培养学生的学习兴趣为主。而科学素养的最核心部分,就是一个人对待科学的情感态度与价值观。根据现代教学的要求,在教学过程中,我们应当充分发挥师生的积极性、主动性、创造性,让学生在民主、宽松、和谐的教学氛围中得到全面发展,在认知领域、情感领域、动作技能领域发生相应的变化,即不仅要使学生掌握知识,发展以思维能力为核心的认知能力,而且要促进学生的情感、意志、价值观等个性的健康全面发展。

那么什么是情感态度与价值观?

情感是人脑的一种机能,是对客观事物抱有不同好恶而产生的内心变化和外部表现。有积极情感,如兴趣、自尊心、自信、强烈动机、愉快、惊喜等;又有消极情感,如焦虑、害怕、羞涩、愤怒、沮丧、怀疑、厌恶等。情感是影响学习者学习行为和学习效果的重要因素。它具有激智、动力、调节、感染和移情功能。积极的情感状态有利于发挥学习者的智力技能(即智力因素,如感觉、知觉、记忆、注意、想像等),这是情感的激智功能。人的智力因素构成学习的操作系统,人的非智力因素构成学习的动力系统。动力系统起作用大,操作系统的效率就高,学习效果就好;反之,学习效果就差。这是情感的动力功能。情感能调节学生的自信心和焦虑心情,也能调节学习节奏,延缓疲劳,这是情感的调节功能。教师在课堂上流露出的情感会直接影响学生的学习情绪,如教师说话的声调、节奏和表情等会使学生产生共鸣,这是情感的感染功能。教师的人格品质和举止行为可通过情感影响教学效果,学生也会把对老师的情感迁移到所学的学科中来,这是情感的移情功能。

态度是一个人对待外在事物、活动或自身的思想行为所持的一种向与背、是与非的概括的倾向性。有肯定态度和否定态度、积极态度和消极态度之分。态度与情感体验有关,但不能说情感就是态度。

科学价值观是一个人对待科学事物的最基本看法,包括基本信念和价值取向,它往往以科学精神为载体,决定着这个人的思维活动和外在表现。科学的最基本信念有:物质是第一性的,必须承认自然规律的客观性,尊重事实,尊重客观规律;自然界是在不断发展变化的;人类认识自然有其局限性,要知道科学真理的相对性;科学提倡民主、平等、自由、合作的精神,提倡人文精神、独立精神、探索精神、创新精神和献身精神;科学对人类具有两重性,要充分利用其对人类有利的一面,也要防止与克服它的负面作用。

人们在从事学习和探究真理的活动时,积极的情感起促进作用,消极的情感起抑制和阻碍作用。积极情感能创造有利于学习的心理状态。教学实践和众多学习成功者的经历证明,高效率的学习必须具备积极的情感。许多具有乐观向上、活泼开朗个性的学生在参加语言实践活动方面表现积极,获得了更多的学习机会。如果学生具有强烈的学习动机、浓厚的学习兴趣和大胆实践的精神,就有利于提高学习效率;如果学生具有坚强的意志和充分的自信,就有助于克服学习中的困难。相反,很多消极情感会影响学习潜能的正常发挥。过度的害羞心理、胆怯心理和过于内向的性格不利于参与学习活动,不利于展示自己。学习者受消极情绪影响太大,会给教师的教学带来困难。

1.充分认识情感态度在生物学习中的重要性

情感态度的培养是生物教学自始至终的任务。情感态度与价值观既是科学学习的动力因素,影响着学生对科学学习的投入、过程与效果;又是科学教育的目标。培养学生的情感态度虽然听起来让人感到比较抽象,但它无处不在,教学的每一个环节之中都有情感态度起作用。生物教师应在课内外教学中,充分利用一切可以利用的时机和场合,创造出切实可行的对学生进行情感态度培养的有效方式、方法。通过日积月累的渗透,要使学生形成生物体的结构与功能、局部与整体、多样性与共同性相统一的观点,生物进化的观点和生态学的观点,树立辩证唯物主义自然观,逐步形成科学的世界观;同时要使学生认识生物科学的价值,乐于学习生物科学,养成质疑、求实、创新及勇于实践的科学精神和科学态度;确立积极的生活态度和健康的生活方式,热爱自然、珍爱生命,理解人与自然和谐发展的意义,树立可持续发展的观念。这些都是作为一个健康的现代人应该具备人文素质!

2.建立良好的师生关系

建立良好的师生关系是培养学生健康情感态度的前提。要与学生建立良好的关系,教师首先要对学生投入一片爱心。这样,教师才有可能了解学生的情感,学生才有可能愿意与老师交流,才能真心尊敬老师。教师要了解学生,就要努力从各个方面接近学生,如了解不同学生的性格、爱好和他们的困难,等等。好多学生喜欢歌星、球星,喜欢流行歌曲,教师也要学习和了解这方面的知识。如果一个教师总是成天闷闷不乐、精神郁闷,毫无现代社会的气息,学生肯定不愿意与其接近。教师要把生物课上成民主、交往、互动的课。教师和学生人人参与、平等对话,在健康、生动的教育情境和精神氛围中,学生心态开放、个性彰显,教师也会从中体验专业成长的快感,提升教育职业的价值。

3.开辟情感态度沟通和交流的渠道

对学生进行情感态度培养,离不开师生之间的情感交流。所以,应开辟师生之间有效的沟通和交流渠道。培养学生的情感态度与价值观,不能像传授知识一样直接"教"给学生,而是要创设机会,通过参与活动,日积月累,让学生感受、体验与内化。要针对学生的不同特点采取相应的情感交流方式。教师可以和学生共同协商情感沟通和交流的方式、时间、场合等。在沟通和探讨情感问题时,教师一定要尊重学生个人的意愿,注意不要伤害学生的自尊心。

4.结合学习内容进行情感态度教育

对学生情感态度的培养应当渗透到日常的教学之中,而不应当孤立地进行。教材中有大量的对学生进行良好情感态度培养的内容,教师要创造性地使用教材,不能只局限于教材上的例题及练习。有些课文材料传达了爱心、友好、正义和坚定等积极的情感信息,对学生会产生感化作用。老师们要很好地挖掘和利用,利用讨论、提问或设计任务等方式引导学生理解和感悟这些信息。如学习DNA 分子结构时,教师可设计一个新闻发布会,让学生采访几位有所准备的"科学家",如沃森、克里克、弗兰克林等,以了解"双螺旋结构"背后的动人故事和科学家成功的秘诀,接受自信、勤奋、意志的启示。

5.注意克服消极的情感态度因素

有一些中学生,由于没有学习兴趣和学习不得法,会产生一些情感障碍。其中比较常见的就是"焦虑"、"抑制"等需要注意克服的情感障碍。

所谓"抑制",就是儿童在成长过程中逐渐形成的一种自我形象,即把自己和别人区别开来的意识。这种意识的增长使青少年学会如何保护还不成熟的自我。保护的方式之一就是回避那些可能给自己带来威胁的言行。为了保护自己而采取的回避和退缩行为就是"抑制"。来自外界的批评和嘲讽对自我形象的打击很大。所以经常受批评和嘲讽的人自我保护意识很强,即抑制程度很高。抑制程度高的学习者往往因为怕犯错误而不参加学习活动。如有的老师在学生回答问题时常打断学生的表达进行纠错,造成学生不再积极举手回答问题。这就是语言学上的抑制行为。鉴于此,教师一定要时刻注意保护学生学习的积极性,时时注意、尊重和挖掘学生的创新思维和创新成果,注重对儿童思维的开放性和创造性的培养,留给孩子自主探究的发展空间。要多鼓励他们尝试,帮助他们享受到成功的喜悦。

教学案例:体温调节

教学内容:中国地图出版社高中教材,"稳态与环境"模块,第一单元第二章第四节"体温调节"。

教学过程:

课前预习作业,完成下表。

家庭成员一日内体温(腋窝温度)变化调查表

成员	年龄	6:00	9:00	12:00	15:00	18:00	21:00	睡前	平均温度
母亲									
父亲									
自己									
结论									

(一)引言(投影仪展示资料)

1910年英国斯科特探险队和挪威阿蒙森探险队都宣布将向南极点进军,两支探险队之间展开了一场激烈的角逐。阿蒙森探险队一行五人,用狗拉雪橇,经过千辛万苦于1911年12月14日成为第一批到达南极极点的人。而斯科特探险队一行五人,使用的是马拉和人拉的雪橇,结果马在严寒中陷入了泥沼。他们用雪橇拉着设备,顶风冒雪经过82天,于1912年1月16日终于到达南极点。在南极探险的路上跋涉了1 450千米之后,斯科特探险队在归途中因饥饿劳累倒下。攀登南极点的角逐是南极考察热中光辉的一页。两支探险队都在-37℃的南极艰难跋涉,阿蒙森队的胜利表明,人类可以战胜严寒,而斯科特队永远留在了南极表明,如果严寒加上饥饿、疲惫也会危及人类的生命。

地球上的气温可高至60℃,低至-70℃。人类的足迹几乎遍布全球,在不同的环境中,人是怎样维持体温恒定的呢?

(用科学家为了事业探险献身的事例,渗透热爱自然和科学、关注生命和健康的理念,培养学生勇于实践的科学精神和科学态度。)

(二)新课

教师:某人用三种常用测体温的方法,得到了三个不同的数值,到底哪个是他的体温呢?

口腔温度	腋窝温度	直肠温度
37.2℃	36.7℃	37.4℃

学生:体温指的是身体内部的温度,即内环境的温度,而上述的三种方法测出的都是体表温度,用于代替体温。

教师:你在自己的预习作业中得出什么结论?

(面对全班同学的数据,学生进行综合并讨论用什么方法可以使结果更直观。)

教师:体温恒定是不是体温维持一个数值? 体温恒定的意义是什么? 恒定的体温是怎样影响新陈代谢的呢?

学生1:体温相对恒定是指体温在一个范围内变动。

学生2:体温恒定是生命活动进行的必要条件。

学生3:恒温动物能摆脱环境的限制,无论天气如何,只要体温恒定就能进行代谢活动。

学生4：相对恒定的体温可以保证酶在最适温度下发挥催化作用。

……

教师：那么结合我们的案例思考。为什么斯科特探险队因饥饿劳累冻死在南极？体温是哪来的？产热的主要器官是什么？产热的主要细胞器是什么？能源物质是什么？主要能源物质是什么？散热的结构有哪些？

（将上述问题用投影仪打出来，学生分析讨论。）

学生1：体温是机体代谢活动的结果，也是生命活动必需的条件。

学生2：产热的主要器官是骨骼肌和肝脏。安静状态下以肝脏产热为主，运动时以骨骼肌产热为主，产热的主要细胞器是线粒体。

学生3：能源物质是糖类、脂肪和蛋白质，主要能源物质是糖类。

学生4：散热主要由皮肤经传导、对流、辐射和蒸发完成。

教师：体温的相对恒定是由于下面等式成立：产热＝散热。请大家分析：在炎热和寒冷的环境中怎样维持体温的相对恒定呢？

学生：寒冷环境中增加产热，减少散热；炎热环境中减少产热，增加散热。炎热环境中可以减少产热，但不产热是不可能的，因为有机物氧化分解合成ATP的同时必然伴随着热量的释放。故炎热环境中以增加散热为主。

教师：请分析在寒冷和炎热的环境中怎样调节产热与散热以保持体温的相对恒定呢？调节机制是什么？是神经调节还是体液调节？神经调节的调节中枢在哪里？

学生1：增加产热的生理活动有，骨骼肌会不自主地颤抖，皮肤立毛肌收缩，增加产热；下丘脑通过激素作用于垂体进而作用于甲状腺分泌更多的甲状腺激素，有关神经作用于肾上腺促使肾上腺素的分泌增加，均导致机体的代谢活动增强，产热量增加。可见这些生理活动既有神经调节，也有激素调节。

学生2：减少散热的生理活动有，汗腺活动减弱，几乎不出汗，以减少蒸发散热；皮肤血管收缩，减少皮肤的血流量，以减少对流散热和辐射散热；皮肤立毛肌收缩，产生"鸡皮疙瘩"，使皮肤板结增厚，并缩小汗毛孔，减少热量散失。这些生理活动是神经调节。

学生3：体温恒定是神经和体液共同调节，神经调节是通过反射弧实现的，体温调节中枢在下丘脑。体温调节以神经调节为主，由神经和体液共同参与完成。列出调节机制示意图。（用实物投影仪投射在大屏幕上。）

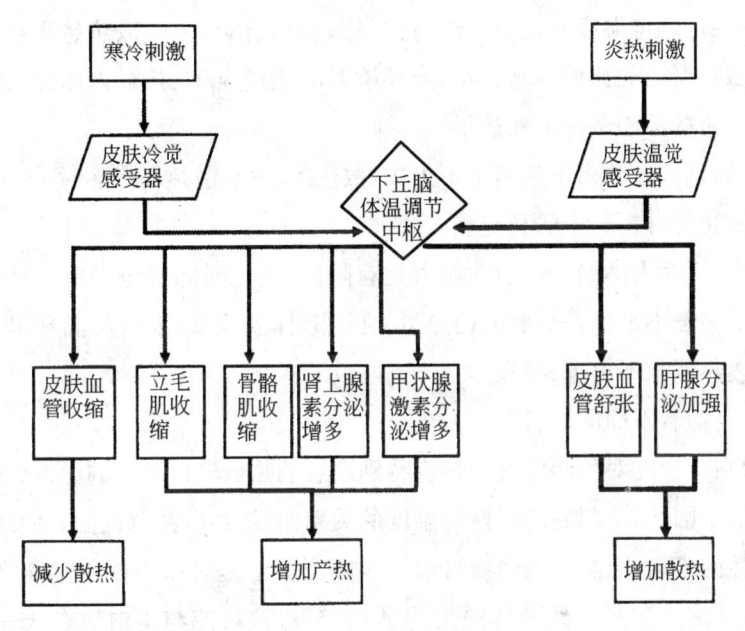

```
    寒冷刺激                                     炎热刺激
       ↓                                           ↓
   皮肤冷觉                                     皮肤温觉
   感受器                                       感受器
       ↓           下丘脑体温调节中枢              ↓
       └──────────→ ◇ ←──────────────────────────┘
       ┌────┬────┬────┬────┬────┐      ┌────┬────┐
       ↓    ↓    ↓    ↓    ↓    ↓      ↓    ↓
   皮肤血 立毛 骨骼 肾上 甲状            皮肤血 肝腺分
   管收缩 肌收 肌收 腺素 腺激            管舒张 泌加强
          缩   缩   分泌 素分
                   增多 泌增
                        多
       ↓              ↓                    ↓
   减少散热        增加产热              增加散热
```

体温调节机制示意图

教师：请大家思考一个有趣的实验。将你的左手和右手分别放在70℃和0℃的水中浸泡一段时间，然后同时放入40℃的水中，左、右手的感觉相同吗？这说明了什么？"发烧"的病人为什么却感觉到冷呢？

学生：温觉感受器的适宜刺激是热量的得失，温觉感受器不能感知绝对温度。发热因为代谢增加、产热量增加而散热相对减少了，体温因此上升，但人还会有冷的感觉，是因为体表与环境温差相对增大，散热加快，这种冷的感觉，可引起寒颤，使体温更快地上升。

教师：那么在寒冷环境中哪种温觉感受器兴奋？机体通过调节试图减少热量的散失，这时散失的热量就少于热的环境吗？

学生：寒冷环境使冷觉感受器兴奋，此时机体通过减少或者不排汗，皮下毛细血管收缩降低皮肤表面温度以减少与环境的温差，同时立毛肌收缩使皮肤板结增厚等,这些生理反应都使散热尽量减少,但因为与环境温差大,绝对散热量与在温度高些的环境中比要大得多。

教师:在环境温度逐渐升高时,人体散热途径有何变化?

学生:随环境温度升高,机体通过对流、辐射、传导方式散热越来越困难,这些方式散热所占的比例越来越小,当环境温度超过30℃,接近人体体温时,几乎只能靠大量的汗液蒸发来散热了。

教师:请大家分析下列两个不等式:散热>产热、散热<产热时,人的体温将会怎样变化? 分析其中的利与弊。

学生:因为人体调节体温的能力是有限的,当长时间置身于寒冷环境中,机体产生的热量不足以补偿散失的热量,会引起体温降低;而在高温环境中过久,会因体内热量散不出去,导致体温升高。

教师:请看下面的材料。

资料一:温度对酶活性的影响应特别注意的是低温抑制酶的活性,而高温则使酶失活。因此,绘制酶的活性与温度的关系曲线时,应注意低温时曲线不能达到酶活性的零点,而高温则曲线可以达到零点。于是可以说体温过度会致人死亡,一般认为人的最高致死体温大约是45.5℃,这可能与蛋白质在45—50℃之间开始变性有关。

资料二:体温过低会不会也一定导致人的死亡呢? 让我们来认识一下2001年最小的新闻人物:13个月大的小艾里卡。(用实物投影仪投射在大屏幕上。)2001年2月底的加拿大埃德蒙顿市的气温仍然在-30℃以下。只有13个月大、刚学会走路的女婴艾里卡只穿着纸尿裤和一件T恤衫走向-30℃的室外! 等她被发现时,身体已经僵硬,心脏也停止了跳动,体温已经下降到16℃! 在医护人员的救助下奇迹发生了:艾里卡的心脏突然跳动了一下,接着竟然连续跳动起来! 小家伙复活了。科学家因此断言:冻体复活不是梦。

教师:在阅读了上面的材料后,请举例说明"冷冻技术"的实际应用,并大胆预测在未来该技术会有哪些应用。

学生1:人体细胞冷冻已经被广泛应用于临床,比如在治疗不育症时使用的精子冷冻、卵子冷冻、胚胎冷冻技术。

学生2:临床上用人工冷却法使人进入麻醉状态,称为低温麻醉。

学生3:体温一般不低于28℃,可以阻断血液循环10—15分钟,脑组织和心肌机能不会遇到严重障碍,为脑和心脏的手术创造了有利条件。人体冷冻技术在未来的应用将十分广泛。可以把患了绝症的病人冷冻起来,几百年后当相关的技术出现后,再使其复活,经治疗而获得健康;再有,可以把宇航员冷冻起来暂停人体老化的程序,数光年之后,他们抵达某个星系后解冻,他们的年龄就和离开地球时完全一样,没有任何衰老。人体冷冻技术使人的太空旅行有了实现的可能。

……

教师:上述学习的体温调节是生理性调节,人类还可以通过自觉行为来调节体温,如不在极端环境中停留,适当增减衣物等。

……

点评:教师从学生最熟悉的体温测量开始,以不断地设疑来引导学生思考、讨论,将问题与学生的答案写在纸上,用实物投影仪展示给学生,给予学生充分的视觉刺激。通过组织学生讨论、记录,一方面发展学生分析问题的能力,另一方面充分调动学生的听、说、读、写四个语言中枢以提高学生记忆能力,切实提高学生的学习效率。教师设疑,由学生经讨论后解疑。学习的过程是在教师指导下进行探索的过程,能够体现学生在课堂的主体地位。更可贵的是教师在教学实施过程中将课程目标中的知识、情感态度与价值观、能力三个维度融为有机的统一整体,用一些生动鲜活的实例,培养了学生关爱健康和生命、热爱科学的美好情操,行云流水般的教学过程处处渗透着浓浓的人文情怀!

二、探究性学习的教学策略

(一)基于史实的探究性学习

学习生物科学史能使学生沿着科学家探索生物世界的道路,理解科学的本质和科学研究的方法,学习科学家献身科学的精神。这对提高学生的科学素养是很有意义的。例如,对《标准》中的"概述植物生长素的发现和作用"、"总结人类对遗传物质的探索过程"等包含科学史的内容应认真完成。对于《标准》中未列出的其他生物科学事实也应注意引用。

利用生物学史的材料进行探究,是生物教学中常用的一种方法。教师应根据课程标准中相关内容的要求,对科学史的材料进行适当的选择和组织,引导学生深入思考科学家的工作过程,领悟科学家是如何发现问题、寻找证据并进行合理推理的思维方式,学习科学家百折不挠、勇于探索的精神。在课堂教学中应充分利用和挖掘这些知识素材,介绍科学家研究发现问题的方法和思维过程,以启迪、培养学生的科学兴趣,同时使学生接受科学方法的教育。

教学案例:"生长素的发现"教学片段

教学内容:中国地图出版社高中教材,"稳态与环境"模块,第一单元第一章第一节"生长素的发现及其作用"。

教师:植物的向性运动除了大家熟悉的向光性以外,还包括向地性、向肥性、向水性等。植物为什么会表现出向性运动呢?科学家经过了半个世纪的艰苦探索,终于发现这与植物体内一种特殊的化学物质——生长素的调节作用有关。生长素是如何被发现的呢?让我们重温这段历史,从科学探索的足迹中领悟科学探究的方法和生长素的作用。请大家先阅读实验1和实验2。

(学生阅读实验1和实验2)

教师:藕草是一种单子叶植物,胚芽鞘是胚芽外的锥形套状物,有保护胚芽的作用。请大家仔细观察1880年达尔文用金丝雀藕草所做的向光性实验,从实验中你能得出什么结论?

(动画演示实验1和实验2的实验过程)

学生:实验1说明单侧光能引起胚芽鞘向光弯曲生长。实验2说明胚芽鞘的向光生长与其尖端有关。

教师:分析得很好。大家可以看出,每一个实验中都设置了两组实验,这样做的目的是什么?

学生:是为了便于进行对照。

教师:对。通过设置单一变量和进行对照,便于从实验现象中分析出引起向光生长的原因。胚芽鞘的向光性弯曲究竟与哪一部位密切相关呢?大家从詹森的实验中又能得到什么启示?

（演示詹森的实验过程,学生阅读观察）

学生:通过对照,切去尖端的胚芽鞘不生长也不弯曲,而重新放上尖端后,在单侧光照下胚芽鞘又发生了向光性弯曲生长,说明胚芽鞘的向光弯曲与尖端有关,尖端可能会产生某种物质,从而影响到了胚芽鞘的生长。

教师:分析得基本正确。这一推论是否正确呢?究竟是胚芽鞘尖端本身在起作用,还是它产生了某种物质影响了下面的生长和弯曲？1914年,匈牙利科学家拜耳受詹森的实验启发,从另一侧面进行了更深一步的探究。通过拜耳的实验,大家会得出什么结论呢?

学生:拜耳的实验进一步证明了胚芽鞘的尖端能产生某种物质,并能影响胚芽鞘尖端以下部分的生长。

教师:这种观点是否正确呢？1928年,荷兰生物学家温特又设计了更加巧妙的实验,对这一推测进行验证。从温特的实验中你又能得出什么结论呢？

（继续播放实验5的动画过程,教师简单介绍并适时启发）

学生1:胚芽鞘的尖端确实产生的某种物质,这种物质能从胚芽鞘的尖端运输到下部,并促使尖端下面某些部分的生长。

学生2:该实验的巧妙之处在于,用曾与胚芽鞘接触过的琼脂块以及"空白"琼脂块代替尖端作用,就证明了确实是尖端产生的某种物质在起作用,这种物质能够通过琼脂块向下传递。

教师:总结得很好。胚芽鞘尖端产生的物质究竟是什么呢？请大家继续阅读实验6。

教师:通过重温生长素发现过程的这六个经典实验,大家有哪些体会呢？

学生:科学研究不仅需要循序渐进、锲而不舍的探究精神,还需要在不断吸取前人经验和研究成果的基础上大胆创新,进行精心和巧妙的实验设计。

点评:在对生长素发现史中六个经典实验的探究分析中,教师通过恰当地启发,引导学生开动脑筋、自主探究,循序渐进地发现了生长素的产生部位、运输特点以及生理作用,并从中体会到了科学研究的艰辛,领悟了科学探究的基本方法。符合自主探究,主动获取知识的新课程理念。

(二)基于资料分析的探究性学习

资料分析主要是给学生提供图文资料,把大量的生物学知识融入其中,让学生分析,得出结论。这样的探究活动改变了"先说结论,后举实例"的做法,让学生通过资料分析和讨论,自己得出结论。以期转变学生的学习方式,培养学生收集和处理信息的能力,获取新知识的能力,分析问题和解决问题的能力以及交流合作的能力,特别是创新能力和实践能力。

教学案例:"影响细胞衰老的内在因素"教学片段

教学内容:中国地图出版社高中教材,"分子与细胞"模块,第四单元第二章第一节"细胞的衰老"。

教师:资料一是科学家在体外培养胎儿、中年人和老年人的肺成纤维细胞的增值代数的比较,我们根据实验结果可以得出怎样的结论?

学生:越年轻,肺成纤维细胞的增值代数越高;年龄越大,增值代数越小。

教师:由此我们可以得出怎样的推论?

学生:细胞分裂能力或寿命随着生物体年龄的增长而减弱,细胞处在不断衰老的过程中。

教师:资料二图示鼠、鸡、人、龟的体细胞体外培养的结果,你怎样看待这一结果?

学生:细胞分裂次数与具体物种的特异性有关,一般来讲,寿命越长的物种体细胞分裂的最高次数越高。

教师:从资料三中你能得出怎样的结论?

学生1:越年轻的细胞分裂能力越强。

学生2:女性的细胞分裂能力好像更强。

教师:有不同的见解吗?

学生:我觉得这个实验设计得不严密。

教师:为什么?

学生:对照实验有问题。

教师:你有什么改进意见?

学生:我觉得应该重新设计对照实验。

第一组,同年龄的男性细胞和女性细胞混合培养,看实验结果,以探究性别对细胞分裂能力有什么影响。

第二组,同性别的男性或女性细胞分不同年龄一起混合培养,探究在同一条件下年龄对细胞分裂能力的影响。

教师:非常棒,善于发现和思考,科学研究需要严谨的态度和缜密的逻辑推理过程,才能得出正确的结论,你的方案非常值得大家思考和讨论。

教师:下面我们接着来看资料四,年轻人体细胞去核后与老年人的细胞融合不能分裂,但老年人的细胞去核后与年轻人的细胞融合却能够进行旺盛地分裂,请同学们讨论是什么原因引起这两种融合细胞分裂能力不同的差异?

学生:细胞核是决定细胞衰老的主要因素。

教师:从以上四个资料的分析,你能总结出哪些影响细胞衰老的内在因素?

……

点评:本教学片段通过教师的点拨,学生能从貌似散乱的材料中提取出有效信息,强化了生物学实验中单因子变量等基本原则的理解,使"整理"资料的过程成为培养严谨的态度和缜密的逻辑推理的过程,始终以"欣赏"的角度评价学生的思维活动,故意用一组不严密的资料激发学生敢于"质疑"、善于"梳理"的科学精神,给学生个性的展示和张扬提供了平台。

(三)基于实验的探究性学习

实验教学是掌握科学基本技能、实施科学方法教育的重要途径。新课程顺应教学改革的基本趋势,突出了生物实验过程与方法的重要地位。在生物课科学教育中重视实验、观察,其本质就是进行科学方法的训练,而这个训练并不限于显微镜的使用、装片的制作、标本的采集制作等动作技能的训练,提高学生科学工作的过程技能。总之,实验探究不只是为了观察实验而观察实验,也不只是为印证某一生物知识而实验,而是让学生真正在实验中体会、学习进而理解科学的方法,尝试体验科学的过程,加强科学方法的训练。

教学案例:"观察鸡肝细胞中的线粒体"教学片段

教学内容:中国地图出版社高中教材,"分子与细胞"模块,第一单元第二章第二节"细胞的基本结构"。

教师:同学们,下面我们要观察鸡肝细胞中的线粒体。线粒体是动植物细胞中普遍存在的一种结构,是细胞有氧呼吸的主要场所,线粒体中的细胞色素氧化酶能使詹纳斯绿B染料始终保持在氧化状态下而呈蓝绿色,而线粒体周围的细胞质中詹纳斯绿B则被还原成无色的化合物,这样线粒体便会呈现出来。请大家想一想,我们为什么选取动物的肝组织做实验材料,并且要求是新鲜的?

学生:可能是因为动物的肝细胞代谢旺盛,所以细胞中线粒体较多,容易观察。至于为什么要用新鲜的肝细胞,是因为只有细胞保持生活状态,细胞中的氧化酶才有活性,线粒体才会被詹纳斯绿B染料染色,而死亡的细胞中酶已失去活性,线粒体不会被染色,所以不便于观察。

教师:他回答得很好。既然这样,大家再考虑一下,除了用鸡的肝组织,我们还可用哪些实验材料代替呢?

学生1:可用猪或羊的肝组织。

学生2:可用小白鼠的肝组织。

教师:对,这些都是动物的细胞,还有其他材料可替代吗?

学生:也可用植物的细胞。

教师:很好。我们也可用一些代谢旺盛而颜色较浅的植物细胞来代替,如洋葱鳞片叶的内表皮等。接下来请同学们先在小培养皿中滴加几滴1:5000的詹纳斯绿B染液,然后将一小块肝组织移入染液中,染色20分钟,注意在染色时肝组织要一半浸入染液,一半暴露于空气中。请同学们思考一下,这又是为什么?

学生:肝组织一半暴露于空气中,能够保证肝细胞得到氧,使肝细胞保持鲜活状态,线粒体中的氧化酶才有活性,线粒体才会被染色。

教师:下面请同学们用吸水纸吸去肝组织周围的染液,再用林格氏液浸没肝组织,并用眼科剪将肝组织着色部分剪碎,使单个细胞游离出来。请同学们想一下,我们为什么要将染色后的肝组织浸泡在林格氏溶液中呢?

学生:因为詹纳斯绿B染液是活体染色剂,细胞只有保持鲜活状态线粒体才能被染色。而在染色后,为了便于观察,需将肝组织周围多余的染液吸去,此时为了继续保持肝细胞的鲜活状态,要将肝组织浸泡在无色的林格氏液中。

点评:运用启发式教学法,使学生从本质上理解了实验原理,从而对实验操作中的关键步骤容易把握,减少了实验的盲目性。同时,对实验材料替代物选取的思考也锻炼了学生的创新思维能力。整个教学过程注重对学生进行科学过程技能、操作技能的培养,更注重了学生智力技能的培养,知其然也知其所以然才能再设计、再创造!

(四)基于建立模型的探究性学习

模型是用来显示复杂事物或过程的表现手段。构建模型是科学研究中经常用到的一种手段,模型能帮助人们理解他们无法直接观察到的事物。或将抽象的事物变得直观、形象,理解起来更容易一些。科学探究中经常用模型来代表非常庞大或者极其微小的事物,比如太阳系中的行星、细胞的细微结构等。这些模型是物理模型——能直观反映真实物体形状的图画或三维结构。另外还有一些抽象模型——能描述事物活动规律的数学方程或者描述性文字或者坐标曲线图。运用巧妙的构思和简单易得的素材构建模型是科学教学常用的教学设计方法。利用模型常常会收到出乎意料的教学效果。比如用不同颜色的橡皮泥来模拟细胞分裂过程中的染色体;用一块花布模拟一定的生态背景,用几种不同颜色的小纸片洒在花布上模拟生存的生物,让学生模拟捕食者从花布上捡拾起小纸片就可以建立一种自然选择的模型。

模型方法作为一种现代科学的认识手段和思维方法,所提供的观念和印象不仅是学生获取知识的条件,而且是学生认知结构的重要组成部分,在高中生物教学中有着广泛的应用价值和意义。美国《国家科学教育标准》把模型和科学事实、概念、原理、理论列为科学主题的重点,并将构建、修改、分析、评价模型作为高中学生的基本科学探究能力。以计算机为主的信息技术,具有强大的模拟功能,可以较好地与模型方法进行教学整合,实现提高生物科学素养的任务。

高中生物模型方法,根据模型所代表和反映的方式可以分为三大类:

1.物质模型方法

用实物模型代替原物进行研究的方法叫做物质模型方法。在高中生物教学中,有许多原物无法找到或没有必要找到,而采用人工制造的模型或标本。如,细胞的结构模型、被子植物花的结构模型、T2噬菌体的模型等,以人工制造的模型来构建生物共同的形态结构特性;蛋白质的结构模型、DNA分子的双螺旋结构模型、细胞膜的结构模型等,以一定形态的分子模拟物把生物原型形象地、简约地表现出来,利于抓住本质特征。利用计算机可以制作2D或3D的图像进行设计模型及演示,有效地避免实物模型带来的大小、视觉、色彩等教学不利因素。

2. 想像模型方法

用想像的抽象物代替原型进行研究的方法叫做想像模型方法。这种方法是人们抽象出生物原型某些方面的本质属性而构思出来的,使对象简化便于研究。例如,物质出入细胞的模型、细胞分裂过程模型、光合作用过程模型、呼吸作用过程模型、激素分泌的调节模型、动物的个体发育过程模型、生物系统的结构与功能模型等,在教学中创设了从具体向抽象过渡的认知水平训练的教学情境,寓科学研究于学习过程,培养学生科学精神。

3. 数学模型方法

用符号、公式、图像等数学语言表现生物学现象、特征和状况的方法称为生物学数学模型方法。如教材中的细胞分裂过程中DNA含量、染色体数量的变化曲线、酶的活性受温度酸碱度影响的曲线、同一植物不同器官对生长素浓度的反应曲线、基因分离定律、自由组合定律的图表模型、种群基因频率、基因型频率等数学模型。教学中"同化"这些模型的过程,也就是学生认识规律、形成理论、提升思维水平的过程。通过计算机的数据模拟,结合相应的生理过程,也能建立一系列模型,可有效地锻炼学生对问题的解释、判断和预测规律的能力。目前的高考试题中,思维含量较高生物题目往往是以数学模型为背景设置的,教学中要引起足够的重视。

教学案例:关于自然选择的模拟(构建模型)

在这次实验中,你将研究在漫长的时期中自然选择怎样使一个物种发生演化;还将探讨在自然选择时,遗传因素和环境因素如何共同对物种起作用。

(一)问题:物种是怎样演化的?

(二)材料:剪刀,记号笔,两张不同颜色的硬纸板(或绘图纸)。

(三)实验步骤

1. 与另外两个学生组成一组来做这个实验。一个学生选择一种颜色的硬纸板,按照表1中的要求制作50张"老鼠卡"。另一个学生用另一种颜色的硬纸板,按照表2中的要求制作25张"事件卡"。第3个同学将记录抄下来,并负责记录所有的数据。

第一部分

2. 先将"老鼠卡"像洗牌一样混匀。

3. 然后用这些卡片来模拟一群老鼠在白色沙丘的环境中生活的情况。随机抽出两张"老鼠卡"。如果抽到的是"WW"或者是"Ww",则表示一只白色的老鼠;如果是"ww"则表示一只褐色的老鼠。请用在记录表中画"正"字的方法来记下不同颜色老鼠的数量。

4. 再取一张"事件卡"。"S"卡表示老鼠存活;"D"卡或"P"表示它死了;而"C"卡则表示当老鼠的颜色和沙丘颜色不同时,老鼠会死去(当抽到"C"卡时,只有褐色的老鼠会死去)。在记录表中画"正"字来记录每一只死去的老鼠。

5. 如果这只老鼠存活,就把这两张"老鼠卡"归入"活老鼠"的一组;如果死亡,就将卡片归入"死老鼠"一组。然后将这张事件卡放到整叠事件卡的最下面。

6. 用剩下的老鼠卡重复步骤3—5,这些实验的结果表示第一代老鼠的存活情况。记录你的结果。

7. "死老鼠"的卡放在一边不用,把"活老鼠"的卡重新混在一起。把"事件卡"也重新混匀。

8. 重复步骤3—7,这次实验的结果表明第2代老鼠的存活情况。然后再重复步骤3—6,研究第3代老鼠的存活情况。

表1:"老鼠卡"

数量	标记	含义
25	W	控制白色毛皮的显性等位基因
25	w	控制褐色毛皮的隐性等位基因

表2:"事件卡"

数量	标记	含义
5	S	老鼠存活下来
1	D	老鼠因疾病而死亡
1	P	老鼠的天敌杀死了所有颜色的老鼠
18	C	老鼠的天敌杀死了那些颜色和环境不同的老鼠

记录表

代数	环境类型		死老鼠	
	白色老鼠	褐色老鼠	白色	褐色
1				
2				
3				

第二部分

9.如果模型中的老鼠生活在一片深褐色的林地上,结果会有什么不同？在记录本上记下你的预测。

10.重新抄一张记录表,然后再用卡片来验证你的预测。请记住这次"C"卡表示只有白色老鼠会死亡。

(四)分析与结论

1.在第一部分中,每一代各有几只白色老鼠,几只褐色老鼠？在每一代中,哪种颜色的老鼠死亡率高？(提示：白色老鼠的死亡率可以这样计算,用死去的白色老鼠数量除以白色老鼠的总数,再乘以100%。)

2.如果第一部分实验的事件在自然界中是真实的,那么经过一段漫长的时间后,这群老鼠将会有怎样的变化？

3.第二部分实验的结果和第一部分有什么不同？

4.这次实验从哪几方面模拟了自然选择过程？又有哪些方面与自然选择有区别？

5.想一想,如果你增加"C"卡的数量会对模型产生什么样的影响？如果减少"C"卡的数量呢?

(五)扩展实验设计

选择另外一种你感兴趣的物种以及性状。与这次实验一样,设计一套卡片来探索自然选择是如何影响这种生物的演化的?

第三节　高中生物新课程的教学方法途径

一、组织好探究性学习

科学教育的主要目的是提高全体学生的科学素养。公民的科学素养主要包括:科学观念、科学精神、科学态度、科学知识、科学方法和科学的实践能力等方面。生物课程是自然科学课程,在培养学生科学素养方面有着重要的任务。按照我们以往的课程理念和习惯,以灌输为主的教学方式是难以完成这一任务的。因此,课程标准提出了"倡导探究性学习"的理念,并要求学生在新课程的学习中应以探究学习作为主要的学习方式之一。

探究学习是让学生在主动参与过程中进行学习,让学生在探究问题的活动中获取知识,了解科学家的工作方法和思维方法,学会科学研究所需要的各种技能,领悟科学观念,培养科学精神。这种学习方式是对传统教学方式的一种彻底的改革,学生将从教师讲什么就听什么,教师让做什么就做什么的被动的学习者,变为主动参与的学习者。为此,教学模式也将发生根本的改变,生物课更多的将是学生的实验、讨论、交流等活动。这种学习方式的改革不仅会影响学生,也将会影响到科学教育的诸多方面,如教材的选材和呈现方式、课堂组织形式、教学内容的选择、教学评价、教学资源、教学时间、师生关系等都将会随之而发生改变。

(一)探究性学习理念的提出

从科学发展的历史我们可以看到,整个科学发展的历史就是一部科学探究的历史,人们从最初完全处于自己的生活经验对世界的种种解释,到后来的通过对自然界的观察得到种种现象,再通过设计实验得到种种结果,并根据结果进行推论形成种种理论。

在我们课本中所介绍的知识只是科学的一个组成部分,而不是科学的全部,真正推动科学前进的动力是科学精神和科学方法的运用。我们的教学由于缺乏对学生这两个方面的教育,学生在课堂上是在看科学、听科学,而不是做科学。学生由于对科学知识的来源缺乏了解,而把科学知识看得很神圣,不敢怀疑;又由于对科学方法缺乏了解并对自己没有信心,导致我们的学生缺乏科学创新的能力。在教学上,教师和书本几乎是学生知识的惟一来源,教师和书本是权威,学生只有把书本上的条条都背会就可以得到一个很好的分数,在这种情况下,学生只能苦读课本,不敢越雷池一步。

我们的学生虽然背了很多理论,但是缺乏创新意识与创新能力,这就是我国科学教育的现状。我国的许多教育工作者很早就意识到这一点,并开始尝试新的教学方法。发现式教学法从 1978 年开始引入我国后,就受到了一些有识之士的关注,一些在教学第一线的教师就开始试用这种教学方法,并取得了一些经验和成果。但是,由于种种原因,这种教学方法没有能够在我国得到推广。

进入 20 世纪 90 年代以后,世界各国分别制定了面向 21 世纪的科学课程标准,并把科学探究作为科学课程的理念,把科学探究能力作为培养学生科学素养的一个重要方面。在国内,近几年来有关创新精神和创造能力培养的问题引起了教育界和全社会的广泛关注,并成为当前基础教育改革的一个热点。探究性学习作为一种能够有效培养学生科学素养的教学方法,重新受到重视。各地已有不少开展探究性学习的经验和研究成果,其中不乏可资借鉴的理论观点和具体做法。

教育部 2000 年 7 月颁布的《全日制普通高级中学生物教学大纲(试验修订版)》指出,高中生物课程要让学生初步学会生物科学探究的一般方法,具有较强的生物学基本操作技能、收集和处理信息的能力、观察能力、实验能力、思维能力和解决实际问题的能力。我国生物课程标准制定的过程中,标准组的成员分析了我国的理科课程改革的基础,借鉴了世界各国科学课程标准及教学改革的实践经验,提出了探究性学习的理念,以期将我国生物课程改革推向深入。

(二)探究性学习的概念

科学是一个探究的过程,学生在科学课程中的学习方式也应该体现自然科学的这一特点。探究性学习指学生通过类似于科学家科学探究活动的方式获取了科学知识,并在这个过程,学会科学的方法和技能、科学的思维方式,形成科学观点和科学精神。

学生的探究性学习与科学家的工作相似,学生为了学习科学也必须读书,与同学交流,不断提出问题,学习解决问题的方法;学生要参加各种各样的活动,要做实验、解决困惑,与同学进行讨论;学生还必须使用测量设备,这样可以使实验的结果更加准确。

教师在学生的探究性学习中是一个帮助者的角色。教师将为学生提供学习材料,解释阅读材料中的问题,提出问题。教师不要直接告诉学生答案,而是要挑战学生,鼓励学生自己找到问题的答案。

探究性学习是一种学习方式的根本改变,学生由过去从学科的概念、规律开始学习的方式变为学生通过各种事实来发现概念和规律的方式。这种学习方式的中心是针对问题的探究活动。当学生面临各种让他们困惑的问题时,他就要想法寻找问题的答案;在解决问题的时候,要对问题进行推理、分析,找出问题解决的方向。然后通过观察、实验来收集事实,也可以通过其他方式得到第二手的资料,通过对获得的资料进行归纳、比较、统计分析,形成对问题的解释。最后通过讨论和交流,进一步澄清事实、发现新的问题,对问题进行更深入的研究。

探究式学习作为一种学习方式,它不同于科学家的探究活动。探究性学习必须满足学生在短时期内学到学科的基本知识和学科的结构,所以这个过程在许多情况下都要被简化。比如,提出问题这个环节,在大部分的教学活动中,都是由教师提出问题,或由教材提出问题;在获取事实这个环节,常常是由教师和教材来确定研究方法、步骤、所用材料等,这样就省去了学生设计实验的环节。探究性学习中也要给学生提供进行完整科学探究活动的机会,这样的活动虽然要用更多的时间,但对学生体验科学家的探究过程是非常必要的。

探究性学习的一个最大目的是要学生掌握科学研究的方法,如果不亲自参与探究,学生就无法理解科学探究的艰难,无法体会科学家在科学研究中可能遇到的各种问题,以及科学家怎样通过一次一次的尝试来解决问题。总之,参与探究可以帮助学生领悟科学的本质。

二、加强实验与其他实践活动的教学

生物学是研究生命现象和生命运动规律的科学。观察和实验室研究是生命科学的基本方法。高中学生通过生物课的学习,不仅要获得有关生命活动规律的基础知识,而且要在科学方法、科学能力、科学态度、科学精神、创新意识等方面得到发展。

教师应尽可能多地让学生参与实验和其他实践活动。在中学生物课程中,实践活动应包括学生在各种实际工作条件下使用适当的设备和材料所进行的任何活动。在当前的教学条件下,实践活动大多在实验室里进行,包括以教师操作为主的演示实验,以学生动手为主的观察、验证或探究实验,以实验探索为核心的研究性学习,以个性发展为目标的特长生动作技能训练,以及以实验为辅的专题讲座或单元课堂教学等。

在同时拥有现实环境的实验条件和虚拟环境的模拟条件时,教师应首选现实环境,使学生身临其境,亲自动手。通过实验和其他实践活动,不仅可以帮助学生更好地理解和掌握相关的指示,有利于他们在观察、实验操作、科学思维、识图和绘画、语言表达等方面能力的发展,也能推动学生尊重事实、坚持真理的科学态度的形成。

加强实验与其他实践活动的教学,应注意以下几个方面的问题:

1.学校应逐步完善生物实验室的建设、仪器设备和用具的配置,保证实验教学经费的投入。生物教师也应创造条件,就地取材、因陋就简地开设好生物学实验。

2.增加低成本实验或其他实践活动。我国地域辽阔,生态环境和物种分布差异很大,课程标准提供的活动建议难以适应各地学校的条件,教师要根据实际情况,尽可能采用比较规范的实验仪器设备完成实验。条件不具备的学校,要充分利用当地常见的材料或废弃材料设计低成本实验,提高实验或其他实践活动的开出率。

3.在重视定性实验的同时,也应重视定量实验,让学生在量的变化中了解事物的本质。教师应向学生提供机会学习相关的测定方法,实事求是地记录、整理和分析实验资料、定量表述实验结果等。

4. 要注意实验安全教育。安全使用实验器具和试验药品是生物学实验的基本技能,教师应强化安全教育,增强学生自我保护意识。

三、落实科学、技术、社会相互关系的教育

由于科学技术快速发展,人类面临许多新的问题,而在现代社会中,科学技术已不是少数科学家或研究人员的事情,而是和社会大众息息相关的议题。一次科学教育不仅在于传授科学知识,更应通过对科学、技术、社会相互作用问题的探究,培养了解社会、致力改善社会问题的科学人才,以及培养了解科学技术及其影响、并能参与科学技术事务决策的公民。这一科学教育的新理念被称为STS(science-technology-society),亦即科学、技术、社会。另一方面,传统的教学模式引发许多科学教育的问题,例如学生对科学学习的兴趣降低,科学教育内容与学生生活脱节,学生无法将所学的科学概念和过程技能应用在实际的情境中,学生缺乏学科间的大概念,学生学成后无法参与处理科技引出的社会问题,等等,导致STS理念的科学教育受到世界各国科学教育界的重视。

随着生物科学的发展,疾病防治与人体健康,人口膨胀带来的粮食危机,传统工业的生产方式带来的高能耗、高污染所引发的资源危机和环境污染等公众话题,使生物科学在社会生产和发展中的地位越来越重要,生物科学技术对社会的影响越来越大。这主要表现在以下几个方面:

1. 影响人们的思想观念和思维方式,如进化的思想和生态学思想正在被越来越多的人所接受,生态学的发展促进人们更宏观、更前瞻地审视人与自然的关系。另外,随着脑科学的发展,生物科学技术将有助于改进人类的思维。

2. 促进社会生产力的提高,如生物技术产业正在形成一个新兴产业,农业生产力因生物科学技术的应用而显著提高。

3. 随着生物科学的发展,将会有越来越多的人从事与生物学有关的职业。

4. 促进人们提高健康水平和生活质量,延长寿命。

5. 对人类社会的伦理道德体系产生冲击,如试管婴儿、器官移植、人类基因的人工改造等,都会对人类社会现有的伦理道德体系产生挑战。

6. 生物科学技术的发展对社会和自然界也可能产生负面影响，如转基因生物的大量生产改造了物种的天然基因库，可能会影响生物圈的稳定性。

因此，中学生物课程中也应当充实这方面的内容，这些问题都是 STS 在生物教学中的落脚点。理解科学技术与社会的关系，是科学素质的重要组成部分。要注重让学生在现实生活的背景中学习生物学，倡导学生在解决实际问题的过程中深入理解生物学的核心概念，并能运用生物学的原理和方法参与公众事务的讨论或作出相关的个人决策；同时注意帮助学生了解相关的职业和学习方向，为他们进一步学习和步入社会作准备。

四、注重学科间的联系

自然界是一个统一的整体，自然科学中的物理、化学、生物等各门学科，其思想方法、基本原理、研究内容有着密切的联系。同时，生物科学和数学、技术科学、信息科学相互作用、共同发展。此外，生物科学与人文社会学科也是相互影响的。加强学科间的横向联系，有利于学生理解科学的本质、科学的思想方法和统一的科学概念和过程，建立科学的自然观，逐步形成正确的世界观。

在未来的世界生产总值中，信息和服务业的比重将越来越高，制造业的作用将日益降低。高科技、高信息、高速度、高容量以及信息化、网络化将构成本世纪一道亮丽的风景线。科学的发展已超越了学科的界限，正向着综合化、协同化的方向发展，呈现出既高度分化又高度综合且以综合为主的大趋势。人类的实践也面临着许多新课题，如资源问题、环境问题、人口问题等。这些问题并非靠一门学科就能完成，必须打破学科的界限，依靠各个学科的协同研究。

当代科学的发展导致现代社会对人才的要求是应用型、复合型和创新型的。这类人才最重要的特征，就是知识结构合理、知识视野开阔、思考方式可靠性强、思维品质创新含量高。而传统静态平稳的分科，过于强调学科界限，使知识间缺乏沟通，对学生个性和适应社会的能力等开发较少，已明显暴露出其对人才培养的局限性。正如爱因斯坦所说："用专业知识教育人是不够的，通过专业教育，学生可以成为一种有用的机器，但不能成为一个和谐的人。"在此背景推动下，未来的教育将着重强调提高人们的思维能力、动手解决问题的能力、跨行业的协作能力的培养,以达到学生学会生存、学会学习、学会协作的目标。死记硬背和过于专业化的教育将越来越没有市场。高考综合科目的设置正是朝着这一方向迈出的可喜的步伐,是社会进步和科学发展的必然产物。加强学科渗透研究就是为了适应这一时代要求。

那么什么是学科渗透？学科渗透就是以本学科为载体,联系其他学科相关知识,从相关知识的融合中更好地理解和掌握本学科知识、拓宽思路、发展能力的教学过程。即在本学科知识的教学过程中,渗透着与之相关的其他学科知识；在培养某种能力的教学过程中,渗透着与之相关的其他能力的培养,并能达到相互影响、相互促进的作用。这里首先是知识的渗透,在知识的渗透中提高本学科的相关能力。与传统的教学方式相比,其优点是：(1)注重学科间的内在联系,有助于形成立体性知识结构。(2)注重知识理解的深度和广度,有助于培养发散性思维,造就创造型人才。(3)注重能力的相通性和内在联系,有助于中学推行素质教育。

在传统高考科目设置下,中学教师已经习惯于在自己学科范围内自由发挥,很少或根本就不顾及其他学科。学科割据的状况十分严重,使知识间形成一堵无形的墙,相互间缺乏沟通,这就决定了学生知识掌握的零碎性、肤浅性和一知半解,形成不了知识的有机组成,融会不成统一的整体。其实,不同学科之间有着许多内在的联系,它们相互制约、相辅相成,形成"知识链","牵一发而动全身"。在现行教材中,也有大量这方面的素材,因此,逐步消除学科间的割据,挖掘教材中的知识的渗透和能力的迁移,培养高素质的新型人才,是我们教育工作者的义不容辞的职责。

知识经济时代所倡导的素质教育是创新教育、终身教育和综合教育。从综合教育角度来看,就要求学生具有从总体观点出发,把几门相关学科综合起来加以考虑,从不同角度去认识同一问题的能力。加强学科渗透所要达到的正是这种境界,它把学生从传统的单向思维定式中解放出来,使之有机会站在不同角度审视同一问题,找到解决问题的各具特色的切入点,培养学生学习的热情和高度的求知欲、整体认识能力、独立学习能力、终生学习能力、创新能力,以利于实现教育个性的凸现和教育创新本质的张扬。

因此，要挖掘生物学科各个模块中能与其他学科知识相交叉渗透的具体内容，以充分开采出加强学科间渗透的切入口。教学中加强学科渗透的具体策略是：

1. 针对本学科教学目标，学生围绕学习目标活动时，引导学生联系其他学科相关知识。

(1) 注重数学工具在生物教学中运用。教学中将某些生物信息进行加工、抽象归纳、逻辑统摄成规律从而转化成数学问题；进行学科方法渗透，可以有效地提高学生思维能力和解决复杂生物问题的能力。

例1. 现有10种氨基酸，能构成多少有三个不同氨基酸单元的三肽？能构成多少种只有两种不同氨基酸单元的三肽？（根据数学中排列组合知识计算）

例2. 任意100个碱基，至多能组成多少种DNA分子？（根据数学上的"乘法原理"，在每一个位点上碱基可有四种变化，因此答案为 4^{50}）

例3. 基因型为Aa的植株连续自交至n代，在第n代表现为显性性状的个体中纯合子占多少？（按照数学归纳法，可以总结出"通项公式"，自交到n代，其中的杂合子是 $\frac{1}{2^n}$，其中的显性纯合子为 $\frac{1}{2}(1-\frac{1}{2^n})$，该例题的最后答案应该为 $\frac{2^n-1}{2^n+1}$。

从上面几个例子中可以看出，用数学的思维去审视蛋白质和核酸的多样性，理解涉及遗传定律的有关基因型和表现型的计算时，能够使有关的教学难点迎刃而解。在教材中还有很多地方可以用数学思想去理解或深化，比如可用和平方公式理解遗传平衡定律中基因频率的计算，用等比数列的概念强化对生态系统的能量金字塔原理以及能量流动的特点的认识。

(2) 生命运动与化学反应紧密相连，许多生命现象蕴藏化学反应；生命物质的鉴定、生命规律的探究常需要化学的手段来进行。

例题：证明"光合作用需要二氧化碳的实验"可利用如下图所示的甲（玻璃缸中盛 NaOH 溶液），乙（玻璃缸中盛清水）两个装置，将这两个装置同时放在黑暗处一昼夜，然后一起放到阳光下，几小时后分别取下甲、乙装置中的叶片，分别在酒精中热水浴脱色，用水漂洗后分别加碘，发现甲装置中的叶片不变蓝，而乙装置的叶片却变蓝。

a. 加碘后甲装置中的叶片不变蓝,说明其叶片没有淀粉生成,其原因是甲装置里的二氧化碳被 NaOH 溶液吸收,反应的化学方程式为 $CO_2 + 2NaOH = Na_2CO_3 + H_2O$。

b. 加碘后乙装置中的叶片变蓝,则细胞中变蓝的结构是叶绿体其原因为植物利用二氧化碳在叶绿体中进行了光合作用,合成了淀粉,淀粉遇碘变蓝。

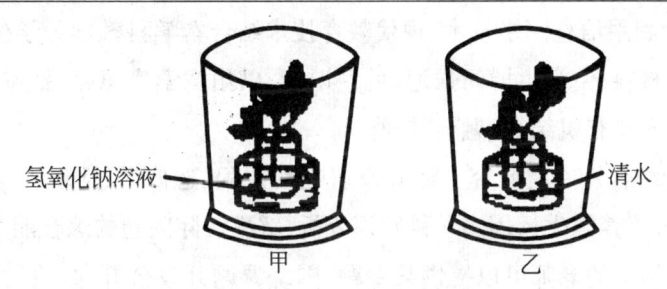

证明光合作用需要二氧化碳的装置

本题为生物学科中探究光合作用的原料的综合性题目,可以充分利用化学的原理和办法,通过对实验中化学现象的观察分析,得出生命的基本原理。许多生物现象都与化学知识有关。例如,糖类等氧化释放能量的过程、ADP、ATP 的化学组成和转化;还原性糖的鉴定;内环境的稳态调节;臭氧层的破坏和保护;植物对矿质元素的吸收等。化学是与生物学关系最为密切的学科。

2. 课堂设计练习带有一定的综合性、交叉性来引导激励学生注意学科知识间的交叉渗透;或选用其他学科相关材料设置情境,帮助理解本学科知识,分析解决本学科提出的问题。既使本学科基础知识到位,又从中体现相关知识能力的融会贯通。同时,教师要能把各种教学方法、教学手段融为一体,实现教学方法的最佳组合。

生物学是一门实验性的自然科学,与物理、地理等其他学科也有着千丝万缕的联系。在综合试题中,注重穿插专题和题组,突出"一例多问",对呈现的同一实例材料从多角度设问,在形式和考查目标上体现了综合性和开放性。如以"温室效应"为材料,分别从物理、化学、生物、地理 4 科角度设问,或以生态系统中"外来种"或"侵入种"为主题从生物、地理、政治角度设问,要求考生面对新情境的问题,能融合各学科知识,做到思路贯通和开放。高考设立综合科目,顺应这种趋势,使有关学科相互融合,淡化各学科知识的界限,体现自然科学内在的整体性。应当引导学生应用所学的知识从多角度探讨问题,解决综合性的实际问题,可以拓展学生的知识面,开阔学生眼界和思维空间,使不同学科的知识在学生头脑中形成独特的有机系统,形成知识网络。同时,还可以培养学生的整体思维素质、跨学科的综合素质和解决问题的创造素质。

3. 充分利用信息网络技术、现代教育技术结合本学科教学为学生提供多方面的信息和材料,使学生博闻强记、见多识广,以拓宽学生思路,把本学科知识、方法与其他学科有机结合、融会贯通。

4. 开始综合性专题研究。如开设研究性课程、选修课、活动课等多渠道拓展教学空间,培养学生运用多学科知识分析、解决实际问题的综合能力。研究性课程中相关学科的老师可以提供某专题,围绕课题开设公开课、研讨课、第二课堂,特别是联系一些我国和世界的重大热点、人类需共同解决的问题开展专题讲座,让学生收集并运用相关学科的知识进行综合地观察分析,把学生从传统的单向思维定势中解放出来,使之有机会站在不同角度,审视同一问题。

组织学生开展综合性专题研究,首先还是要以课堂教学为中心,把本学科的基本知识让学生搞懂、搞活,这是一个基本立足点。没有这个基础,知识的渗透、综合运用以及学习能力、创新能力的培养将是无源之水、无本之木。在此基础上,以本学科知识为载体,有机结合其他相关学科的内容,指导学生注重对事物结构、功能的认识,引导学生分析、综合运用,提高思维水平和创新意识,注重培养和发展学生的科学素养和人文精神,拓宽学生的知识面。

5. 加强各个教研组的横向联系,改革过去以学科组为单位成立教研组的格局,成立综合科目教研小组,使相关学科的教师之间围绕某一问题联合研究,在各自不同领域内进行有目的的渗透。由狭窄的单学科视角转向多学科视角,由纯学科的教学转入探索学科联系的有机整合,培养学生发散性思维,注重开发学生的整合和变通的能力。

6. 转变教师的教育观念和学生的学习行为,由单纯的知识灌输转向以知识为载体来发展学生的智能,由把学生作为知识的容器转向发展学生的创新意识和创新能力,寻求一种有利于学科渗透以达到培养学生综合素质、创新意识和实践能力的教学组织形式和管理形式,提高学生的观察能力、判断能力、归纳比较能力、推理能力特别是解决实际问题的应变能力,促进学生主动学习、主动发展、创造性发展。同时转变学生的学习行为,发挥学生的主体能动作用,给出学生自主学习、广泛涉猎、整合各学科知识以丰富完善自己知识体系的时空。

教学案例:内环境与稳态片段

教学内容:中国地图出版社高中教材,"稳态与环境"模块,第一单元第二章第一节"内环境与稳态"。

教师:生物时刻都要与外界环境进行物质和能量的交换,维持自我更新。单细胞动物生活在水中,可以直接与环境进行物质和能量交换;对于多细胞动物比如我们自己,除极少数的细胞外,绝大多数细胞都不与外界环境直接接触,那么这些细胞如何获得与外界进行物质和能量的交换呢?

学生:……

(看书探究寻找答案)

学生:人体大部分细胞生活在内环境中,通过内环境间接与外界进行物质交换。

教师:肠腔、尿液是否是内环境的一部分?

学生:不是,内环境是细胞赖以生活的液体环境,包括血浆、组织液、淋巴,就是细胞所"浸泡"的那些液体环境。

教师:很好。毛细血管壁的上皮细胞的具体环境是什么液体成分?

学生1:血液。

学生2:不对,是血浆。

学生3:里面是血浆,外面是组织液。

(热烈讨论……)

教师:(出示有关资料,提出问题)内环境这三种液体成分比例如何?成分最相似的是哪两种?三者之间是如何相互转化的?

(学生阅读有关资料、教材和学案等相关材料,分析得出结论,并用箭头和图示表示出血浆、组织液、淋巴之间的关系。)

学生：我不明白为什么组织液能渗入淋巴管形成淋巴,而淋巴为何不能渗出形成组织液?

教师：毛细淋巴管管壁的细胞呈覆瓦状排列,结合不很紧密,所以能回收从血浆渗漏到组织液的大分子物质,但淋巴管的液体不能进入组织液,主要是因为淋巴管内存在着"负压",就是说淋巴管处于"瘪"或没有完全"充盈"的状态,由于大的淋巴管最终从左右锁骨下的静脉汇入上腔静脉,负压的产生源于心脏的"抽力"。

教师：通过大家的分析讨论明确了内环境的概念,下面我们用放在实验桌上的材料、器具做一个探究实验,看看血浆渗透压和酸碱度对红细胞的影响。

(探究实验过程见教材)

教师：通过刚才的实验,你能得出什么结论?

学生：渗透压和酸碱度过高或过低,都会导致红细胞破裂。

教师：在人体内会不会发生这种现象?

学生：不会,因为人能调节。

教师：如何调节?

学生1：……不知道。

学生2：人不断从外界摄取各种各样的饮食,酸甜苦辣都有,消化后要进入内环境,人的生命活动产生的代谢废物如二氧化碳、多余的无机盐、尿素等也释放到内环境中,人体如何维持内环境稳定呢?教材也没明说,老师请解释一下好吗?

教师：人的内环境的酸碱度等各项理化指标都是稳定的,不仅因为体液的量较大,有一定的稀释作用,更重要的是内环境里面有很多"缓冲物质"。如,蔬菜水果中往往含有一些碱性物质如碳酸钠,当大量食用这些食物后,碳酸钠进入血液,人体的即时反应是碳酸钠与血液中的碳酸反应,请一位同学上前面把反应式写出来。

(学生书写反应式：$Na_2CO_3 + H_2CO_3 \rightarrow 2NaHCO_3$)

教师：所形成的 $NaHCO_3$ 通过肾脏以尿的形式排出体外,这样就不会使内环境的pH升高。

学生:如果人体摄取了大量的酸性物质后,人体内环境如何应对?

教师:马拉松运动员经过2个多小时的竞赛后,肌肉中会产生大量的乳酸等酸性物质并进入血液,但血检发现该运动员血液的pH在正常范围。这道理和摄取大量酸性物质后的调节一样。

学生:那内环境中又发生了怎样的化学变化?

教师:乳酸进入血液后,就与血液中碳酸氢钠反应,生成乳酸钠和碳酸。

学生:碳酸还是酸性物质,pH还会降低呀!

教师:对,但碳酸是弱酸,而且可分解为二氧化碳和水,对血液pH影响不大。血液中二氧化碳过多就会刺激控制呼吸活动的神经中枢,促使呼吸运动增强,增加通气量,从而将二氧化碳排出体外。

学生:原来如此啊!

教师:请同学们总结出稳态的概念,并思考肾衰竭的病人为什么要频繁地进行血液透析?

点评:该教学片段体现了新课程下的教学理念,实现了教与学的角色转变,教师只是学生学习的引导者,学习的目标可根据学生要求适当拓展。各门自然科学不断地综合,界限变得越来越模糊,是当今科学技术发展的重要趋势之一。本片段注意了学科间的知识渗透,适当补充教材上没有出现的知识,用化学的有关知识解释内环境的稳态,强化了对相关内容的理解。

五、注重生物科学史的学习

新一轮课程改革的锋芒十分明确地指向学生学习方式这个触及到了教学领域灵魂的问题上。改革旨在倡导学生主动参与、探究发现、交流合作的学习方式,注重学生的经验和学习兴趣,改变课程实施过程中过分依赖教材、过于强调接受学习、死记硬背、机械训练的现象。从国家颁布的各门学科的课程标准中不难看出,"活动"和"探究"是出现频率最高的词汇。这充分体现了改革之意志,也充分表明了实施之要旨。推动、开展探究性学习成为新一轮改革的主旋律。

长期以来,科学教育主要以传授科学知识为主要目的,这种习惯思想是有历史渊源的。然而,当知识增长之快,迫使人们不得不用"爆炸"这样的字眼去形容它时,以传授知识为主要目的的思想遭到质疑、批判,甚至否定。世世代代积累的知识,构成的是无边无际的"崇山峻岭",人们已不可能从整体上把握它。教育中一直信奉的"接受式"、"继承式"、"打基础式"的教学方式显现出了它们的缺陷和不足,无法适应时代的需要;推崇"学富五车"、"满腹经纶",追求知识的占有量,也已经不是衡量现代人才智和素质的主要指标。能主动获取知识和结论,具有不断探究学习的能力才是一个现代人首先应具备的素质。

联合国教科文组织在一份报告中指出:"将来的文盲是没有学会学习的人。"因此,教师上课的重点不应局限于让学生"学会",更要着眼于使学生"会学"。探究式的学习能促进学生积极主动的获取生物知识、体验科学过程和科学方法,形成一定的探究能力,培养学生的创新精神。

作为一种自主、探索、合作的学习方式,探究性学习的方式是丰富多彩的,它不是作为科学家才能从事的方法,也并不意味着要让学生亲自去获取直接知识和直接经验。课堂终究不是真正的科学探索和科学研究的实验室,我们不可能也不一定具备条件把科学家们做过的实验重新做一遍,但是我们可以把科学家当年曾经做过的实验、曾经经历过的矛盾和困惑,把生物科学史以材料的形式呈现出来,回顾科学家探索生命奥秘的历史,会令人兴奋、感慨万千并受到启迪,让学生沿着科学家的"足迹",重温科学发现的历程,感悟科学探究的艰辛曲折,体验先哲们的思维方式,就是一种很好的探究活动方式!

在教材中有很多地方可以设置这样的体验探究,如:细胞学说的建立的历程、核酸的发现历程、细胞核的移植实验、染色体是遗传物质主要载体的探索经历、孟德尔的遗传定律为什么被埋没了35年、植物生长素的发现历程、光合作用的发现、DNA双螺旋结构模型的建立,等等。"史料分析"型的体验探究的教学策略应注意如下几点:

(一)体验探究性学习的始终都要贯穿"问题"意识

问题是科学研究的出发点,没有问题就不会有解决和解释问题的思想和方法。问题是思想方法、知识积累和发展的逻辑力量,是生长新思想、新方法、新知识的种子。从本质上讲,感知不是学习的根本原因,产生学习的根本原因是问题。没有问题的学习只能是表层和形式的,难以诱发求知欲。所以,问题是学习的动力和贯穿学习的主线。另一方面,通过学习可以生成问题,学习过程就是发现问题、提出问题、分析问题、解决问题的过程。

学生的探究性学习是围绕某些中心问题,从已有的史实出发,自主提出问题,探求生命规律,猜测和寻找适当的结论,探索解决问题的方法和途径,其核心是"问题的提出"。学生自主探索的探究性学习易于激发其提出自己的问题,通过情景的探索,不断产生新问题;已解决的问题又成为提出新问题的情境,从而引发在深一层次上提出问题,进而去分析问题,最终达到解决问题。学生的学习具有自主性,是学习的真正主人,这要求学生能够独立获取知识,对相关信息的收集、分析和处理,不断地进行猜想、论证,改进所得结论。从而实际感受和亲身体验知识的产生过程,并且不断形成研究科学的积极态度。而教师将由过去的教学活动的主宰者转变为组织者、指导者、参与者和研究者,不再包办一切。开放性的问题设计有效地拓展了学生的学习空间;培养了探索问题的兴趣,与别人交往的欲望,发现问题与解决问题的能力。

1."情境式"问题提出

情境是指具有生命科学知识和思想方法的情境,同时也是生物学知识产生的背景。因此,情境的精心创设是触及生命现象的发现和提出关于生命规律的问题的重要前提。只有当创设的情境进入学生的"最近发现区",同时,在内容上富有挑战性和探索性,学生才能在已有的认知水平基础上,通过教师的适当的引导,由无疑变有疑,从中发现问题、提出问题、形成"问题意识",从而进一步提高自己的探究意识和创新意识。可见,在生物科学史实学习中应把质疑提问、培养学生的问题意识、提高学生提出生物学问题的能力作为生物学教与学活动的起点和归宿,当时是什么情境促使科学家提出了"问题"? 在今天看来还能提出哪些更有价值的问题? 这也就是新近被一些一线的教师所称道的"问题导学"。

2."发现式"问题探究

发现是探究的一个重要方面,没有发现就没有证明和探索,但传统的教学过程是重结论轻发现的,这显然是剥夺了学生主动获取知识的权利。探究性学习的目的是发展学习者自身的探究与解决问题的能力。使学习者成为知识的发现者,而不是被动接受者,这就要求学生在教师的引导下,利用恰当的素材,主动探究发现。其一般程序为:观察→试探→思索→猜想→验证。这种程序体现了学生参与发现过程的主体地位,注重了发现知识的策略和方法的培养。另外,在发现过程中要适时渗透合情理的推理,充分肯定归纳、类比、联想等方法在发现中重要作用。特别是生物学实验的基本思想(对照原则、单因子变量原则、平行重复原则等)可被看成是生物学探究活动的基本方式,表现为思维主体从一定依据出发,利用逻辑手段,把一系列"问题串"解决,最后从实验结果获得可靠结论的创造性思维过程。

3."开放式"问题讨论

传统上,问题的答案一般是惟一的,思路是模式化的,这类问题是"封闭"的。相反,条件开放(条件在不断变化)、结论开放(多结论或无固定结论)、策略开放(可以采用多种方法和途径去解决)的问题就是开放的。学生不依赖教师和书本,独立地去探索和发现问题的各种各样的答案,可使学生在解决问题中形成积极探索和创造性的心理态势,对生命本质产生一种新的领悟,进而生动活泼地参与探究,从而使学生的认知结构得到有效的发展。因此,在课堂教学中引进"开放式"问题也将成为必然,它可作为贯彻素质教育的一个切入口,成为培养学生创新能力的载体。教师要树立正确的教学思想,在教学中要有意识地构建开放式问题,让学生进行探索和交流活动,才能在教学过程中有意识地向学生传授思维策略,从而培养学生的创新能力。像"如果不像罗宾和卡门那样用放射性元素标记法,你如何证明光合作用释放的氧气来自水?"这样的问题,往往就能起到"一石激起千层浪"的效果。

4."合作式"问题交流

当今建构主义学习观认为,学习者以自己的方式建构对事物的理解,不同的人看到的是事物的不同侧面,可能不存在完全相同的理解。教学要增进学生之间的合作交流,达到取长补短、集思广益的目的。通过学习者的合作可使理解更加丰富和全面。因此,合作学习成为当今世界范围内广泛使用的课堂教学组织形式。

拥有共同"问题目标"的小组成员之间必定会形成积极的相互促进的关系,

与传统教学相比,合作学习给予了学生更多的机会尝试多种交流方式,如讨论、指导等,学生通过彼此之间的交流与自我思考解决认知冲突,从而达到对"问题"的真正理解。在宽松、和谐和民主的环境中,教师要在适当时候对某些问题旁敲侧击,给予学生一定的帮助和暗示,避免学生走过多弯路,这也就是所谓的"师生互动,生生互动"。

5."变式"问题训练和巩固

一个问题的答案,从不同的角度解释会有不同的"新意",就像生物科学史上英国两位生理学家贝里斯和斯他林在研究小肠的局部运动反射中,冲破了"神经反射"的思维定势,开创了"体液调节"新思维的先河,他们所研究的促胰液素便是第一个被发现的激素。

对于科学发现的史料,教材上不可能一一罗列予以穷尽,教师应当不拘泥于教材有限的史料,查找有关背景知识予以补充和丰富,从另一侧面或更新角度,改变题设条件,挖掘出有探究价值的具有一定思维含量的问题,让学生在更新的情景中同化、巩固知识,这也就是我们常说的"问题包装"、"新瓶子装旧酒",从而架设了思维变通和创新的立交桥。

(二)体验式探究性学习要让学生"心动"

1.营造"体验式探究性学习"的氛围,激发学生的"好奇心"

"气氛"是集体(组织)的优势。美国著名的心理学家布鲁纳说:"学习的最好刺激是对学习对象的兴趣"。只有学习者对学习内容充满兴趣和疑问,其思维才会处于积极主动的活跃状态,从而产生研究的欲望,积极主动地去阅读思考。古人云:"学起于思,思起于疑"。有了疑,就生好奇心,强烈的好奇心可以增强学生对外界信息的敏感性,激发思维,培养学生的有意注意力和自主学习意识。生动的生物科学史足以营造一个充满"磁性"的课堂环境。

2.尊重"体验式探究性学习"主体,保护学生的"自尊心"

体验探究是学生与教材、学生与老师、学生与学生之间感情互相交流的过程。我们要认清自己的角色,尊重每一个学生的独特感受和理解,师生关系应亦师亦友。我们尊重学生的人格,更尊重学生的不同的思维模式、思维技巧,乃至求新、求异的思维,保护他们的自尊心。允许对科学家曾做的实验有不同的见解、不同的思考。允许对科学史实或人物进行评价,师生可以一起谈观点、论认识、说感情,一起沉浸其中,同喜同憾。活跃的课堂氛围,来自师生的平等互动。针对不同层次的学生,提出不同的问题和要求,并注重肯定他们课堂参与的积极态度,所以教学中要鼓励学生积极答问或质疑,多从正面寻找他们的亮点,即使对偶尔上课"走神"甚至违纪的学生,也要尽量克制,不当众点名批评,而是课后个别交流,让其心悦诚服,春风化雨才能润物无声。

3. 释放"体验式探究性学习"空间,培养学生的"进取心"

传统教学中,教师擅长"一言堂"式的自我展示,学生早已习惯"提问—起立—作答—坐下"的形式,希望接受训导,不想自己探究;喜欢听讲,不喜欢思考;爱照着练,不爱用心去创造。久而久之,学生就丧失了进取心。

因此,要提倡灵活多样的教学方式,避免烦琐的分析和机械的训练。在学习生物科学史时,教师要把握好"讲度",不能面面俱到,更不能照本宣科,应留给学生教学活动的空间、时间,让学生思考和探索,拓宽他们的思路,进行多角度的思维。学生回答不完整或有错,教师要运用各种方法引导学生重新思维、重新认识,由不懂到懂,让学生循序渐进地逐步弄清楚。这样,释放出探究的空间,导而弗牵,有助于培养学生的进取心。

(三)体验式探究性学习要让学生进行"角色体验"

角色一词源于戏剧,本来是指戏剧舞台上所扮演的剧中人物。后来,它被社会学和社会心理学所借用,并成其为重要的概念。社会学和社会心理学的角色是指与个人的某种社会身份相关的被规定了的行为模式。角色体验就是个人以一定角色为参照,通过观察、感悟、模仿、训练和认同,在认识、情感、思维等方面达到与目标角色同步共振甚至能开拓性、创造性演绎角色的过程。

科学家的探究活动,既有共同的规律,又充满着个性、睿智和灵感。体验科学家的思维历程,是学生的个性化行为,不应以教师的分析来代替学生的体验和实践。应让学生在主动积极的思维和情感活动中,加深理解和体验,有所感悟和思考,受到情感熏陶,获得思想启迪,享受审美乐趣,感知科学家当年的困惑和思维过程中智慧的火花。要珍视学生独特的感受、体验和理解,提倡多角度的、有创意的阅读和探索,利用角色期待、角色反思和批判等环节:假如我就是当年的海尔蒙特、温特、孟德尔,我会如何做?是否做得更好?而同桌就是我当年的助手,他会如何帮助我?后排的她却是另一个实验室的竞争对手,正用挑剔的眼光盯着我的实验方案,谁知道她又会发现什么纰漏并借此来指责我呢……引导学生进行角色体验,能激发学生的兴趣,加深对科学发现过程的理解,培养发散思维和创新的能力,加深理解科学发现过程的艰辛,塑造自己百折不回的科学精神。

(四)体验式探究学习要注重对成果的总结和物化

新课程、新理念要求教师注重学生学习过程的管理,摒弃了传统教学中只重结果不重过程的做法。在"体验式探究性学习"课题实验中,要建立、健全学生的"成长档案",注意收集和整理每个学生的成功的创意和闪光点,这是对学生"体验——探究性学习"成果的物化,学生每一次有真知灼见的发言、每一次周密实验程序的出台、每一次有效的实验方案改进、对当年科学家的恰当点评等,都有小组专人记录并择其优者登录上墙。这种有新意的成果的物化,记录了每个学生的成长历程,成功的体验鼓舞着学生不断追求进步,有利于科学素养的养成,大大促进了学生全面素质的提高。

教学案例:"光合作用的发现过程"教学片段

教学内容:中国地图出版社高中教材,"分子与细胞"模块,第三单元第二章第二节"光能的捕获"。

教师:光合作用是地球上发生的规模极其宏伟的过程,但人们对这个过程的认识却经历了数番"山重水复",才迎来今天的"柳暗花明"。早在公元前三世纪,古希腊学者亚里士多德曾经提出,植物生长在土壤中,土壤是构成植物的原材料。这一观点长期被奉为经典,直到 17 世纪初布鲁塞尔的医生海尔蒙特做了一个简单而有意义的实验,才把这个观点推翻了。请同学们看教材中的资料 1,他的实验是如何进行的?

(阅读资料 1,讨论)

教师:当时海尔蒙特提出建造植物体的原料是水的观点,有道理吗?

学生:这个观点与亚里士多德的观点相比更接近真实,但并不精确,他只说对了一半。

教师：他在实验中精确称量土壤和树的前后干重，每天只给柳树浇适量的雨水，并利用桶盖防止灰尘进入体内，每年都精确收集树皮、残枝败叶并称重，难道还有漏洞吗？

学生：他忽略了空气对柳树的影响！

教师：同学们分析得很好，那么谁首先想到植物的生长与空气有关呢？我们再来看一百多年后，即教材中资料2的1771年英国人普里斯特利做的实验。

（看书、讨论）

教师：小鼠生活、蜡烛燃烧需要什么气体？这个实验说明了什么？

学生：证明了植物吸收了二氧化碳释放了氧气。

教师：当时普里斯特利的结论是植物能净化、更新空气。这受当时科学发展水平的限制，他并不知道空气中哪种成分在起作用。并且他的实验有时成功，有时却失败了，你能想到原因吗？

学生：不是偶尔失败的话，那就不是小鼠或植物的个体差异的原因了，可能他未注意到植物更新空气需要光，如果在无光的环境中做这个实验，小鼠的命运就惨了，这个实验就会失败。

教师：对啊！后来荷兰医生英格豪斯证实，植物只有在光下才能"净化"空气。这是人们初次意识到"光"在这种神奇的过程中所起的关键作用，直到1782年日内瓦的牧师谢尼伯证明了植物在照光时吸收二氧化碳放出氧气。到了1804年索绪尔发现植物光合作用增加的重量大于二氧化碳吸收和氧气放出所引起的重量变化，这一结论又从新的水平上证明了上面哪位科学家的结论？

学生：这句话的意思是植物增重大于二氧化碳吸收和氧气放出的差值。增重的另外的来源就是水和土壤中的无机物，其中后者的量很少，所以这个结论与海尔蒙特的结论吻合起来了。

教师：真聪明。随着时间的推移、技术的进步，经过许多科学家不断的努力才逐渐发现了光合作用的场所、反应条件、原料和产物，下面请看关于教材中资料3里1864年萨克斯做的经典实验的录像。

（认真观看、思考）

教师:哪位同学为萨克斯讲解其实验过程呢?

(踊跃举手!一位学生讲解。)

教师:实验前为何要进行一昼夜的暗处理?

学生:暗处理是为了消耗掉叶片中原有的淀粉,或者让原有的淀粉转移或转化,以免影响下面的实验。

教师:为何要对一片叶子"一半遮光、一般曝光"呢?

学生:是为了进行对照。

教师:如果用两片叶子作对照,一片遮光另一片曝光,可以吗?

(学生热烈讨论)

学生1:因为两片叶子在枝条上的位置不同、形状大小、生理状态等不同,所以用两片叶子作对照不如用同一片叶子的两部分对照更具有说服力。

学生2:如果两片叶子的差异可以忽略的话,也应当不影响最后的实验结果。

教师:同学们分析的都有道理,这里面蕴涵着科学实验的基本思想和原则。同学们能说出来吗?

学生:对照原则和单因子变量原则。

教师:是啊,只有在遵循这些原则时,不同对照组的实验结果不同,才能归因到那个惟一的变量,结论才令人信服。那么从萨克斯的实验我们究竟能得出什么结论?

学生:实验结果证明植物的叶片光合作用的产物是淀粉。

教师:其他同学是否同意?有没有补充?

学生:还能说明光合作用需要光。

教师:很好,这样就全面了。大家再看大屏幕上的投影片,结合教材中的资料3,了解德国科学家恩吉尔曼所做的实验。

(学生分析实验过程和结果……)

教师:同学们可以想一想,能进行光合作用的植物种类是如此繁多,为什么恩吉尔曼选用水绵做实验材料?

学生:这很简单,因为水绵是单细胞连接的丝状体,不需要做切片,就可以直接观察。

教师：谁还有补充？

学生：水绵有细而长的带状叶绿体，便于观察和分析研究。

教师：那么谁能解释，为什么把临时装片放在黑暗没有空气的环境来观察？

学生：选用黑暗没有空气的环境是为了排除环境中光线和氧气对实验的影响。

教师：为什么先用极细的光束照射水绵而后又让水绵完全曝光？

学生：先用极细的光束照射水绵，便于用好氧细菌准确检测出水绵细胞的放氧部位是否是光照部位，而后让水绵完全曝光是为了与之前后对照，以证明实验的结果是光线引起的。

教师：同学们分析得非常到位，好氧细菌只集中在叶绿体被光照射的部位，这说明了什么？这可得到什么结论？

学生：利用好氧细菌趋氧的特点，来"标记"出氧气是由叶绿体释放的。通过这个实验巧妙地证明了光合作用的场所是叶绿体。

教师：说得好，看来同学们都具备一定的科学素养，都善于思考和总结，假以时日，肯定都会有所创造、有所发现。

（学生笑……）

教师：从以上几位科学家的实验我们不难看出，随着科学技术手段的进步，人们对光合作用的认识越来越深入了。到了 20 世纪 30 年代，科学家对光合作用的探索又进行了什么样的尝试呢？让我们看看教材中资料 5 里美国科学家鲁宾和卡门的实验，他们通过 ^{18}O 标记 H_2O 和 CO_2，使它们分别成为 $H_2^{18}O$ 和 $C^{18}O_2$，然后用小球藻悬液进行了两组实验，最后证明了光合作用产生的氧气全部来自水。同学们想想，如果你就是鲁宾，或者是卡门，那么这个实验应该如何设计呢？

学生：为在试管中培养的小球藻悬液提供 $H_2^{18}O$ 和 $C^{18}O_2$，然后检测光合作用释放的氧气是否含有放射性。

教师：这样做合适吗？

学生：他说的这种方法不能确认放出的含放射性的氧气是否来自于水。应该在试管中提供用 ^{18}O 标记的 $H_2^{18}O$ 和 CO_2，检测光合作用释放的氧气是否含有放射性即可。如果含有放射性就说明产生的氧气来自于水,如果不含放射性就说明氧气来自于 CO_2。

教师:其他同学有不同意见吗?

学生:还应再设置一组对照实验。

教师:如何设置?

学生:给第一组提供用 ^{18}O 标记的 $H_2^{18}O$ 和 CO_2,给第二组提供用 ^{18}O 标记的 H_2O 和 $C^{18}O_2$,检测光合作用释放的氧气是否含有放射性。这样结论才可靠。

教师:通过讨论,同学们总结出的实验方法与当年鲁宾和卡门的实验方法完全一样,这说明我们与科学家的思维的差异是"零距离"的。现在我们自己能否尝试一下简单的科研工作呢?比如,设计实验证明"植物的光合作用需要二氧化碳",应该如何做?

学生:肯定得用形态、生理等各方面相似的植物设计一组对照实验,给一组提供 CO_2,给另一组不提供 CO_2,然后其他条件相同且适宜,一段时间后检测有无淀粉产生即可。

教师:如何控制 CO_2 的供应呢?

学生:用无色玻璃罩将植物罩住,并用凡士林密封玻璃罩,花盆旁可以放置一定浓度的氢氧化钠溶液吸收空气中的 CO_2,而另一组不放置氢氧化钠溶液,用一杯清水代替来作对照。

教师:然后呢?

学生:然后就放在光下照射相同的时间,再检测光合作用过程中有无淀粉产生?

教师:大家评价这个方案可行吗?

学生:可以啊!

教师:有没有漏洞呢?

(讨论、争辩)

学生:应该在实验前将这两盆植物放在暗处,"饥饿"一段时间,排除原有淀粉对实验结果的干扰。

教师:淀粉如何检验?

学生：可摘取两植株的几片叶子并分别进行酒精隔水加热、煮沸。待叶子褪色后，将叶子取出并漂洗干净。将漂洗干净的叶子用碘液分别进行处理。结果发现：一盆植株的叶子不变蓝，而另一盆植株的叶子变蓝。

教师：很好，同学们还可以在课下尝试用别的方法进行设计。

点评：该教学片段主要是引导学生回顾探究光合作用的早期研究，通过对几个有关光合作用发现的经典实验的讨论，能挖掘出这几个实验中有一定"思维含量"的问题进行剖析，使学生感受到科学发现的艰难，体验科学工作的方法和过程，增强了学生探索新知识的欲望和创新意识，培养了学生严谨科学地发现问题、提出问题和设计实验的能力。

第九章 高中生物新课程的评价

第一节 高中生物新课程评价的改革方向

评价与教学具有非常密切的关系,评价是达成教学目标的重要手段,通过评价的反馈作用,可以提高教学的成效。以往的教学评价,受到追求升学率的影响,把评价限定为狭义的考试,并把升学考试内容作为教学的主要目标,以考试引导教学,这就颠倒了评价与教学的关系,给高中生物教学造成了许多问题。《标准》在评价的定位方面试图改变这种不合理的限定,以帮助教师正确理解评价。

一、评价的含义

"评价"原意为评论货物的价值,英文中"评价(evaluate)"的含义为引出和阐明价值。因此,从本质上来说,评价是一种价值判断的活动。教学评价就是根据教学目标,通过多种方式系统地搜集各种信息,对教学效果作出价值判断,并对教学进行必要调整的过程。我们可以用下列式子进行表述:

评价 = 搜集信息 + 判断赋值 + 改进决策

这个描述虽然不是很严密,却基本上道出了评价的含义。显然,评价活动包括三个方面,即价值厘定、搜集信息、作出判断并据此对教学进行调整。

价值厘定就是对于"什么是重要的"问题给出可操作的定义。因此,对生物课程目标的看法不同,价值厘定的结果必定是不一样的。以追求升学考试为目的的价值观指导下的生物教学和以提高学生生物科学素养为目的的价值观指导下的生物教学,对"什么是重要的"问题的回答必然会出现极大的差异。

评价过程需要系统地搜集信息。考试是搜集评价信息的主要方法,但不是惟一途径。不同的教学目标,需要使用不同工具来搜集信息。利用多种搜集方法所获得的信息,来对评价对象作出评价,结果将更加可信。

评价活动最关键的环节是根据信息作出价值判断及改进教学决策。这项工作是从价值上对所搜集的信息从教学效果作出价值上的判断,然后根据判断来改进教学。价值判断是评价的本质之所在,离开了这项工作,也就失去了教学评价的意义。对搜集的信息进行解释和判断需要十分谨慎,因为同样的信息往往可以导致颇为不同的结论,为此,所有的判断都应当有明确的推论过程。同样,改进教学的决策也应当是谨慎的、符合逻辑的。

二、评价的定位

评价是生物教学中一个基本的反馈机制,是教学过程中不可缺少的环节,是教师了解教学过程,调控教学行为的重要手段。教学评价的目的不仅在于评定学生的学业成绩;更重要的作用在于诊断学生是否有错误概念和学习困难,鉴别教学上可能存在的缺陷以及为改进教学设计提供依据。

以往的教学常常把学习和评价割裂开来,将评价看作是学生学习的终结。但近年来,人们关于评价的理念发生了很大的变化,现在对于评价的普遍看法是,评价与学习是密不可分的,正如一枚硬币的两个面,评价应该伴随着学生学习的整个过程。因此,在生物教学中,教学评价应当是处于"目标追求活动—评价—调整"的循环往复中对于教师和学生自身活动的一种反馈。通过及时的评价反馈,学生可以了解自己在多大程度上达到了《标准》所规定的目标,激励自己改进学习;教师可以了解学生的学习需求、进步状况以及达标程度,并针对学生学习存在的问题改进教学。以往评价只注重学生的学习结果,很少对教学过程和教学资源作出评价,这是非常片面的。课程标准指导下的生物教学评价应特别重视对学生生物学学习机会的评价。学习机会包括教师的专业知识、生物教学时间、教学资源、人均经费等方面。如果不为学生提供生物学的学习机会,那么就不可能让学生对他们的成绩负责。因此,在对搜集的评价信息作出解释之前,必须考虑学生学习机会的质量。只有这样,通过评价,学生才能获得更多的学习生物学的学习机会。

总之,以往的教学评价把学生的学业成就从整个教育、学生完整的学校生活和课程中游离出来,作为全部学校教育的重心和焦点,从而造成许多弊端;而《标准》所提倡的教学评价则重新回归于学生在教育和在课程教学中完整的表现,体现了新的教学评价理念。

三、评价的发展趋势

以质性评价统整并取代量化评定;评价的功能由侧重甄别转向侧重发展;既重视学生在评价中的个性反映,又倡导让学生在评价中学会合作;强调评价问题的真实性、情境性;评价不仅重视学生解决问题得出的结论,而且重视得出结论的过程;评价范围逐渐扩大;评价结果与物质奖惩挂钩逐步转向与物质奖惩不挂钩;越来越重视发挥为课程决策服务的功能;课程评价工作制度化将会得到进一步发展;在课程评价工作中将越来越广泛地使用电子计算机。这是课程评价的大趋势。

第二节 高中生物新课程的学生评价

一、关于学生评价改革的几个问题

(一)突出评价的发展性功能是学生评价改革的核心

中小学评价与考试改革的根本目的是为了更好地促进学生的发展,改变评价过分强调甄别与选拔功能,忽视改进与激励功能的状况,突出评价的发展性功能是学生评价改革的核心。对学生进行评价是教育过程的一个环节,所以,评价的功能与教育目标是一致的。突出评价的发展性功能集中体现了"一切为了学生发展"的教育理念。学生处于不断发展变化的过程中,教育的意义在于引导和促进学生的发展和完善。学生的发展需要目标,需要导向,需要激励。发展性评价为学生确定个体化的发展性目标,不断收集学生发展过程中的信息,根据学生的具体情况,判断学生存在的优势与不足,在此基础上提出具体的、有针对性的改进建议。发展性评价考虑学生的过去,重视学生的现在,更着眼于学生的未来;所追求的不是给学生下一个精确的结论,更不是给学生一个等级分数并与他人比较,而要更多地体现对学生的关注和关怀。通过评价不但要促进学生在原有水平上的提高,达到基础教育培养目标的要求,更要发现学生的潜能,发挥学生的特长,了解学生发展中的需求,帮助学生认识自我、建立自信。

发展性评价具有以下一些重要特征:

1. 发展性评价基于一定的培养目标。这些目标显示了学生发展的方向,也构成了评价的依据;这些目标主要来自于课程标准,也充分考虑了学生的实际情况。有了评价目标,才能确定评价的内容和方法,才能不断反思并改善教师的教和学生的学,从而发挥评价的发展性功能。发展性评价的根本目的是促进学生达到目标而不是检查和评比。发展性评价将着眼点放在学生的未来。

2. 发展性评价是注重过程的。学生的发展是一个过程,促进学生的发展同样要经历一个过程。发展性评价强调收集并保存表明学生发展状况的关键资料,对这些资料的呈现和分析能够形成对学生发展变化的认识,并在此基础上针对学生的优势和不足给予学生激励或具体的、有针对性的改进建议。

3. 发展性评价关注个体差异。每个学生都具有不同于他人的素质和生活环境,都有自己的爱好、长处和不足。学生的差异不仅指考试成绩的差异,还包括生理特点、心理特征、兴趣爱好等各个方面的不同。这使得每一个学生发展的速度和轨迹不同,发展的目标也具有一定的个体性。发展性评价要依据学生的不同背景和特点,正确地判断每个学生的不同特点及其发展潜力,为每一个学生提出适合其发展的具体的、有针对性的建议。

4. 发展性评价注重学生本人在评价中的作用。发展性评价提倡发挥学生在评价中的主体作用,改变过去学生被动接受评判的状况。要让学生更多地参与评价内容和评价标准的制定,在评价资料的收集中发挥更积极的作用;要通过"协商"达成评价结论,使得评价的过程成为促进学生反思、加强评价与教学相结合的过程。

(二)正确地对学生进行多方面的评价

学生评价的内容是教育目标的具体体现,反映了具有时代特点的教育观、质量观和人才观。教育不仅要为社会培养合格的公民和人才,还要使每一个学生成为有能力追求幸福生活的个体。学会做人、学会做事、学会合作、学会学习是对一个公民的基本要求。因此,在新的课程标准中,每一门学科都强调培养目标和评价内容的多元化,不仅包括基础知识和基本技能,还包括情感、态度与价值观、学习过程与学习方法。学生在学习活动和未来的生活与工作中,其知识技能、情感、态度、价值观与学习的过程和方法是紧密联系的整体,它们之间没有主次之分,对任何一个方面的忽视都可能造成学生发展的偏颇。因此,依据教育教学目标,对学生进行多方面的评价是促进学生全面发展的必然要求。

在当前的教育和实践中,仍然不同程度地存在着教育教学围着考试转的现象,反映在学生评价的内容上,出现了将评价内容进行主次分配,对考试涉及的内容优先考虑、重点保证,而对考试不涉及的内容则较少关注。

虽然这种现象的存在与社会、家长或上级部门的压力有密切关系,但作为教育工作者,首先要坚持教育的追求和理想,把教育的公益性放在首位,坚持育人为本,一切为了学生发展的理念。教育不能只关注升学率,而应促进每个学生生动、活泼、主动地发展。其次,要在观念上逐步让教师、家长和教育行政部门认识到,全面评价学生有助于学生健康、全面地发展,符合学生的长远利益。江泽民同志在《关于教育问题的谈话》中明确指出:"一定要有正确的指导思想和教育方法","把家长希望子女成才的迫切愿望、教师教书育人的心情和学生学习的积极性,引导到正确的方向上来"。要让社会各界认识到,社会对人的要求正在变得多元化,全面发展意味着更强的适应能力,不是只有上了大学,才能成为人才。即使是选拔性的考试,其考试目的和考试内容也在向素质教育靠拢。最后,要在教育教学实践中不断进行探索和实践,提高促进学生全面发展的教育教学能力,以事实证明知识技能、情感、态度、价值观与学习的过程和方法密不可分、相得益彰。全面发展不仅不会降低学生的学习成绩,还会激发学生学习的积极性和主动性,使他们成为爱学习、会学习、爱生活、会生活的人。

(三)认真把握学生发展性评价的每一个环节

学生评价是一个系统的过程,包含一系列环节,诸如确立评价目标和评价内容、设定评价标准、选择评价方法并收集数据和资料、达成和呈现评价结论以及评价的反馈等。评价的各个环节紧密联系,相互制约。明确的评价目标和内容是选择评价方法的基础,笼统或琐碎的评价标准不利于数据和资料的收集,而没有准确、有效的数据，就不可能达成正确的评价结论，从而影响对学生的反馈并提出合理的改进建议。

评价及其改革仅仅关注某个环节或采取某种方法是难以收到好的效果的，必须同时关注评价的每个环节和整个过程，对评价进行系统研究。例如，表现性评价是测查学生探究、创新和实践能力的好方法，但如果不顾评价内容一味推行这种方法，在评价学生基本知识点时也用这种方法就会事倍功半。因此，如果在评价改革中不注意评价过程的系统性和科学性，就可能使得改革工作收不到实效。特别是在学习别的地区或学校的经验时，如果只把片段的东西拿过来，没有领会其相应的理念、原则、背景及其局限性，很有可能出现表面化或形式主义的现象。例如，在进行评语改革时，有的学校要求只能采用激励性语言，这往往使评语陷入空洞和教条，出现一味赞扬学生，回避恰当地指出学生不足的现象。

（四）真正体现评价的过程性

发展性评价的核心是关注学生的发展，促进学生的发展。实现评价发展性功能的一个重要举措就是突出评价的过程性，即通过对学生发展过程的关注和引导，在一定的目标指引下通过评价改进教学，不断促进学生发展。

评价的过程性应具体体现在收集学生学习状况的数据和资料，根据一定的标准对其发展状况进行描述和判断。在一定的目标指导下，根据学生的基础和实际情况，给予学生反馈并提出具体的改进建议，而不只是简单地给学生下一个结论，无论这个结论是五星、等级还是分数。例如，在一个单元的教学或完成某项作业后，根据课程标准和教育教学目标，对学生的学习态度、学习习惯、学习方法、知识和技能、探究与实践能力以及合作、交流与分享等一个或几个方面进行描述，判断学生当前的学习状态。根据学生的基础，指出学生的发展变化及其优势和不足，在此基础上对教师的教学和学生的学习提出具体、合理的改进建议，就典型地体现了评价的过程性。

需要注意的是，在过程性评价中，要将定期的正规评价如小测验、表现性评价和即时的评价如学生作业、课堂表现评价有机地结合起来，这两方面的评价对改进下一阶段教学和学习是同样重要的。过程性评价一定不要拘泥于形式，如硬性规定日常评价的时间间隔、字数、内容、形式等，只要教师对学生的观察和积累达到一定程度,觉得"有感要发",就可以对学生进行评价并记录下来。记录形式也是多种多样的,可以写在学生的作业本上,也可以放在学生的成长记录袋中,还可以是学习报告单。要把对学生的日常评价和重要的资料系统地保存下来,这样才能体现学生发展变化的轨迹,使教师能够对学生某个阶段的学习状况有清晰、全面的把握,也有助于学生对自己的学习进行反思并改进自己的学习。

(五) 根据课程标准确定具有可操作性的评价内容

国家课程标准是教材编写、教学、评估和考试命题的依据,是国家管理和评价课程的基础,体现了国家对不同阶段的学生在知识与技能、过程与方法、情感态度与价值观等方面的基本要求。课程标准与教学大纲不同,它不规定教师的具体教育教学行为,这一方面给教师和学生创设了更广阔的空间,另一方面也对教师把握和实现教育教学目标的能力提出了挑战。新的课程标准提出了很多具有时代特点,并且体现新的人才观、教育观和质量观的评价内容及评价标准。教师面对新的课程标准,必须有一个摸索和尝试的过程,在这个过程中,教师要在深刻理解课程标准的基础上,将课程标准与教育教学实际相结合,提出明确的、具有可操作性的评价目标和评价内容,这样才有可能在教育教学中发挥评价目标的导向作用。因此,教师必须在一节课或一个单元的教学之前就根据课程标准和教学内容设立恰当的评价目标,并据此选择相应的评价方法和评价任务,在教学过程中不断收集各种信息,监控并反馈学生的学习状况,及时发现教学中存在的问题并进行改进。

从课程标准到评价目标再到评价内容是一个具体化的过程,体现了教师对课程标准、教材和教育教学目标的理解和把握能力。评价内容不能过于笼统,这样会削弱评价的可操作性并且有可能增加评价结论的不一致性。例如,要评价学生对于"资料分析"型题目的答案的整理,可以分解为立意、要点、语言等三个方面,如果在评价答案语言组织时还是感到笼统,还可以再将其分解为准确性(能否准确运用生物学概念和术语)和表现力(是否符合思维逻辑和语法)等。对评价内容的恰当把握反映了教师对教学目标的深刻理解,有助于教师通过评价确定学生在某个方面存在的优势和不足,并提出有针对性的改进建议。需要注意的是,在对评价内容进行分解时,所提出的评价指标必须是全面、重要和有效的,否则就会削弱评价数据的合理性和有效性,如评价学生的学习态度时,将上课时的坐姿作为评价内容和关键指标可能是不恰当的。因此,教师必须在教学实践过程中不断摸索,将那些能够真实、恰当地体现评价目标和评价内容的重要指标归纳出来,以增强评价的操作性和导向性。

(六)恰当地运用多种评价学生方法

关注知识与技能,情感、态度、价值观与过程和方法的关注与整合,强调评价的过程性并且关注个体差异,要求改变将纸笔测验作为惟一或主要的评价手段的现象,运用多种的评价方法对学生进行评价。除了纸笔测验以外,还有访谈评价、问卷评价、运用核查表进行观察、小论文、成长记录袋评价和表现性评价等。例如,为了突出评价的过程性并关注个体差异,运用成长记录袋进行评价是必要的,它通过收集表现学生发展变化的资料能够反映学生成长的轨迹,学生本人在成长记录内容的收集有更大的主动权和决定权,能够充分体现个体差异。同样,表现性评价创设了真实的情境,通过学生活动或完成任务的过程不但能够评价学生知道了什么,还能评价学生能够做什么;还可以在学生的实际活动中评价学生的创新精神和实践能力,与他人的合作、交流与分享的能力,以及评价学生的学习兴趣和学习习惯等。

需要注意的是,提倡新的评价方法并不是否定已有的评价方法,如纸笔测验的作用。各种评价方法都是为一定的评价目标和评价内容服务的,必须根据不同的评价目标和评价内容选择恰当的评价方法,应避免在评价方法改革中出现赶时髦和形式化的现象。例如,对于基础性的知识点,利用纸笔测验进行评价是恰当的,能够很好地保证评价的覆盖面和深入程度;而用纸笔测验可能就难以评价学生的探究、实践和创新能力。同样,用表现性评价评价学生的基本知识点不但费时费力,还不能保证覆盖面。每种评价方法都有自己的特点和优势,同时也存在不足,我们必须对此有清醒的认识。如成长记录和表现性评价存在着费时费力,管理难度大,对教师要求高,评价结论的一致性相对较差等困难和不足。因此,一方面要提高教师运用各种方法的能力,保证各种评价方法的科学性;另一方面,在具体的评价实践中要取长补短,根据不同的情境和要求运用不同的评价方法。

(七)对学生的情感、态度、价值观和学习过程与方法的评价

各科课程标准都强调了培养目标的三大领域,即基础知识和基本技能,情感、态度、价值观和学习过程与方法。与基础知识和基本技能相比,对学生情感态度、价值观等非学业的评价有着较大的难度,在评价时要注意以下几点。

第一,非学业评价的内容不能是笼统的甚至是不可捉摸的,如说一位学生"热爱祖国"、"热爱人民"就过于笼统、抽象。如果一个学生在热爱祖国方面被评为"中"或"差",其具体含义又是什么?如果一个学生得到"优",后又变为"良",其评判的依据又是什么?

第二,非学业评价必须与学科教育目标和日常教学活动紧密结合,因为这些内容是培养目标的一部分,是必须关注的,同时它们也是学科教育教学活动的有机组成部分,如学生的学习兴趣和学习方法。要避免为了评价而评价的现象,人为"制造"某些情境,或采用标准化的量表对学生非学业内容进行评价是不值得提倡的。而日常教育教学活动则为非学业评价提供了平台和载体,如学生在小组合作学习时,教师就可以观察学生的学习兴趣,是否积极参加讨论,是否愿意帮助他人,认真倾听他人的发言,是否有合作精神等,这样才能将评价内容和评价标准落到实处。

第三,在非学业评价中,要处理好评价内容的模糊度和精确性之间的关系。如果经过一个阶段的摸索和实践,对于某一项评价内容有了深刻的理解,能够比较全面地概括出其中的关键与具体要素,就可以将该评价内容进行分解,提出评价的具体指标,以增强评价的可操作性、有效性和一致性。例如,对学习态度进行评价,可以分解为上课认真听讲,认真完成作业,及时纠正错误等。要注意关键指标的全面性和有效性,如果不能概括出评价内容的主要指标,宁可模糊一些,也不要将其固定化,以避免最终评价的片面性。

第四,在非学业评价的呈现形式上,一般要避免给学生的非学业评价一个等级甚至是分数。对情感、态度、价值观、学习过程与方法以及某些能力进行简单定量评价是困难的,进行权重也是不恰当的。如对学生合作精神和能力进行评价,简单地用68分、75分表示可能是不准确的,而且无助于学生合作能力的培养或提出有针对性的改进措施。在非学业评价中应提倡质性描述,在给学生下

结论的时候应该慎重,而且要有简洁的描述作为支持性的资料和证据。

(八)保证评价资料的准确性和有效性

学生评价的资料是指学生的作业、小测验、问卷调查表、小论文、计划书、实验报告、活动过程记录等表明学生学习状况的原始资料,还包括对上述内容的评价,如分数、等级、评语及改进建议。

评价资料的有效性主要受到评价任务的制约,后者指的是与教学目标紧密联系的表现机会,如测验、探究活动、调查、课外实践、小论文、辩论,等等。学生通过评价任务展示自己的知识、技能与能力,情感、态度、价值观和学习过程与方法。评价任务必须与评价目标高度一致,并且要对评价过程进行高质量的管理才能保证所获得的评价资料的有效性。例如,用要求学生口头回答显微镜使用的注意事项的方法来评价学生的操作技能就不是恰当的,所获得的评价资料(学生的回答)就失去了有效性;同样,如果没有对学生在完成表现性任务过程中的合作能力进行仔细观察和记录,而是将学生本人的汇报或调查表的内容作为评价资料,就有可能出现不准确的问题。

如前所述,有效的评价资料是保证达成恰当的评价结论的基础,对于正确认识学生当前的学习状况有重要作用。同时,学生评价资料还表明了学生在某一方面发展变化的轨迹,对于教学和学习改进有重要的参考价值。例如,在所积累的连续几次的"考查"中,教师和学生本人可以从中看出某学生对在"坐标曲线图"这类题型的理解和提取有效信息方面尚存在的不足,在选择题的分析判断上所取得的进步,进而,教师和学生都可以站在自己的角度向对方提出改进的建议以完善教学。相比较而言,带有评语的原始资料比单纯的分数或等级更重要。后者更多用于学生的期末、年终或毕业等级评定,虽然也是必要的,但从发展性评价的角度来看,抽象的等级、标志或分数掩盖了学生学习过程中方方面面的发展变化,对于促进教学和学习的作用是有限的。

(九)实行多主体评价

发展性评价提倡改变单独由教师评价学生的状态,鼓励学生本人、同学、家长等参与到评价中,将评价变为多主体共同参与的活动。多主体评价对于学生的发展是有利的。首先,鼓励学生进行自我评价能够提高学生的学习积极性和主动性,更重要的是自我评价能够促进学生对自己的学习进行反思,有助于培养学生的独立性、自主性和自我发展、自我成长能力。其次,学生对他人评价的过程也是学习和交流的过程,能够更清楚地认识到自己的优势和不足。最后,多主体评价能够从不同的角度为学生提供有关自己学习、发展状况的信息,有助于学生更全面地认识自我。

在实行多主体评价时,要注意以下几点:

第一,要注意多主体评价的实效性。并不是所有的内容都要进行多主体评价,这样会造成费时费力,而且有可能出现形式主义。一般说来,多主体评价的目的是能够获得更多的信息,或者使评价的多个主体都能从评价中受益。如学生间相互评价促进学习和交流,家长评价学生使得家长对学生的学习有更多的了解,教师也能从家长那里得到更多有关学生学习的信息。

第二,多主体评价必须有明确的评价内容和评价标准。对不同的评价主体来说,其评价内容和评价标准往往是不同的。例如,家长对学生进行评价,可能主要是评价学生在家中的学习态度、学习方法,如果让家长对学生具体的学科学习进行评价,家长可能感到无从下手,这样做还会造成家长感觉教师推卸责任,教师感觉家长不负责任。同样,学生之间互评也要有明确的评价内容和评价标准,引导学生关注他人的长处和优点,进而改进自己的学习。

第三,在多主体评价时,特别是学生互评中要淡化等级和分数,淡化学生之间的相互比较,强调对"作品"的描述和体察,强调关注同学的优点和长处,强调自我的反思。不要让学生的注意力集中在给对方打分数或划分等级上,这样不但无助于学生向他人学习,还往往会造成同学之间互不服气,只关注对方的缺点和不足,而使评价变成互相"挑错"和"指责"。

(十)通过评价反馈发挥评价的激励功能和促进作用

评价中的反馈环节对于发挥评价的激励和促进功能有着重要作用。通过评价反馈,学生能够了解自己目前的学习状态,看到自己的成长和进步以及存在的不足,还有可能得到教师、同学和家长对改进学习所提出的建议,这些都有助于促进学生的发展。

发挥评价的激励功能要建立在对学生学习的过程及其发展变化有深刻认识

的基础上。无论是采用激励性的语言、荣誉卡或是获奖证书，如果没有明确的评价目标、准确的观察和资料收集、恰当的评价结论，随意的激励是无法对学生起到促进作用的，而且还有可能对学生产生消极影响，造成很多学生只能听表扬，不能听批评，认识不到自己的缺点和不足，盲目乐观起来。此外，随着学生认识自我的能力和愿望的提高，他们会对表面化、形式化的激励感到空洞和乏味。

激励不在于对学生一味表扬或"藏拙"，只要教师与学生形成坦诚关怀和相互尊重的关系，并用发展和全面的眼光看待学生，逐步培养学生客观地认识自己，提高他们的反省能力，不因存在某些不足而怀疑自我价值，这样即使教师指出学生的不足甚至是批评，学生所感受到的仍是教师对自己的关注和期望，并由此产生进步的动力。

对于低年级的学生，在评价反馈时要注意考虑采取学生喜闻乐见并符合学生年龄特点的形式，但仍不能忽视学生发展的目标，盲目追求形式化的激励，认为只要学生"快乐"就行了。对于低年级的学生来说，培养学习兴趣和良好的学习习惯，掌握正确的学习方法，学好基础知识和基本技能是非常重要的，可能影响一个人的一生。此外，在低年级学生的学习和生活中，同样应包含探究、实践和创新等基本要素，只不过其表现形式与高年级的学生和成人不同而已。这些都需要在一定的学科教育教学目标指引下，通过评价反馈不断促进学生发展。

二、高中生物新课程教学中的学生评价

评价是生物教学中一个基本的反馈机制，是教学过程中不可缺少的环节，是教师了解教学过程、调控教学行为的重要手段。对学生学习的评价的目的不仅在于评定学生的学业成绩，更重要的作用在于诊断学生是否有错误概念和学习困难，鉴别教学上可能存在的缺陷以及为改进教学设计提供教学依据。

在生物教学中，评价应以生物课程标准为依据，根据生物课程目标和具体的教学目标进行。评价的内容应符合课程标准的要求，要兼顾知识、能力和态度情感、价值观等方面。还要根据不同的教学内容以及评价的目的选择适当的评价方式，如观察、口头提问、实验报告、作品展示、项目报告、纸笔测验、操作、设计实验、面谈或问卷调查等多种方式。

在实施评价时,评价的方式和工具是否切实是决定评价成败的关键。因此在评价过程中,如何选择适当而有成效的方式以及编制优良的评价工具是生物教师必须谨慎考虑的问题。例如,要评价学生的实验技能或科学态度等,一般的纸笔测验就很难达到目的,比较适当的方式应该是观察、写报告、谈话或实验考试。再如,在科学探究中需要综合地运用相关的知识和多种能力来解决问题,还需要实事求是的科学态度和锲而不舍的探究精神,因此科学探究能力就需要综合地运用纸笔测验、实际研究、写报告等方式来进行评价。教师应根据自己的教学情况、时间和教学条件,选择最经济有效的评价方式和工具来评价学生的学习。

(一)首先要评价学生学习的机会

以往的教学常常把学习和评价割裂开来,将评价看作是学生学习的终结;只注重学习的结果,很少对教学过程和教学资源作出评价,这是非常片面的。课程标准指导下的生物教学评价应特别重视对学生生物学学习机会的评价。学习机会包括教师的专业知识、授课时间、教学资源、人均经费等方面。如果不为学生提供学习的机会,那么就不能让学生对他们的成绩负责。

(二)建立学生学习记录卡

通常我们会以一种比较孤立、急切的方法评价学生的学业,而忽略了学生学业成长。学习记录卡是可以对学生学业长期连续观察的有效工具,并能鼓励学生对学习进行持续反思。学习记录卡可以为家长、学生、教师及其他人提供学生在自我认知方面的依据。如果生物教师能为学生提供这样的机会,学生通常会在评价中非常主动,学生可以通过回顾学习记录卡进行主动反思,以认识自己的成长。这样就能克服过于重视终结性评价而忽略平时的形成性评价,便于发现学生在学习过程中存在的问题与缺陷,便于准确地把握学生长期发展的状况,随时修正和调节教学和学习活动。

记录卡主要项目包括以下几项:学生出勤情况;开学初学生学业基础的测试结果;学生的课堂表现;学生在小组合作学习中的表现;学生完成作业的情况;教师对学生实验课表现的评价和完成实验报告的情况等。对学生日常表现,可采用"富有情趣的标志性评价"、"言简意赅的便条评价"、"富有理性的课堂观察评价"等手段,用朋友的口吻、赏识的眼光、商讨的语言,把学生的点滴进步和变化,运用口头即时评价予以反馈,并鼓励在自我反思中自我评价并学会学习。

(三)利用纸笔测验检测学生知识性目标的达成

在提倡多元化评价的同时,要充分利用好传统的纸笔测验,传统的纸笔测验现在仍不失为一种评价学生学业的有效方式。精心设计的纸笔测验,可以充分展示学生知识视野和理解能力。制作纸笔测验试题时需要对其进行必要的改革,要注意实现以下转变:命题时不必过分强调枝节内容和零散的知识,也无须注重对单纯的生物学事实、学生对有关内容的记忆情况以及还不了解哪些知识的考查;命题时应强调主干知识和核心内容,考查学生是否具有良好的知识体系或结构,考查学生对生物学概念及原理的理解和应用程度以及分析和综合等思维能力的水平。

(四)对学生实验操作技能的评价

实验操作技能是生物课程培养的重要能力之一。教师要依据实验步骤和操作要求,制定出实验操作检核表,对学生实际操作情况进行评估。只要利用检核表需要考核的行为,观察被考核者是否表现了这种行为,就可据此来作出评价。当然对于很难用纸笔测验评价的实验技能还可以用写实验报告、谈话等方式予以辅助评价。

一般地,在制定考核表时,可参照以下评价要点进行评价。

(1)能否按照实验计划准备实验材料;(2)能否按照实验操作的规范要求完成实验;(3)能否安全的使用各种器具;(4)能否实事求是地记录数据和收集实验数据;(5)能否分析实验数据的相关性并得出结论;(6)能否在实验中与他人合作和交流;(7)对学生实验过程中表现出的其他能力也应给予恰当的评价。

(五)对学生探究能力的评价

科学探究涉及相关的知识和多种能力,也包含有情感和态度,需要用多种方式进行评价。评价学生的探究能力是能力评价的一个重要方面,有条件的学校可直接在生物实验室对学生探究能力、心智和动作技能进行评价。当然科学探究中需要综合运用相关知识和多种能力来解决问题,还需要实事求是的科学态度和锲而不舍的探究精神,这就需要综合运用纸笔测验、实际研究、口头或写报告等方式进行评价。例如对实验探究能力的评价可包括以下工作的情况：

1. 提出问题和作出假设

(1)确定一个可以通过探究活动可以回答的问题；

(2)说出与问题有关的背景知识；

(3)作出一种可检验的假设。

2. 制定实验计划

(1)明确实验目的；

(2)陈述自变量和因变量之间的关系；

(3)描述观察或测量变量的方法；

(4)列出主要的步骤和材料器具。

3. 实施实验计划

(1)执行实验计划中规定的步骤；

(2)记录实验现象和数据；

(3)重复收集实验数据；

(4)处理实验数据。

4. 阐述和交流实验结果与结论

(1)根据实验现象和数据得出结论；

(2)应用有关科学知识解释结论；

(3)说出假设是否得到支持；

(4)完成实验报告；

(5)对探究过程进行反思和评价。

(六)对学生情感态度价值观方面的评价

由于态度、情感、价值观都是内隐的个人品质，很难直接进行评价，因此可通过观察学生行为、调查问卷、访谈、学生自评、同学互评等多种途径进行评价。要充分重视学生比较一贯的、外显的态度行为和比较容易观察的、明显的态度变化。当一个人形成比较稳定的情感、价值观，遇到特定的事物产生情绪体验时会出现一种特定的态度，因此通过态度的测量，可以了解一个人的情感和价值观。

第三节 高中生物新课程的课堂教学评价(教师评价)

一、高中生物新课程课堂教学评价的基本理念

(一)坚持"以学生的发展为本"

基础教育课程改革的核心理念是"以学生的发展为本",要发挥教学评价的教育功能,"建立促进学生全面发展的评价体系"。确定生物课堂教学评价指标体系,要从学生全面发展的需要出发,注重学生的学习状态和情感体验,注重教学过程中学生主体地位的体现和主体作用的发挥,强调尊重学生人格和个性,鼓励发现、探究与质疑,以利培养学生的创新精神和实践能力。

(二)注重考查体现素质教育课堂教学特征的基本要素

课堂教学是一个"准备—实施—目标达成"的完整过程,是一个复杂多变的系统,要全面反映这个过程涉及许多的因素。确定课堂教学评价指标体系,既要着眼于课堂教学的全过程,又不能面面俱到,要突出体现素质教育课堂教学不可缺少的基本要素,以便在评价中进行有针对性的诊断和正确的导向。

(三)坚持"评教"与"评学"相结合,侧重"评学"

课堂教学是教师组织和引导学生进行有效学习的过程,是师生互动、生生互动共同实现具体发展目标的过程。"评教"建立促进教师不断提高的评价体系,这样才有利于大面积提高教学质量。"评学"建立评价学生的学习状态和学习效果的评价体系,以具体评价一堂课的教学效果。课堂教学评价要以"评学"为重点,以此来促进教师转变观念、改进教学。

(四)体现开放性

课堂教学具有丰富的内涵,学科、学生、教师、教学条件诸方面的不同,使课堂教学情况千变万化。确定课堂教学评价指标体系,既要体现课堂教学的一般特征,又要为不同条件的课堂教学留有可变通的余地。提倡创新,鼓励个性化教学。

(五)坚持可行性

可行性是实施评价的前提。课堂教学评价指标体系要符合当前课堂教学改

革的实际,评价标准是期待实现的目标,但又必须是目前条件下能够达到的,以利于发挥评价的激励功能;评价要点必须是可观察、可感受、可测量的,便于评价者进行判断;评价办法要注重质性评价和综合判断,力求简单、易于操作。

二、高中生物新课程课堂教学评价的原则

(一)以"评学"为主的原则

科学的教学评价应该是两个维度:一个维度是教师的教,一个维度是学生的学。偏废任何一个维度的教学评价都是不完整的。对教师教的评价,是为了提高教师教的质量,从而更好地促进学生有效地学,促进学生多方面的发展;对学生学的评价是为了有效地了解学生的学习情况以及促进教师有针对性地调整教学,从而促进学生的学。新的教学评价对象不应是具体的人,而应是教师和学生的活动及其效果。教学评价应该对事不对人,尽量做到客观。在教学评价时要以学为主,无论是对教师的教,还是对学生的学,包括的内容有学生学习动机、学习兴趣、学习参与程度、思维与能力的发展等。这里并非是要减少对教师教的评价,而是强调对教师教的评价要围绕学生的学而展开。如教师的教是否为学生提供了有利于学习的心理氛围,是否注重培养学生思维和能力的发展,是否引发了学生积极的情感体验,是否引导学生进行自主学习,是否有效地教授给学生学习策略等。总之,无论对教还是对学的评价都应围绕着学而展开。

(二)教学评价标准的多元化原则

教学评价的关键在于制定出明确而客观的标准。评价标准的确定是以价值主体的需要为根据的。所谓价值主体,就是评价对象的价值体现者。因为教学评价是为学生发展服务的,教学的价值体现在学生身上,所以学生是教学的价值主体,学生的发展就是确定评价标准的根据。新的教学评价应该面向真实问题解决、面向知识或技能应用和迁移。评价具体体现为学生的参与深度和广度如何,学生的思维和能力是否得到了提高,学生是否能灵活运用所学知识解决实际问题,教师是否激发了学生的学习动机、主动精神和保持学习兴趣,教师是否引导学生进行了自主学习,等等。

(三)评价目标与内容的多维性原则

学生的发展不仅包括认知的发展,还包括情感、态度、价值观的发展,也包括各种能力以及个性的发展。新的教学评价目标与内容应该是认知与非认知、量化与非量化的统一。这是因为现代化教育要求更加关心人的价值、情感、意志,注重人的精神世界的开拓。课程知识中大量的人文资源,那些具有丰富意义和教育价值、对人生具有终极意义但却不能用"可操作的"定义去界定的,非量化的知识应当成为教学评价的重要内容。虽说量化评价具有准确、高效、说服力强、易操作等优点,但教学所包含的很多内容,如人的需要,人与人之间的相互作用,个体的经验,个体态度、情感和观念,等等,都是无法进行准确量化的。所以完全的量化评价对教学评价来说是不适合的。我们需要从学生的需要出发,重视人文社会科学方法在教学评价中的应用。定性是定量的基础,没有正确的定性就不可能有准确的定量,而定量的结果还要靠定性来解释,只有两者的结合才能进行全面的辩证的综合分析,作出较为科学的评价。因此,新生物课堂教学评价目标与内容应该是具有多维性,是认知与非认知、量化与非量化的统一。

三、高中生物新课程课堂教学评价的依据

(一)学生是否主动参与学习

课堂教学的效果如何应当关注学生学得如何。学生学习的有效性首先体现在学生是否积极主动地参与学习,以保证对知识的主动建构。教师教学的有效性首先体现在能否调动学生的学习积极性,促进学生对知识的主动建构的过程。

(二)师生、生生之间是否保持有效互动

学生学习中的交流应该是多向的,教学过程不仅包括师生之间的互动,还应包括学生与其他学生之间的互动。也就是说,知识是合作掌握的,学习是学习者、教师和其他学习者之间相互作用的结果。

(三)学习材料、时间是否得到充分保障

教师在教学过程中必须为学生的主动建构提供一定的学习材料,学习材料应更多取材于现实生活,并且在很大程度上与问题解决联系在一起。此外,教师在教学过程中要为学生的知识建构提供充足的时间保障。

(四)学生是否形成对知识真正的理解

教学中应重视学生对知识的真正理解,而不是表面上的理解。因此,教师在教学过程中不仅要关注学生学习的结果,还要关注学生学习的过程,因为只有理解和关注学生是怎样学习的,才能促进学习者形成对知识真正的理解。

(五)学生的自我监控和反思能力是否得到培养

在学习过程中学生要不断监视自己对知识的理解程度,判断自己的进展与目标的差距,采取各种增进和帮助思考的策略,而且学生还要不断反思自己的推论中是否包含逻辑错误,等等。为此教师在教学过程中应重视培养学生反思的习惯。

(六)学生是否获得积极的情感体验

学生在学习过程中总是带有一定的情感的。这种情感的投入与学生学习生物课程过程中所获得的体验密切相关。积极的体验会使学生不断产生浓厚的兴趣和需要,对学习表现出极大的热情,并从学习中获得兴奋和快乐。而积极的体验建立在民主和谐的学习氛围之上,建立在学生感受到知识的力量之上,建立在不断的成功与进步之上。

四、高中生物新课程课堂教学评价的指标体系

(一)生物课堂教学评价表

本方案中生物课堂教学评价指标共设置6个评价项目和14个评价要点(见下表)。

授课人姓名:_____ 授课班级:_____ 课题名称:_____

评价项目	评价要点	符合程度	
		基本符合	基本不符合
教学目标	*(1)符合课程标准和学生实际的程度		
	(2)可操作的程度		
学习条件	(3)学习环境的创设		
	*(4)学习资源的处理		
学习活动的指导与调控	*(5)学习指导的范围和有效程度		
	(6)教学过程调控的有效程度		

(续表)

学生活动	＊(7)学生参与活动的态度		
	(8)学生参与活动的广度		
	(9)学生参与活动的深度		
课堂气氛	＊(10)课堂气氛的宽松程度		
	(11)课堂气氛的融洽程度		
教学效果	＊(12)目标达成度		
	(13)解决问题的灵活性		
	(14)教师和学生的精神状态		
其他			
教学特色			
评价等级	A　　　B　　　C　　　D		
评语			

说明：

"评价项目"，从影响课堂教学质量的基本要素出发，设置项目。

"评价要点"，列出了对各个项目进行评价的主要内容。

"＊"，标示的是衡量课堂教学最基本的评价要点。

"其他"，是留给评价者列出自己认为所需要补充的评价项目和要点。

"教学特色"，主要有两个方面的特征：一是教师教学在某些方面具有独创性；二是指教学效果突出。

"评价等级和评语"，是评价者依据评价标准，评定等级，再写出评语。

"符合程度"，是根据特征描述，对课堂教学与评价要点是否相符所作的判断。包括两个等级，即"基本符合"和"基本不符合"。

(二)课堂教学评价指标中6个评价项目和14个评价要点的具体说明和要求

1.教学目标

(1)符合课程标准和学生实际的程度

符合课程标准的要求，包括知识、能力、情感态度与价值观等方面与学生的心理特征和认知水平相适应，关注学生的差异。

(2)可操作的程度

教学目标明确、具体。

2.学习条件

(3)学习环境的创设

有利于学生身心健康,有利于教学目标的实现。

(4)学习资源的处理

学习内容的选择和处理科学,学习活动所需要的相关材料充足,教学手段选择恰当。

3.学习活动的指导与调控

(5)学习指导的范围和有效程度

为每个学生提供平等参与的机会,对学生的学习活动进行有针对性的指导,根据学习方式创设恰当的问题情境,及时采用积极、多样的评价方式,教师的语言准确,有激励性和启发性。

(6)教学过程调控的有效程度

能够根据反馈信息对教学进程、难度进行适当调整,合理处理临时出现的各种情况。

4.学生活动

(7)学生参与活动的态度

对问题情境的关注,参与活动积极主动。

(8)学生参与活动的广度

学生参与学习活动的人数较多,学生参与学习活动的方式多样,学生参与学习活动的时间充分。

(9)学生参与活动的深度

能提出有意义的问题或能发表个人见解,能按要求正确操作,能够倾听、协作、分享。

5.课堂气氛

(10)课堂气氛的宽松程度

学生的人格受到尊重,学生的讨论和回答问题得到鼓励,学生的质疑、问难得到鼓励,学习进程张弛有度。

(11)课堂气氛的融洽程度

课堂气氛活跃、有序,师生、生生交流平等、积极。

6.教学效果

(12)目标达成度

基本实现教学目标,多数学生能完成学习任务,每个学生都有不同程度的收获。

(13)解决问题的灵活性

有些学生能灵活解决教学任务中的问题。

(14)教师和学生的精神状态

教师情绪饱满、热情,学生体验到学习和成功的愉悦,学生有进一步的学习愿望。

(三)评价表的操作使用说明

制定生物课堂教学评价方案的目的,是为任课教师、教育管理人员和教学研究人员实施课堂教学评价提供基本依据。本评价方案主要适用于对日常教学的形成性评价,评价对象是一节课。

1.等级评定方法

本评价方案采用模糊评价的方法,评价等级共分 A、B、C、D 四级。为了鼓励教师在教学过程中的突出表现,等级评定办法由基本等级评定办法和特色表现升级办法两部分组成。

一人评课可以根据听课实际情况,按等级评定办法给出恰当的等级;多人评课,则采用多数定等法,即以多数评价者确定的等级为结果,或者通过集体讨论和评议确定等级。

(1)基本等级评定办法

如果 6 个标有"*"评价要点中有被评为"基本不符合"程度的,应被评为 D 级;如果这 6 个标有"*"的评价要点都被评为"基本符合"程度的,或在这个基础上还有其他 1~3 个评价要点被评为"基本符合"程度的,应被评为 C 级;如果这 6 个标有"*"的评价要点都被评为"基本符合"程度,并且还有 4~6 个其他评价要点被评为"基本符合"程度的,可被评为 B 级;如果这 6 个标有"*"的评价要点都被评为"基本符合"程度,并且还有 7 个以上的评价要点被评为"基本符合"程度的,可被评为 A 级。

(2)特色表现升级办法

基本等级评定为 C 级或 C 级以上,并且教学过程中出现某一方面的特色,则该课可在原来等级基础上升一级;在两个方面表现突出,具有特色,则该课可在原来基础上升两级,最高等级为 A 级。例如,教师能创造性地使用教材,使学生取得良好的学习效果;在网络教学中,教师通过有效的指导策略,促进每个学生的自主学习;学生在解决问题的过程中,创造性地解决了问题;学生在解决问题或探究的过程中,发现了教师或教科书不能解释的新问题;等等。

2.使用程序

(1)评课前,评课人认真阅读评价方案,熟悉评价要点的特征描述。

(2)评课前,评课人一般要对被评教师的教案进行分析,并根据需要拟订检测试卷或调查问卷。

(3)评课人在评课过程中,根据评价要点作好听课记录。

(4)被评教师根据评价指标自我评价,并就教学条件、教学设计、教学实施等方面作简要说明。

(5)评课人按照评定等级办法,根据教学实施情况、学生测试或问卷结果、教师自我评价等,评定等级,再写出简要的、有针对性的评语。

第四节 高中生物新课程的教材评价

《标准》明确指出:高中生物课程将在义务教育基础上,进一步提高学生的生物科学素养,尤其是发展学生的科学探究能力,帮助学生理解生物科学、技术和社会的相互关系,增强学生对自然和社会的责任感,促进学生正确的世界观和价值观的形成。

新教材编写必须体现课程标准的基本思想和内容要求,是在课程标准基础上的一次再创造。新教材应有利于引导学生利用已有的知识与经验,主动探索知识的发生与发展,同时也应有利于教师创造性地进行教学。新教材内容的选择应符合学生身心发展特点,反映社会、经济、科技的发展需求;新教材内容的呈现应多样、生动,有利于学生的学习。

一、国内外中学生物教材的发展趋势

国内外中学生物学教材虽然各具特色,整体呈现多样化的特点,但也有共同之处,总的发展趋势如下。

(一)分科、小综合和大综合三种教材体系并立,但趋向综合化

1.以植物、动物、人体等生物种类为主线,以形态结构、生理、发生发展为顺序进行编写的分科体系

俄罗斯和我国现行的人教版九年义务教育生物学教材就是这种体系。这种编写体系系统性强,教师较易讲授,也易为学生接受。但学生所学的知识基本上是分门别类的,各自独立的,不易获得植物、动物、人体之间相互关联的综合性知识。同时,有关知识在植物、动物、人体等部分中重复出现,显得较为烦琐。

2.以生物的生命活动为基本特征进行编写的小综合体系

我国初中生物学课标教材、高中生物学教材、我国台湾省的中学生物学教材以及日本综合理科教材中的生物学部分就是这种体系。许多国家、地区的生物学教材都采用这种编写体系。这些教材均以生物的生命特征为系统,并分别从植物、动物、人体几方面加以阐述、分析、比较,使学生比较全面地理解生物的主要生命特征。

3.生物学与物理学、化学、自然地理学等学科合编的综合理科体系

美国、英国、德国、韩国及香港地区的综合理科教材就属于这一类,是目前国际上流行的教材体系。教材中各学科除了有专门的章节阐述外,还分别阐述了与本学科有关的其他学科的知识。生物学部分的知识体系也基本上是以生物的生命活动为基本特征进行编写的。

(二)注意教材内容与科学、技术、社会的紧密联系

当代科学技术突飞猛进,并日益渗入到社会的各个方面。为适应现代社会发展的需要,生物教学注重基础知识的传授和能力培养,把学科教学与科学技术在社会生产和生活实际中的应用结合起来,使学生不仅有较深的生物学基本知识,而且有广博的"STS"方面的知识和能力。例如,在美国《生命科学的研究》教

材中,随处有"活动"一项,18处插入"专业和尖端研究"标题,介绍与这部分教材密切相关的专业知识。教材中还列有"烟草、酒精和麻醉药"一章,详细讲述了常见的麻醉药品及服用危害,以适应美国的社会现实。再如,英国《社会中的科学和技术》教材,其内容主要选自当今世界最新科技知识和社会生活,涉及工业、农业、医药卫生、食品、环保、建筑等方面。

(三)实验数量多,并以探究性实验为主

美国、日本、韩国、俄罗斯等国家,我国的香港特区、台湾省,生物学教材中的实验内容大致占50%,并以探究性实验为主。如俄罗斯在新的生物学课程标准中,规定植物学部分实验38课时,实习6课时,参观6课时,占植物学总课时(104课时)的近一半。在日本的综合理科教材中,不仅生物学实验的内容多,且类型丰富,除设有必做实验外,还专门设置了选做实验。

(四)重视学生的能力培养和科学自然观培养

教材注重加强能力和观念的培养,体现在教材中适当减少了基础知识的内容,相对增加了观察、实验、调查等培养能力和科学自然观的内容。很多国家的教材都要求学生就自然界中所能看到的事物、现象以及科学史方面的实例拟订课题,并通过对一些课题的独立探索和自主研究,学习科学的实验研究方法,从而培养科学地看待自然的态度和解决问题的能力。

(五)设计多种形式的学习活动

强调课堂教学活动形式的多样化是现代教学论的重要观点。为配合多样化的教学,许多教材都设计了多种形式的教学活动,如定性观察、定量测量、数据整理、实验、讨论、角色扮演、游戏和研究性学习等。这些活动的共同特点是有趣、简单,重在体会研究的方法,对硬件设施的依赖性不高。

(六)强化教材的教学工具功能,教材趋于系列化和立体化

教科书与实验教材、音像教材、电子教材、教师教学参考书、学生活动报告册、挂图等多种教材系列配套,实现教材的系列化和立体化,这也是当今主要发达国家中生物学教材较为突出的一个特色。许多新编的教材不仅把教科书当成学习的资源,还强调教科书是学生学习和教师教学的工具。多数教材都把教学内容与学习过程结合起来进行编写,使教材成为学习的指南。不少教材都把"科

学研究方法"作为一个独立篇章编写。

(七)内容简练、浅显,具有一定弹性和灵活性,可读性强

教材内容简练、浅显,具有一定的弹性和灵活性,可读性强,是国内外生物学教材的一个重要变化趋势。内容选择上做到精选知识,控制数量,提高质量,降低难度。内容安排上不做"一刀切",有一定的伸缩性。如,有的教材采用活页装订,有的把教材内容分为"核心"和"延展"两部分,有的增加"小资料"、"阅读材料"等栏目,有的设置"选做实验"和"进一步探究的活动"等内容。文字处理上比较简练,尽量以图代文,语言生动有趣,可读性强。另外,许多教材对教学进度不作统一规定,对教学方法不强求统一,思考题、作业题也更具开放性。

(八)插图精美、多样,与文字融为一体,趣味性强

插图不再是可有可无的点缀,而是表达教学内容和思想的一部分,是传播教学信息的一种重要媒介。有不少教材,插图占的版面甚至超过了文字。插图的类型有实物照片、某一过程现象的示意图、描述操作方法的说明图、趣味性的幽默画、帮助记忆的连环画、习题或思考题的附图等。具有与文字融为一体、注意开拓学生的视野、有地方特色、趣味性强、制作精良等特点。

二、对我国中学生物新课标教材建设的认识

目前国内已有多个版本的初、高中生物新课标实验教材出版和使用。不久的将来,还会有不少适合不同地区特点的新教材陆续出版。不过,编写任何版本的生物新课标教材都应遵循下列共识和原则。

(一)要以中学《生物课程标准》为依据,确定生物学教材编写的指导思想

《标准》遵照《纲要》的基本精神,在全面贯彻国家教育方针的基础上,根据学生发展的特点和教育规律,重视对学生进行全面的科学素养教育,体现国家对学生在生物科学知识、能力以及情感态度与价值观等方面的基本要求,着眼于培养学生终身学习的愿望和能力,体现了基础教育阶段生物课程的普及性、基础性、时代性和发展性。因此,教材的编写应以《标准》为依据,全面贯彻落实《标准》倡导的课程理念——面向全体学生,提高生物科学素养,倡导探究性学习,注重与现实生活的联系;体现《标准》提出的课程目标——使学生在知识、能力、情感态

度与价值观等方面全面发展;使教材有利于转变学生的学习方式,有利于教师进行教学改革。

(二)要突出人与自然和谐发展和人类健康主题

突出人与自然和谐发展和人类健康主题,首先,可以加强环境教育,使学生提高环境意识,正确认识环境问题的现状,学习解决环境问题的知识和观念,并使学生的行为与环境相和谐,这是时代和社会发展的需要。其次,能使学生明确自己在生物圈中的地位和作用,理解人与生物圈和谐共处所必备的知识和观念。第三,能使学生明确自己的社会责任,理解科学技术是"双刃剑"。第四,以生物科学的宏观研究为主线,精选和串联生物科学重要的知识和观念,这不仅克服了过去生物课程"难、繁、偏、旧"的弊端,符合学生的认知水平,而且也有利于生物学科内的综合。此外,还有利于让学生从关注身边的事物开始,强调生物科学知识与日常生活、情感体验、价值观等的紧密联系,强调生物学科、技术与社会的关系,有利于调动学生学习的主动性、积极性,有利于体验式、讨论式、探究式等学习方式的真正达成,使学生得到充分发展。因此,以这个主题整合中学生物的教学内容,完全符合当今世界上生物学基础教育突出人与自然和谐发展和人类健康主题的发展潮流,也符合我国目前的现状。

(三)要突破"以学科为中心"的观念束缚,以学生的发展作为选取内容的出发点

学生在基础教育阶段所学习的生物学知识,对于终身发展来说,只是起到奠基的作用。不能指望教材中的知识内容能够使学生解决一生会遇到的所有生物学问题。因此,教材不能面面俱到,而是要选取那些对学生的终身学习和发展最有价值的知识。知识性内容与基本概念、基本原理的相关性越高,在学生头脑中实现迁移的可能性就越大,其时效性就越长久,对学生终身学习和发展的价值就越大。在以往的教材中,事实性知识偏多,而基本概念、基本原理等核心知识偏少,这也是导致许多学生学习生物就靠死记硬背的原因之一。此外,教材内容的选择还应当符合学生的知识基础、心理特点和认识规律。

(四)要摆脱"以知识为中心"的观念束缚,构建合理的知识体系

生物课程的重要理念之一是全面提高学生的生物科学素养,也就是使学生

在生物科学知识、能力、情感态度与价值观方面全面发展。要实现这样的目标，必须减少知识性内容的总量。教材从总体上减少知识的量，并不意味着降低生物课程的教学质量。删减的内容主要是对学生的终身学习和发展价值相对较低的知识，这对于学生理解生物学的水平，不但不会降低，而且有助于提高。教材从总体上减少知识的量，也不意味着知识内容七零八碎，而是重新构建新颖而合理的知识体系。学生通过生物课的学习，应当自我构建完整的知识结构，知识结构化对于人的发展有重要意义。教材应当通过自身知识体系的构建，促进学生知识体系的构建。

(五)要强调生物科学与人文科学结合，反映社会、经济和科技发展的需要，体现科学、技术和社会(STS)的思想

生物科学的迅猛发展对社会和经济的发展日益显现巨大的推动作用，也影响到社会和个人生活的方方面面；当代社会发展的许多重大问题的解决，又都依赖于生物科学技术的进一步发展。教材编写应当融生物科学、技术和社会为一体，充分体现三者的互动，反映生物科学的发展及其对社会发展和个人生活的影响；应当介绍我国生物科学技术的成就和发展，注意加强生物科学和人文科学的结合与渗透。

(六)要注重科学探究，提倡学习方式多样化

学生在知识、能力、情感态度与价值观等方面的全面发展，应当通过他们积极参与活动来实现。首先，要充分认识活动的价值。有些内容本身不复杂，如果仅从掌握知识的角度来看，也许只需几分钟就能讲清楚，但是，如果让学生通过亲自参与活动，学生获得的不仅仅是知识，而且会有丰富的情感体验，探究能力得到发展，科学素养得到提高。第二，科学探究活动的设计应当丰富多样。只要是学生积极主动地进行的获取生物科学知识、领悟科学研究方法的各种活动，都是科学探究活动。第三，科学探究活动的设计和安排应当以科学方法教育为重要线索。在设计教材知识体系的同时，应设计完整的科学方法体系，然后将两者进行整合，使之形成有机的整体。第四，科学探究活动的总体设计应当具有合理的能力梯度。学生科学探究能力的培养绝不是一蹴而就的，需经过模仿、练习、部分独立设计到完全独立设计等阶段。第五，在注重科学探究活动、加强探究性

学习的同时，也应结合具体的教学内容，采用不同的教学策略和方法。

(七)要使教材具有一定的弹性和灵活性，以适应不同地区、不同学校办学条件的差异和学生个性化、多样化发展的需要

在按照课程标准编写必修内容的基础上，还应适当安排一些选修内容或选做内容的活动，以适应不同地区和不同学校办学条件的差异，适应学生个性化和多样化发展的需要，拓宽学生的视野，发展学生的爱好和特长，培养学生的创新精神和探究能力。例如，在教材中编入一些小资料和课外阅读材料，设计一些选做的实验和进一步探究的活动等。

(八)要实现科学内在逻辑与学生认识逻辑的统一，知识、能力和情感态度与价值观的统一

学科逻辑与学生的认识逻辑是不尽一致的。例如，形态结构是生理功能的基础，这是学科的内在逻辑，如果按照先"结构"后"生理"的顺序组织教学内容，学生固然能够接受，但是，不一定能够引起学生的学习兴趣。从生理功能出发，提出形态结构有关的问题，再引导学生探究形态结构与生理功能的关系，学生的兴趣就会增加。生物课程的目标是全面提高学生的生物科学素养，而生物科学素养是生物学知识、能力、情感态度与价值观的统一体，不能将三者割裂或对立。教材在内容的组织上，也应当做到将这三个方面的因素有机结合起来，不可偏废。

(九)要改变传统的注入式呈现方式，做到图文并茂、版式新颖

传统的注入式写法容易导致教师照本宣科，学生死记硬背。教材应当注重从学生的生活经验出发，创设情境，引导学生自主学习、主动探究；培养学生不断探索、勇于创新的科学精神，实事求是的科学态度，以及终身学习的能力。一是要写好章节的引言；二是要以学生的活动为正文部分的主体，知识的陈述不宜占过大篇幅；三是要做到图文并茂，提高可读性；四是要版式新颖，力求生动活泼。

(十)要立足于我国教学实际，做到积极稳妥；要借鉴国内外教材改革经验，博采众家之长

中学生物教材的编写，必须立足于我国的中学生物教学实际，从现实教学存在的问题中寻找改革努力方向。教材改革应积极稳妥，切实可行。对于我国教

材改革的成功经验及现有教材的优点,应当吸收并加以发展。国外教材各具特色,有许多方面都值得我们学习和借鉴,但要有选择的"为我所用",不能机械照搬。

三、普通高中课程标准实验教科书《生物》(中图版)编写目的、指导思想及其特色

(一)编写目的

从经济发展和经济对教育的需求来看,我国各区域的经济发展需要有着不同文化知识结构的人才。因此,本次课程改革在课程结构、教材选材及呈现方式等方面要求体现选择性。不同版本教材要适应地区间经济、文化的差异,必须具有一定的变通性,允许各地根据本地经济发展的现实需要选择相应的课程及教材,以适应区域经济和社会发展需求的差异。

我们通过参与课改及专门的调查,认为由于中等发达地区工农业生产实践活动多、范围广,与快速发展的社会需求相比,人们的生物学素养相对不高,这限制了个人潜能的发挥和当地经济发展,还导致了人们在人与环境关系和科学的生活观、生命观、价值观等思想精神领域的模糊认识,进而影响到整体生活质量的提高。因而,这些地区的高中生物教材应在"生活经验与科学理性"的主题下,使学生在得到生物学基本知识和能力素养的同时,了解保护环境、爱护动植物的常识和技能,确立起现代人的生活观、生命观和与可持续发展战略相适应的新时代情感态度价值观。

(二)指导思想

为坚持教材具有资源、媒介和工具三大功能的原则,既便于教师教学,又利于学生自学,新教材围绕"生活经验与科学理性"这一主题,力求体现《纲要》的基本理念,以实现《标准》的课程目标为最高宗旨;继承传统教材的精华,吸取生物科学的最新成果,选择体现生物科学思想、有现实意义的和学生喜闻乐见、易于接受的内容作为学习素材;遵循学生的认知心理和生物科学规律安排、呈现学习内容,为教师科学、高效、生动地开展教学活动,学生进行自主探究与合作交流学习创造必要的条件,使学生获得与社会发展要求相适应的生物科学素养。此外,

还为有特殊生物科学学习需求的学生提供进一步学习的内容和途径。新教材始终坚持向学生渗透辩证唯物主义自然观、历史唯物主义世界观和社会主义道德观,帮助学生确立人与自然和谐发展的情感态度和价值观。具体体现在以下几个方面。

1. 立足生物学基本知识、基本技能和思维方法,突出"绿色观念"

20世纪以来,生物工程、生态学作为生物学的分支,对人类生存的大环境进行研究,已成为生命科学中最为活跃的研究领域之一。人与自然必须和谐共处,只有绿色产业才是人类不断提高生活水平和生活质量的根本出路,这是提高环境保护意识的认知基础。重视人与自然的关系,已经成为当今科学教育的重要特征。教材的学习目标在于:使学生通过生物学学习,体会生物学与自然及人类社会的联系;了解生物学的价值,增进对生物学的理解和应用生物学的信心;学会运用生物学的思维方式去观察、分析现实社会,解决日常生活中和其他学科学习中的问题;获得适应未来社会生活和进一步发展所必需的生物学基础知识、思想方法和应用技能;同时,激发学生勇于探索、勇于创新的科学精神。

2. 着眼学生未来发展,突出创新能力培养,以多种方式培养学生的多种能力

《纲要》明确规定:改变课程实施过于强调接受学习、死记硬背、机械训练的现状,倡导学生主动参与、乐于探究、勤于动手,培养学生收集和处理信息的能力、获取新知识的能力、分析和解决问题的能力,以及交流与合作的能力。

教材依据生物科学自身的特点,改变让学生死记硬背、机械训练的教学方式,注重学生多种能力的发展和培养,激发学生的创造性,培养学生的实践能力和创新能力。将接受式的间接学习与探究式的发现学习有机结合起来,在诸如收集和处理信息的能力、获取新知识的能力、分析和解决问题的能力,以及交流与合作的能力等方面都得到培养和发展。

3. 落实《纲要》提出的具体课改目标,尊重学生的主体性,促进每一名学生的发展

《纲要》提出了本次课程改革的具体目标:改变课程过于注重知识传授的倾向,强调形成积极主动的学习态度,使获得基础知识与基本技能的过程同时成为学会学习和形成正确价值观的过程,以纠正现行课程过于注重学科知识的传授,

忽视学生正确的学习态度和学习能力培养的弊端。教材力图完整、准确地体现生物课程标准理念,着眼于学生终生学习和发展的需求,以全面提高每一个学生的生物学素养为根本目的。

4.遵循教育规律,注重情感体验,培养学生积极主动的学习态度

学习态度指学习者对待学习比较稳定的、具有选择性的反应倾向,是在学习活动中习得的一种内部状态。它是由认知因素、情感因素和意志因素三者组成的一种互相关联的统一体。因而,教材的设计注重科学性、指导性和资源性的统一,吸取国内外生物学教材编写的先进经验,突破了我国现有的教材模式,力求在引导学生探究自然、热爱科学、自主建构科学知识、发展科学素养方面有实质性突破。在内容的选取上,既注重通过学生已有经验反映生物科学与人类的密切关系,又注重反映现代科学的最新成果。对知识内容的处理,按照学生认知发展规律编排和设计活动,不盲目拔高,使学生具有积极主动的学习态度,不断体验到取得进步的愉悦心情,产生积极的情感体验,在提高学习成效的同时,促进学生个性与人格的形成与发展。

5.吸取生物科学研究的新成果及生物学科教育教学研究的最新成果,贴近实际生活,向学生提供与现实生活联系紧密,生动有趣、富有挑战性的学习素材,激发学生的创新思维

有关生物学基础知识的学习,都力求以学生熟悉或感兴趣的典型问题为基础。因此,教材引用了许多真实的数据、图片、图表和一些学生喜爱的艺术形象,并提供了众多有趣而富有科学理念的问题,激发学生的创新思维。此外,注重引导学生从生物科学基本观点和科学逻辑的基础上,去理解和掌握基本知识和基本技能,并产生出探究生命现象的巨大兴趣和创新意识。因此,教材的呈现形式充分考虑生物学知识自身的特点和学生学习的心理特点,强调重点学习那些带有普遍性、基础性和发展性的生物学原理、知识和技能,减少记忆性的、非结构性的知识,以有助于学生根据统一的生物学概念、原理和知识之间的联系来建立开放型的知识结构,有益于学生从整体上认识自然界。

6.强调科学性与人文性有机统一,客观讲述生物技术对人类生活、生产和社会可能产生的正负两方面影响

随着生物学的发展,将会有越来越多的人从事与生物学有关的职业,人们的健康水平和生活质量将会不断提高。生态学的发展促进人们的整体性思维,脑科学、生物技术也将有助于改进人类的思维。生物技术产业正在形成一个新兴产业,农业、医药制造业和相关工业的生产力,正在因生物技术的应用而显著提高,从而促进了社会生产力的发展。但是,试管婴儿、器官移植、人类对基因的人工改造等会对人类社会的伦理道德体系产生冲击,转基因生物的大量生产可能会影响生物圈的稳定性。

7.发挥学科优势,以科学的生理知识为基础,培养学生良好心理素质的养成

作为有理想、有道德、有文化、有纪律的当代人,必须具有良好的心理素质,这是时代的要求,也是基础教育理应承担的重要任务。心理素质在素质体系中处于基础地位、中心位置,心理素质是一种核心素质。心理素质的形成是在先天与后天因素共同作用下的结果。一个人的心理倾向和心理发展水平,与其对人自身乃至动物的生理机制的了解程度有相当的关系。因此,相关的生物学素养,是一个人进一步发展和从事活动的心理条件和心理保证。这也是本教材所关注的重要方面之一。

(三)教材特色

1.教材在"生活经验与科学理性"这一主题下,以控制论、信息论、系统论为必修教材主线,构建了新的教材体系,渗透了可持续发展的理念

教材设计围绕"生活经验与科学理性"这一主题,倡导学生结合生活实际、社会热点开展课题研究和科学的理性思考,使学生在探究的过程中,科学地认识生命现象、生物的基本特征和生物与人的关系,不断提高自身的基本技能,逐步升华出科学的生活观、生命观、世界观和价值观。

"分子与细胞"、"遗传与进化"、"稳态与环境"模块分别以控制论、信息论、系统论作为主线,统领生命活动的物质变化、能量转换和信息传递、生命的延续与发展过程,以及系统内部稳定的特性;"生物科学与社会"突出了生物科学技术与社会的联系;"现代生物科技专题"则突出了现代生物科学技术在一些重要领域的研究热点、发展趋势和应用前景。在此基础上,教材采取从简单到复杂,从具体到抽象,从宏观到微观再到宏观的螺旋式上升的方式,力求加深学生对生物现

象的认识,使学生建立人与生命世界、与整个大自然和谐相处,共同发展的科学理念,理解可持续发展战略的重要意义,进而逐步确立爱护地球,关爱其他生物,保持人与自然和谐发展的情感、态度和价值观。

2.通过"任务驱动"模式,加强"过程能力"(process skills)的培养,科学方法训练逐步推进,以培养创新能力

教材力图采用"任务驱动"的模式展开教学内容,对所有新知识的学习都设立了相应的情境,并以问题串的形式展开探究与交流,以使学生经历"做科学"的过程。如教材的每一章的首页都设有一个与本章内容相关的"研究课题",该课题统领全章,与课内外学习相结合。而内文则把探究、实验、模拟、角色扮演、观察分析和方案设计编排在先,让学生在问题的驱动下,主动积极思考,经历真正探究,从而体验发现科学事实,揭示科学规律的过程和方法。如"染色体在有性生殖中的变化"一章,课题研究是"选择合适的材料来探究染色体在有性生殖过程中的变化",这就需要学生带着问题自学教材、查阅资料、咨询专家、请教老师完成研究计划。研究计划的结果又作为第一节"减数分裂与配子形成"中探究活动"模拟减数分裂过程中染色体的变化"的铺垫。学生再结合有丝分裂的知识和减数分裂的概念,经过逻辑推理,构思染色体发生变化的环节与过程,设计模拟的材料来完成探究活动。这样的活动安排,环环相扣,促使学生主动探究,主动获取知识,主动建构与完善自己的知识体系,真正改变了学生的学习方式。

在落实科学方法训练时,考虑到学生认知的过程,活动安排采用逐步推进的方式,形成可接受的梯度。在模块间,"分子与细胞"着重安排培养观察、实验、比较、分析和综合等科学方法的活动,"遗传与进化"着重安排落实假说演绎和建立模型等科学方法的活动,"稳态与环境"着重安排系统分析、建立"数模"等科学方法的活动;在模块内,每一方法的训练又有层次性。如"假说演绎"的科学方法,教材先给学生提供了可供分析的经典实验,通过比较诺丁、达尔文、孟德尔的研究,分析得出假说演绎在科学研究中的重要性。接着,通过介绍孟德尔对一对相对性状的研究过程,把假说演绎在研究过程中的应用全貌展示给学生。通过探究两对相对性状间的自由组合机制,学生运用实践假说演绎方法,升华了对该方法的认识,并逐步内化为自己能力组成的一部分。

3.注重学习过程,为学生提供合作、交流的时间与空间,自主学习与发展迁移能力的平台,自主建构对生物学的理解和认识

为了引导学生以自主、合作的方式学习,激发学生对自然、对生物课程的学习热情,以及对探究未知事物的兴趣,使学生在做科学的过程中体验生物学发现的乐趣,感受生物学的巨大作用。教材在提供学习素材的基础之上,依据学生已有的知识背景和活动经验,提供了大量的合作、思考与交流的学习机会,如"总结交流"、"辩论会"、"分析讨论"和"角色扮演"等栏目。为学生阐明自己的观点,听取他人的意见,利用证据和逻辑对自己的结论进行辩护以及作必要的反思和修改创设了情境,搭建了平台。

教材选取关注学生发展的跨学科知识、激发学生学习兴趣的图片。贴近学生实际,提出许多引导性和启发性的问题,使学生在阅读过程中思考,自己探求问题的答案,以提高学生的知识迁移能力和自学能力。如介绍经典遗传学的建立过程时,把孟德尔的统计数据 3:1,9:3:3:1,27:9:9:9:3:3:3:1 与 $(3:1)^1$,$(3:1)^2$,$(3:1)^3$ 等联系在一起,引导学生把数学知识迁移到解决生物学问题中。教材还选用了大量插图,图文并茂,丰富学生的感性认识。如,在"胚胎工程"、"遗传物质的发现"等章节许多图已不是处于从属地位,而是代替文字说明,上升为主导地位,充分调动学生的想像力,发挥其内在的图与文、图与实物的相互迁移能力,以加深学生对所学生物学知识的理解和掌握。

此外,"探究活动"要求学生通过自主探索以及与同伴交流的方式,形成新的知识,而"回顾总结"则帮助学生梳理本章所学的知识,建立符合个体认知特点的知识结构。如,在"细胞的衰老"一章,以人手在胚胎发育中的变化图片为实例,帮助学生理解细胞正常凋亡的意义;"课外阅读"安排了与该章内容相关的获2002年诺贝尔奖的科学家及其成就。教材还十分重视互联网和课外参考资料的应用。例如,关于"胚胎工程"一章的内容,教材中给出了相关网站 http://www.chinasheep.com(中国羊网)等。这样不仅减少了学生查找资料所用的时间,提高了效率,而且指导学生正确地利用互联网和图书馆等众多的信息资料,让学生体验到互联网和公共信息资料的巨大作用。

4.注重理论联系实际,从生活实际引入科学,再回到现实生活,始终渗透

STS 精神

生物学与人类生存、社会发展密切相关,必然成为 21 世纪的主导学科之一。教材具体内容的设计以学生为本,按照学生的认知发展过程编排和组织内容,设计主题或专题,引导学生通过感知、体验、观察、调查身边的环境和事物,一步一步走进生物学。学生可以通过亲身经历科学探究活动,将新学知识与已有的知识和生活经验结合起来,构建自己对生物学的理解和认识。在此过程中,学生的实践能力和创新意识不仅得以提高和培养,他们对科学、技术与社会之间关系的理解也会加深,从而确立起科学的情感、态度和价值观。如"植物繁育的现代技术"一节,从寻找植物繁殖的新途径开始,学生思考、设计解决这一问题的方案,带着问题学习植物组织培养、人工种子等现代繁殖技术,最后又回到介绍这些技术在我国的应用现状等。"生物性污染与生物净化"一章,从调查生活中的生物性污染状况进入,最后又回到微生物对生活废水、绿色植被、人工湿地的净化,以及做一个保护环境的志愿者。这种让学生走出教室,到大自然和社会中去学习和实践的学习方式,也培养了他们爱祖国、爱家乡的情感,增强其改变家乡面貌、振兴祖国的使命感和责任感。

此外,课外阅读、相关链接素材的选取也注意到与现实生活的联系。如课外阅读中的"羊膜穿刺与染色体变异",介绍了羊膜穿刺的技术步骤及在产前诊断中的作用;"绿色使者——袁隆平"介绍了袁隆平对解决世界粮食问题所做的贡献,同时让学生感受到育种工作者的职业价值。相关链接"延缓衰老的饮食习惯"、"心理状态的平衡和调节"、"珍爱生命,远离毒品"等对学生的健康的生活和学习都有积极的指导意义。

5. 教学内容富有弹性,知识、技能的掌握分出学习梯度,满足不同学校和学生发展的需求

教材在保证基本要求的同时,也为有更多生物学学习需求的学生提供了有效的机会和资料。"相关链接"、"课外阅读"栏目提供了包括有关生物学史料或背景知识的介绍、有趣的或有挑战性的问题讨论、有关生物学知识的延伸等,目的在于使学生能够更多地了解生物学、研究生物学。教材中的练习题分为两类:一类是笔头作业,一类是动手作业。笔头作业栏目"巩固提高"中的巩固练习面

向全体学生,以熟悉与巩固新学的知识、技能和方法为着力点;提高练习重在加深、拓宽对所学知识和方法的理解,要求全体学生完成。动手作业栏目"课外实践",仅仅面向有条件的学校和有特殊生物学学习需求的学生,以进一步理解和研究有关知识与方法,属于高要求,不要求全体学生都尝试去完成它们。

6.注重挖掘、运用生活材料,将人文精神与科学理念有机结合

教材摆脱了传统教材对生物学知识的完全客观的描述,以与所述内容相关的生活现象为切入导语,使文字活泼、生动,富有想像力和人文品味。如,教材绪论"致同学们",采用以古诗文开头引入,又以诗文佳句结束的手法,将科学现象与现实生活和文学作品有机融合;在"细胞衰老"一节,教材以学生家人的面貌和体态变化和一位演员一生中不同阶段的照片为切入;在"生物资源及其特性"一节,将邮票上的国家重点保护野生动物与我国丰富的生物资源有机结合,生动地将学生引入学习情境。此外,教材采用不完全肯定的语气介绍生物学前沿的研究动态,可以激发学生好奇心和创新意识。

第十章
高中生物新课程改革与教师的关系

第一节 新课程对教师提出的挑战

一、教师角色的转变

高中生物新课程的重要任务之一是转变学生的学习方式，为学生构建起一个自主、体验、探究、合作、交往的学习平台。学习方式的转变期待教学模式的转变，教学模式的转变始于教师角色的转变。面对新课程，教师首先要转变角色，确认自己新的教学身份。对学生的学习来说，要由管理者变为组织者，由传授者变为参与者，由控制者变为帮助者，由主导者变为引导者，由仲裁者变为促进者；对课程及教师自身的发展来说，教师要由教书匠变为研究者，由实施者变为开发者，由执行者变为决策者。

（一）由管理者转变为组织者

以往，作为高高在上的管理者，教师或多或少有这样的观念和做法：学生是不懂事的，生来就需要大人管，教师和学生的关系是管与被管的关系，而不是平等关系；服从管理的是好学生，不听话的是坏学生。就在这样的"管理"中，培养了一批批平庸的"标准件"。新课程要求教师成为引导学生主动参与的组织者。这里所说的组织者，好比谈话节目的主持人，而不能像维持纪律、不断施加压力的监工。作为"主持人"，教师的首要任务是要营造一个接纳的、支持性的、宽容的课堂氛围，创设能引导学生主动参与的教育环境。研究表明，80%的学习困难与过重压力有关，解除这些压力，明显有助于学习效率的提高和创造潜能的开发。当学生处于轻松愉快的状态时，视觉、味觉、嗅觉、听觉、触觉就更灵敏，记忆力会大大增强，联想也会更加丰富，学习效率会大大提高，学习潜力可以得到更大发挥。对教师来说，是否能够为学生营造宽松愉悦的成长环境，比自身的学识是否渊博更为重要。当然,宽松并非不要纪律,不要学校管理准则和行为规范。教师要在营造宽松愉悦环境的同时,让学生成为能够对自己的行为负责的人。要让学生参与制定制度,参与管理过程,参与评定结果,使学生产生责任心和使命感,使学生从他律走向自律,从自律走向自觉,走向成熟,走向成功。

(二)由传授者转变为参与者

新课程要求,教师要由"教师中心"、居高临下、注重表演的传授者变为共同建构学习的参与者。作为参与者,教师必须打破"教师中心",构建民主、平等、合作的教室"文化生态",创设融洽和谐的学习氛围,学生自由表达和自主探究性学习才可能成为现实;教师要放下"师道尊严"的架子,从居高临下的权威走向平等中的首席,和学生一道去找真理,与学生们分享他们的感情和想法;教师不能只顾自己"导演"和"主演",而应把学生尊为"主人";教师要自觉改变传统教学中"我讲你听"的教学模式。那种认为教师讲授越充分、越精细就越好的思想,非改不可;那种认为学生们只是被动听讲,越安静、越能跟着教师思维走就越好的观念,不变不行。教师要尊重学生的个性。个性与创造性密切相关,每一个学生都是一幅生动的画卷。教师应当关注每一个学生成长与发展中的每一点进步,面对有差异的学生,要实施有差异的教育,实现有差异的发展。

(三)由控制者转变为帮助者

以往,教师是学生成长的控制者;现在,教师要成为学生成长的帮助者。作为帮助者,教师首先要帮助学生制定适当的学习目标,让学生明了自己要学习什么和获得什么,并确认和协调达到目标的最佳途径;帮助学生形成良好的学习习惯、掌握学习策略和发展元认知能力;帮助学生设计恰当的学习活动,密切联系学生的生活世界,创设丰富的教学情境,营造和维持学习过程中积极的心理氛围;帮助学生发现所学东西的个人意义,激发学生的学习动机,培养学习兴趣,充分调动学生的学习积极性;为学生提供各种便利条件,帮助学生寻找、搜集和利用学习资源。总之,教师要为每个学生提供达到最充分、最理想发展的学习条件,并帮助学生找到适合的方向和道路。

(四)由主导者转变为引导者

我们讲了多年的"教为主导,学为主体"。实际上,在"主演加导演"式的教师的主导下,学生只能是被动学习的奴隶。学生要真正成为学习的主人,教师必须从"主导"变为引导者。所谓引导,就是说教师对学生的学习应当是引领而不是强制。作为引导者,教师要精心设计问题情境,引导学生质疑、探究、发现。比如学习"植物的生长",要考虑:植物生长需要哪些条件?在黑暗的环境中植物能够生长吗?在月球上建造一个植物实验室需要注意哪些问题?学生在自主观察、实验或讨论时,教师要设身处地地感受学生的所作所为、所思所想,及时创造"愤"("心求通而未得")、"悱"("口欲言而未能")的状态,相机点拨深化,让学生一步步走向学习目标。作为引导者,教师要注意教学的生成性。教学方式一定要服务于学生的学习方式,不要限制学生思考的方向,强调理解而不是死记结论,引导学生主动地、富有个性地学习。学问学问,"学"贵在"问","好课应当越讲问题越多",教学过程应当是"从提出有答案的问题开始,到提出无答案的问题结束"。教师还应该成为学生利用课程资源的引导者,引导学生走出教科书,走出课堂和学校,走向生活,走向社会和自然,充分利用校外各种资源,在社会的大环境里学习和探索。

(五)由仲裁者转变为促进者

信息化和学习化社会的到来,要求教师必须从"传道、授业、解惑"的知识传递者、学生学习的仲裁者,转变为促进学生知识建构和个性发展的促进者。促进者的角色,要求教师在教学过程中至少应注意以下几个方面:一是创造丰富的教学情境,良好的学习氛围,激发学习动机,培养学习兴趣,充分调动学生的学习积极性;二是给学生心理上的支持,采用各种适当的方式,给学生以心理上的安全和精神上的鼓舞,使学生的思维更加活跃,探索热情更加高涨;三是要及时反馈,激励肯定,让学生充分享受成功的喜悦,同时要帮助学生对学习过程和结果进行评价,形成自我实践和反思的能力;四是注意培养学生的自律能力,注意教育学生遵守纪律,与他人友好相处,培养合作精神,在此基础上形成同学之间相互学习促进的局面。

(六)由教书匠转变为研究者

过去我们说,教师要从辛辛苦苦的教书匠成为教育家,一定要首先成为学习者与研究者;在新课程要求学生进行探究学习,要求教师开发课程的背景下,"教师即研究者"已经成为时代对每一位教师的起码要求。设想,一位教师如果从未做过一个像样的研究,怎样指导甚至怎样面对开展研究性学习的学生。每一位教师都有能力对自己的教学行为加以省思、研究与改进,提出最贴切的改进意见。与外来研究者相比,教师有最佳的研究条件。很多中小学教师呕心沥血,一生积累了丰富的经验,却未能写成一篇像样的论文,无疑是非常遗憾的。事实上,我们的教师并非没有研究,问题可能是在研究之后缺乏"成果意识",而未能对研究进行理论化的工作,这也是中小学教师同大学教师的区别。研究可以给教师带来自我实现的快乐。苏霍姆林斯基说过:"如果你想让教师的劳动能够给教师带来乐趣,使天天上课不至于变成一种单调乏味的义务,那你就应当引导每一位教师走上从事研究的这条幸福的道路上来。"

(七)由实施者转变为开发者

新课程增加了地方课程和校本课程。新课程要求教师不仅要做课程的实施者,更要做课程的开发者。没有教师的充分参与,没有教师的积极、主动的工作,校本课程的开发是无法想像的,新课程的实施也是十分困难的。我们一定要清醒地认识到,只管"怎样教"的时代从此结束了。作为一个合格的教师,首先要考虑"教什么"和"为什么教"。随着三级管理课程政策的确立,教师在获得课程开发权利的同时,也承担了课程开发的责任和义务;不仅要与学生一起对教学文本进行加工和建构,还要承担起开发学校选修课程、综合实践活动课程资源的任务。为此,教师要不断学习,培养、提升自己广泛地、创造性地开发和利用课程资源的能力。

(八)由执行者转变为决策者

新课程大大增加了课程实施的不确定性。诸如课程的灵活性和弹性加大,教学内容和评价标准的不确定性,知识、能力、态度、情感、价值观,等等。在新课程环境下,课程的不确定性使教师有了课程开发的权力,有了创造新形式、新内容的空间,同时也就有了决策的责任。新课程实施的多样性、变动性,要求教师必须成为决策者,而不再仅仅是一个被动的执行者。比如,上面谈到的校本课程的开发,没有教师的参与决策是不可能的;再如,新课程强调建立促进学生、教师和学校不断发展的多元评价体系,无疑都必须有教师的决策参与。

二、师生关系的重构

师生关系是决定高中新课程生命力的最重要因素之一。无论是多么先进的教育理论,设计多么完美的教育改革,如果缺乏良好的师生关系,都无法实现其初衷。而后现代主义对现代范式的批判和超越,为我们重构师生关系提供了新的视角和可能性。后现代主义是在全面批判现代性危机的基础上兴起的,它的精神主旨是摧毁封闭、僵化的西方思维方式,超越现代主义所奉行的主客体二元对立、理性主义、中心主义、权威性话语等理念。正是这种精神,为我们超越师生关系中存在的现代范式藩篱提供了批判的武器。

(一)平等

狭义认识论的主客体分析框架强化了我们对教师权威的信仰,以致迄今仍有学者认为在教学乃至整个教育活动中,师生关系不应是民主、平等、协作的伙伴关系。然而,教师权威和师生平等并不相悖。生物教师应在教学和班级管理中适当树立自己的权威,但在人格上,在情感交流上,师生应是平等的。正是这种平等有利于实现教师的真正权威,使这种权威建立在学生内心世界上,而缺乏平等意识的教师是无法真正走进学生的内心世界的。如果学生对教师只有"畏"而没有"敬",教师在学生眼中只有"威"而没有"信",这种教师权威必然导致师生间的对立、冲突甚至悲剧事件的发生。这不能不说是教师的悲哀。教师确立平等的师生观确实十分紧迫,而实现师生平等的前提是教师对学生的尊重。只有让学生体验到教师的尊重、真诚,他才会走近教师,聆听教师教诲,接受教师影响。教师还应相信学生有自我探究、自我实现的愿望和能力,并在教学中为学生提供发现和实现自我价值的机会。

(二)对话

无数实践及有关研究告诉我们,只有坚持对话,师生双方才能在精神层面上实现相互沟通。师生沟通不应是单向和纯信息性的,而应是双向、交互作用的,正如后现实主义教育家多尔所说:"在这一新的时代,我坚信,我们需要探索并尊重彼此的思想与存在感……为此我提倡一个以会话——对话性会话——为核心的课程。"后现代主义者所强调的对话与苏格拉底的"产婆术"对话法不同,前者认为对话应是开放性的,而后者却意在使对方最终认可谈话主导者已经确立的观点。今天我们一些生物教师所采取的"对话法"仍难以摆脱苏格拉底对话法的藩篱,只停留在通过答问引导学生"发现"显而易见且惟一正确的答案上,这并不是真正意义上的对话。真正的对话不在于要证明一种立场的正确性,不是为了消除差异,而是要将不同观点联系起来,在尊重差异的基础上通过对话寻求真知。对话要求师生关系发生根本性的转变,教学不再是有知识的教师教导"无知"的学生,而应是更多体现为师生共同探索、相互影响;教师更多是作为学生的倾听者、交谈者,而不仅仅是一个讲解人;教师跟学生共同成为课程的开发者和创造者,而不仅仅是课程的实施者。对话还要求师生双方内心世界敞开,尽可能倾听和接纳对方的意见。

(三)宽容

后现代主义批判统一化和权威主义,要求教育体现宽容的精神。所谓宽容,就是尊重他人存在的价值和意义,对待异己的观念和信仰持公正、理解的态度,在不妨碍他人的前提下容许别人自由地行动和独立思想。只有宽容的师生关系,才能创造出和谐、自由的课堂气氛,教师才不会把学生提出的独立见解视为挑衅,视学生的个性为另类。宽容的真谛就是尊重差异,尤其体现在教师对待处于边缘地位的后进生的态度上。这类学生内心更渴望被尊重、被理解,由于自卑,他们往往自我封闭。只有让他们感受到宽容,他们才会向教师和同学敞开心扉,接受帮助,重新激发起自强的勇气。因此,生物教师应该宽容学生在知识和行为上的错误,理解、帮助而不是打击学生,惟有如此,才能赢得学生的尊敬。

(四)理解

师生关系归根结底是一种交往关系,而交往追求的应是一种相互理解。这是指两个主体之间在彼此认可的规范性背景相关的话语的正确性上存在着某种协调,彼此能使自己的意向为对方所理解。生物教师的重要使命就是帮助学生理解生物科学、技术和社会的相互关系,理解他人,理解自己。如果学生对教师的使命无法理解,那么连单纯的知识传授都难以成功。而且,教育的意义主要在于引起学生自我探究、自我实现的追求,在于对学生进行整体的精神建构,而没有理解,教育的目的也无法实现。这就要求教师努力重构新型的师生关系,更多地提供师生平等交往的机会,使学生从中体验到平等、自由、民主、尊重、信任、宽容,受到激励、指导、忠告和建议,形成积极的人生态度与情感体验。当然,理解应是相互的,学生也应该体谅教师的辛苦,信任教师,愿意向教师敞开心扉。

三、新课程对教师素质的要求

当我们站在新世纪的高度,根据高中新课程的要求,以全新的眼光来审视教师角色的时候,会发现在新课程背景下生物教师的形象正在悄然发生着转变,这种转变在对教育观念的解构、反思和整合中使教师素质结构得以重新构建。

(一)与时俱进的教育观念

高中生物新课程要求教师要有正确的教育观念,这种教育观念的核心是满足学生今后的发展需要。生物教师应与时俱进,具有面向未来的意识,牢固树立起以学生发展为本的教育观念。具体来说,这种教育观念主要体现在以下四个方面。

1. **全体发展的学生观**

高中生物新课程的两个基本理念是面向全体学生,提高生物科学素养。这就要求生物教师要面向全体学生,主张学生的全体参与和共同参与,确立全面关注人的、整体发展的学生观。这种学生观认为:(1)学生是发展的人。学生的身心发展是有规律的,并且具有巨大的发展潜能,每个学生都可以积极成长,是可以获得成功的。同时,学生是处于发展过程中的人,是一个不成熟的、正在成长的人。(2)学生是独特的人。学生不是单纯的抽象的学习者,而是有着丰富个性的完整的人。要把学生作为完整的人来对待,还学生完整的生活世界,丰富学生的精神生活,给予学生全面展现个性力量的时间和空间。同时,每个学生都有自身的独特性,要珍视学生的独特性和培养具有独特个性的人。(3)学生是具有独立意义的人。每个学生都是独立于教师的头脑之外,不依教师的意志为转移的客观存在。学生是学习的主体,每个学生都有自己的头脑、自己的感官、自己的性格、自己的意愿、自己的知识。教师只能让学生自己感受事物,自己观察、分析和思考,从而使自己明白事理,掌握事物发展变化的规律。

在新课程实施中,生物教师要把施教的光芒辐射到全体学生,并努力培养他们独特的才能和志趣,塑造学生的创造个性。同时,教师必须对学生认知、情感体验、行为培养等进行全面关注,教学目标不仅要考虑在认知领域应达到的水平,而且要考虑在获取知识中其情感、态度、价值观和行为调节等发生的变化。教学过程不仅要关注学生在现实情况下应达到的水准,而且更要关注对他们的未来发展产生深刻影响的素质和能力。这就要求生物教师不要把目光停留在作为事实和结论的知识上,而要深入地挖掘教学中的智力潜能和审美价值,使它们和学生的发展联系起来,从而促进学生的发展。

2.交往互动的教学观

新课程的重要理念之一是倡导探究性学习。探究性学习呈现出鲜明的学习的课题性、探究性、开放性、实践性、自主性等特征,要求生物教师具有基于师生交往互动的教学观。这种教学观认为:教学是教师的教与学生的学的统一,这种统一的实质是交往。所谓交往,就是共同的主体之间的相互作用、相互交流、相互沟通、相互理解,这是人基本的存在方式。交往意味着对话,意味着参与,意味着对知识的相互构建,因此,也是一个创造新知识的活动过程。在这个过程中,教师要做到:(1)不仅要重视结论,更要重视过程。因为这是一个人的学习、生存、生长、发展、创造所必须经历的过程,也是一个人的能力、智慧发展的内在要求。(2)教学必须致力于培养学生丰富的情感、积极的态度和正确的价值观,使学生的认知过程和整个精神世界获得实质性的发展与提升。同时,要关注学生的生活世界,要鼓励学生对科学世界的自我理解、自我解读,尊重学生的个人感受和独特见解,使学习过程成为一个富有个性化的过程。(3)要形成充分发挥学生主体性的学习方式,把学习过程中的发现、探究、研究等认识活动凸显出来。使学习过程更多地成为学生发现问题、提出问题、分析问题、解决问题的过程,把学习变成人的主体性、能动性、独立性不断生成、张扬、发展、提升的过程。

在新课程实施中,生物教师要努力营造积极民主的教学氛围,鼓励学生的质疑精神和求异思维,激励学生以独立的角色、建设性的姿态对教师作出科学性的批判,形成师生相互交流、其乐融融、共享教学民主的现代型"师生场"。教师要切实把教学活动看成一个不断面临新问题的过程,是一个知识扩展的过程,是一个与学生共同学习的过程,从而真正做到教师与学生之间相互学习、相互切磋、相互启发、相互激励。在师生互动的过程中,教师"培养"了学生,学生也"培养"了教师,师生共同成长,这才是"教学相长"的真谛。

3. 生命形态的课程观

高中生物新课程的实施,要求教师从生命的层次,用动态生成的观念,重新全面认识课程,形成生命形态的课程观。这种课程观包括四个主要特征:课程是师生交流对话的过程,是"教程"与"学程"的有机统一;课程是知识与价值的配合,是科学世界与生活世界的内在统一;课程是创造的载体,更是创造客观与创造主体的有机统一;课程评价淡化"区分",突出"转变",体现以学生发展为本的理念。

因此,生物教师首先要增强课程意识、课程编制者的角色意识和课程开发的责任意识,自觉地站在课程编制者的角度去设计和组织教学活动,提高课程开发的能力,从而提高课程实施的有效性。其次,确立课程实施的整体优化观念,把知、情、意、行的课程目标和谐、优化地体现出来,从而使学生完整、高效地接受课程的影响,使陈述性知识、程序性知识和策略性知识相统一,基础性学力、发展性学力和创造性学力相统一,认知因素和情意因素相统一,实现知识、能力和人格的整体和谐发展。

4. 高尚的职业道德观

高中生物新课程的重要目标之一就是让学生学会分享与合作。通过开展探究性学习努力创设有利于人际沟通与合作的教育环境,发展学生乐于合作的团队精神,需要教师在探究性学习中对学生进行人格熏陶,它决定了生物教师必须具有高尚的职业道德观。这种职业道德观要求教师:(1)具有强烈的职业责任感。教师要时刻意识到"百年树人"的历史责任,遵守职业规范,具有高尚的师德修养,要用自己的灵魂塑造他人的灵魂。(2)教师要具有严谨治学的态度。教师要努力进取,不断提高教师组织教学内容与教学活动的能力,创造性地运用各种方法教会学生学习。(3)教师要具有爱生观念。热爱学生是教师的天职,是一种教育学生的无言信息和强大的力量,它对学生的认知行为,身心健康发展起着调节、组织、导向的作用。师爱还可以挖掘学生埋藏的学习潜能,进而逐步培养学生的科学态度和科学道德,磨炼不怕吃苦、勇于克服困难的意志品质。

探究性学习把生物教师推向学习者的境地,教师与学生一起求知、一起探索、一起解决问题。教师在躬身亲历的过程中表现出的浓厚兴趣、科学精神、求实态度、严谨作风以及良好品质会给学生以直观的感染和榜样的昭示。当教师全身心投入某一问题情境及活动的过程,实际上是把自己的人格、人性、心理品质多侧面地、真实地展示给学生,甚至可以让学生看到教师从"科学世界"回到"生活世界"的人生真实。在这个过程中,教师必然会以他的人格魅力,打动感染学生,滋润教学氛围;必定会完成用心灵与心灵对话、用人格塑造人格的教学过程。

(二)多层整合的知识结构

高中生物新课程突破了原有的单科性为主的课程框架,开发具有综合性、社会性、实践性特点的综合实践活动课程,这就要求教师具有多层复合的知识结构,才能有效地胜任对学生的指导。从知识的功用出发,笔者认为生物教师的知识结构可划分为以下四个层面。

1. 本体性知识

本体性知识即生物教师所具有的生物学科知识。它是胜任开展高中新课程的基础性知识,要求教师首先要熟练掌握生物学科的基础知识与技能,包括具体的生物学概念、规则和原理及其相互之间联系的知识,以及观察、实验等各种生物学技能。教师要成功地完成新课程的教学任务,必须要对生物学科的基础知识与技能有深入透彻的了解。教师只有完整、系统、扎实、精深地掌握生物学科的基础知识和技能,才能使知识在学习过程中不只是以符号形式存在,以推理、结论方式出现,而且能展示知识本身的无限性和生命力;教师才有可能在学习中更多关注学生和整个过程的进展状态,而不是把注意力集中到具体的知识点上。随着探究性学习、研究性学习的开展,学生所选取的课题会自觉不自觉地触及深层次的学科专业知识,甚至是本学科研究的前沿,这就要求教师还必须掌握较深层次的专业知识和敏感的尖端信息,如"角膜移植和角膜捐献"、"生物技术与蓝色革命"和"克隆羊多莉"等。其次,生物教师要了解生物学科历史背景和产生过程的知识。如达尔文创立"进化论"的背景和过程以及生长素的发现过程等。教师掌握这类知识并运用于学习指导过程中,让学生感受、理解知识产生和发展的过程,从而培养学生的科学精神和创新思维习惯。最后,生物教师要掌握生物学科所提供的独特的认识世界的视角。在学习中教师应引导学生从基因的视角、系统的视角、历史的视角和统一的视角理解生命世界,熟悉生物科学家的创造发现过程和成功原因,以及在他们身上展现的科学精神和人格力量。这对于增强学生的精神力量和创造意识具有重要的、远远超出学科知识所能提供的价值,有利于更好地完成新课程的育人目标。

2. 文化知识

文化知识即当代科学与人文两方面的基础知识。新课程的学习涉及天文、地理、自然、社会、计算机等多学科的知识,要求生物教师亲近自然、珍惜生命、热爱生活、关注社会、崇尚艺术、丰富自我,具有充实的生活内容和雅致的文化品味,情趣盎然,懂得审美。形成比较扎实的科学文化基础,开阔的知识视野,深厚的艺术修养功底,丰富的生活经验和情趣,以及对待人生和学习的健康、乐观、向上的态度和人格魅力。教师只有具备了广博的文化知识,才能够使自己更好地理解生物学科知识并把它与其他学科知识有机结合起来;才能够有效地激发学生的求知欲和学习兴趣,满足每一个学生的探究兴趣和多方面发展的需要;才能够帮助学生了解丰富多彩的客观世界,给学生获取多方面知识的机会;才能够用更为广阔的视野思考新课程,用更为厚实的文化底蕴来支撑教学,用更为完善的人格魅力去熏陶和感染下一代。惟有如此,指导学生进行学习才能得心应手。具体来说,以下几个方面的文化知识对生物教师来讲是不可或缺的:人文类知识,如哲学、社会学、人类学、经济学、政治学、伦理学、历史学、地理学等方面的知识;科技类知识,如自然科学常识,文理学科交叉的知识;工具类知识,如外语、数学、计算机、文献检索等方面的知识;艺体类知识,如体育、美育、书法、音乐、舞蹈、绘画、文学欣赏等知识;劳技类知识,如一般的劳动生产知识,现代工农业生产的基本原理等知识。

3. 条件性知识

条件性知识包括:(1)现代教育学和心理学知识。它主要由帮助教师认识教育对象、教学活动和开展教学研究的专门知识构成。生物教师必须具有现代教育学和心理学知识才能对学生的学习活动进行有效的指导。这是因为,首先,教师不仅要系统地掌握生物学科的知识结构和技能体系,而且要有将学科知识和技能转化为教学知识和技能体系的能力,在此基础上进一步将它们加工成符合不同学生认知风格、情感需要和个性特点的知识,根据学生"一般发展区"和"最近发展区"的不同状态进行个体性教学。其次,在学习过程中,教师应对每个学生的知识背景和认知风格以及心理特点尽可能地了解,才能更好地理解学生并合理地运用不同的教学策略,保证学习的有效性。因此,生物教师只有掌握较为系统的现代教育理论,才能依据教育规律和学生的心理特点,完善学生的人格,发展学生的个性,提升学生学习的水平。现代教育学和心理学知识的范围相当广泛,包括教育基本理论、心理学基本理论、德育学、教学论、教育史、教育社会学、教育心理学、教育管理学、教育法学、比较教育、教育改革与实验,以及现代教育技术知识、教育科学研究等。(2)生物教学知识。它是生物教师对教育学、心理学、生物学科知识、学生特征和学习背景的综合理解。教师的生物学科知识应该在特性上而非内容上与其他人不同。教师不是生物科学家,而是教授生物科学的人。教师应对生物学科知识进行加工和再创造,变成学科教育的内容。正如美国教育家舒尔曼所说,学科教学知识就是把"内容"和"教学"糅和在一起,变成一种理解,使其具有"可教性";知道在某种特定主题、问题或议题上,如何针对学生不同的兴趣与能力,把教师自己的学科知识予以组织、表达和调整,从而进行教学。教师所需考虑的不只是学科本身,而是把学科内容当做是与儿童整体经验的成长有关的因素,也就是要把学科"教育学化"、"心理学化"。如此,教师的学科教学知识就会因为教师对学生、课程、情境以及教学法的了解而得以丰富和扎实。

4.实践性知识

实践性知识即关于生物课堂情景及与之相关的知识。它涉及生物教学过程的一切方面——既有教育理念方面的,又有教学内容、教学技巧和教学方法方面的,还有师生关系以及教学管理方面的。实践性知识是高度个体化、难以形式化或难以与他人沟通共享的知识,通常以个人经验的方式存在着,难以用文字、语言、图像等形式表达清楚,具有感性、内隐、意向化、零散性和只可意会等特点。它的获得不是靠读书或听课,而是主要来源于教师的日常生活经验、教学经验以及对这些经验的自我解释,是教师自己的行动理论、实践理论,是教师习惯性思维的产物,具有"不证自明"和"不言而喻"的合理性。本体性知识、文化知识和条件性知识都根植于实践性知识,它们的增长、应用和理解都依赖于实践性知识。如果说本体性知识、文化知识和条件性知识是露出水面的"冰山的尖端",那么,实践性知识则是隐藏在水面以下的大部分。已有的研究表明,教师的本体性知识与学生的成绩之间几乎不存在统计上的关系,且并非本体性知识越多越好。同时,文化知识和条件性知识也只有在具体实践的情境中才能发挥功效。更为重要的是实践性知识,教师只有在教育实践中通过亲身经验的途径才能获得。因此,生物教师应积极参与到新课程的改革中去,主动地、创造性地反思自己的教学实践,把在实践中形成的各种实践性知识显现出来,使其成为能够指导学生学习的明确的知识。

综上所述,我们不难看出,本体性知识、文化知识、条件性知识和实践性知识共同构成了生物教师必备的知识基础,四者缺一不可。它们是相互支持、渗透与有机整合的,这种整合的知识必将表现为生物教师教学行为的科学性、艺术性和个人独特性,表现为生物教师精神生活的丰富性和发展性。

(三)多元化的教学能力

高中新课程的实施使生物教师的角色发生了根本性的转变,成为学生学习的组织者、参与者、帮助者、引导者、促进者,成为课程的研究者、开发者、决策者。这种角色的转变,对教师的教学能力提出了更高的要求,生物教师应具有的基本教学能力有以下几个方面。

1.创新教学设计的能力

长期以来,教材被视为不可逾越的金科玉律,教师的教是为了更好地传输教材。因此,在常规教学中教师可以完全根据教学大纲的要求和教科书的内容设计教学,教学设计的对象是固定的,重点、难点也是明确的,教师进行教学设计时只要通过对内容的研究就可以确定教学目标。整个教学设计过程基本上是线性的。而在开展探究性学习、研究性学习时,由于学习的内容具有不稳定的特点,探究的范围也难以界定,教学设计的内容和方法必须根据过程的变化而变化,所以新课程的教学设计是一种对未知过程的想像和探索,整个设计过程是粗放的、立体的和动态的,因此,它需要最大限度地发挥教师的创造力。教师在教学中应从更高的层面和更广阔的视角,根据学习的内容和学生的发展需要做出新的构思和处理,并有效地设计适合探究性、研究性学习的教学方案,根据方案进行具有特色的教学活动。因此,它要求教师必须具备创新教学设计的能力。

　　对于这种教学设计,首先,教师的理念和教学设计思路要更新,不仅着眼于现在,更应放眼于未来,符合可持续发展原则,提升学生的综合素质,为学生的终身发展打下坚实的基础。例如,教育学生具有敢于创新和勇于实践的作风、坚忍不拔的意志品质,教给学生科学的学习方法和善于思考的思维方式等。其次,教师应该考虑构成学习过程的各种要素,这些要素包括教学目标、不同阶段的教学内容、教师的教学经验、学生的知识水平和学习能力、现有的教育资源和环境等。教师应比较全面地、综合地处理这些要素。例如,尽管对教学过程进行了详细地设计,但是如果忽略了学生的知识水平和学习能力,也不能有效地实施教学。第三,传统的教学设计是以系统方法为主的,需要确定教学目标,再将总目标划分成子目标,然后按照各种目标设计教学活动、选择媒体,并按目标进行评价。而新课程的教学设计是从问题或课题出发的,是一种以设定主题为中心的教学设计方法。它是以学生为主体的学习,教学设计应以学生为本,强调发挥学生的主观能动作用。整个教学始终要围绕学生自己发现—选择—探究—解决问题这一探究过程来设计,教师在探究中只起点拨、指导、领路的作用。第四,传统的教学设计将原来具有综合性的学习内容分解为一个个的独立单元,在这种学习中习得的知识是彼此分离的,是部分性的而非整体性的知识,这不利于学生素质的全面发展和有效地构建科学的知识结构。新课程的教学设计思路应是由强调个别化、单元性、分割式的知识获得的教学设计转变为设计能够掌握、应用和加工整体性知识的学习活动。教学设计模式应该更加注重弹性、动态和互动,这种设计强调的是学习环境必须是真实化和互动式的,强调情境学习的重要性,即为学生提供理想的相互作用和真实体验的环境,为学生设计学生活动的程序,而不是把设计重点放在具体的知识性目标等环节上。总之,在新课程的实施中,没有教师创新的教学设计和学生自身的创新,新课程就没有生命力。

2.指导学生学习的能力

在生物课程学习过程中,学生是学习的主体,要求学生自主地探究问题。但是,这种自主不是天赋的,而是在后天的教育活动中,在教师的指导培养下通过自己不断学习逐步形成的。在学习过程中,教师的作用不是"教"而是"导",指导、启发、诱导、疏导……教师应成为教育教学的"艺人",而不是单纯的"教书匠"。特别是在探究性学习的初期,要求学生立即明确课题进行探究活动是比较困难的,需要教师有效的指导,促进学生的学习。

探究性学习说到底是学会学习的方法,帮助学生掌握学习的方法,特别是终身学习的方法才是教师教育工作的明智选择。只有拥有学习方法,学生才能终身掌握开启学习和创造之门的钥匙,才能真正自主地踏上学习和创造的征途。探究性学习要求学生"能从多种渠道去寻找自己所需要的信息资料,能了解科研的一般流程和方法,能规范地撰写科研小报告,能准确地表达自己的见解和观点"。但学生往往不能透过事物的表面现象抓住本质,也不能进行准确地加工提炼,这就需要教师有效地指导学生,促进学生学习。值得注意的是,传统教学中教师的指导明确指向学科体系的已有结论,而在新课程的学习中,教师的指导作用恰恰相反,教师切忌将学生的探究引向已有的结论,而是按照学生的实际要求,提供信息启发思路,补充相关知识,引导学生对某些已有结论进行质疑,探究不同的结论,大胆创新。可通过以下方法指导学生学习:示范的方法,即通过观察示范,学习解决问题的方法;支架式的方法,即通过教师与学生的协作解决问题的方法;认知师徒制的教学方法,即学生之间互帮互学的方法;反省的方法,即把自己与专家进行比较,建立认知模式的方法;调节学习经验的方法,即通过学生的体验进行学习,并将体验抽象化的方法;交互式教学方法,即首先由教师提供示范指导,逐渐从指导变为帮助与促进,然后学生自己调整学习过程的方法。以上方法不是单纯传递知识和信息的方法,而是为了对学生积极探究知识提供有效帮助,进而建构知识体系的方法。

3.教学预见的能力

在生物课程学习过程中,学生的学习兴趣和爱好具有十分重要的作用,但学生只是依靠兴趣和爱好,往往不能最终完成学习任务,或者只是将学习结束于肤浅的水平。如果要使学生获得较深层次的学习结果,教师在选择问题和解决问题过程中的预见能力是非常重要的。因为,探究性学习始于"问题",正是"问题"的深入才导致研究的深入。在探究性学习中,教师发现和提出一个有意义的问题,善于将问题转化成为研究的课题,正是研究能力高低的重要表现,是教师敏锐的洞察力,对事物的判断力以及超人胆识的综合反映。探究性学习与传统教学的理念不同之处在于,探究性学习更重视为学生提供有效的、高质量的问题,更强调学生解决问题的过程,不强求学习结果的统一性,更关心学习结果的个性化。

在探究性学习中,选择的问题应该是比较深刻的,在确定题目时应该对学生发展的阶段性有所预见。教学预见能力的核心是教学思维,这种思维是建立在教师的准备工作基础上的,教师只有对教学对象和内容有足够的、充分的认识和了解,只有对各种影响因素的产生基础有充分的了解和自信,才能对学习活动作出分析、判断,达到比较科学的估价。当然,由于在探究性学习过程中,有大量的不可确定的因素,能够做到十分准确的预见是比较困难的。这与设计能力有关,可以在频繁的设计、实施、评价的过程中进行预见。

4.新知汲取的能力

新课程的实施不仅对学生来说是一个全新的课题,对教师来说亦同样如此。它对教师的知识和能力提出了更高的要求,教师要有自我发展和自我超越的强烈意识,因为"今天,世界整体上演变如此迅速,以致教师和大部分其他职业成员从此不得不接受这一事实,即他们的入门培训对他们的余生来说是不够用的,他们必须在整个生存期间更新和改进自己的知识和技术"。

在新课程的学习过程中,学生是向教师提取知识,而非教师给予知识,教师第一次成为知识资源而受到"检索"。由于学生的学习活动具有综合性的特点,因此,要求教师具综合化的知识。这就要求教师不能只注意专业学科教育的"高、精、尖",还应具有广博、精深、融会贯通的许多学科的知识,彻底摒弃"隔行如隔山"的落后陈腐观念,构建多元化的知识结构。所以,教师必须勤于学习、广泛涉猎,不断汲取新知识,使自己不仅有丰富的学科知识,更有广阔的文化视野和深厚的文化底蕴。"常登高望远,每海天入怀",教师只有具有海纳百川般的知识视野和气度,他才能容纳学生各种创新思想的萌芽;只有教师站在本学科的前沿阵地上高瞻远瞩，他才能有的放矢地引导学生勇于探索；只有教师具备不断学习提高的能力，才能教会学生如何学习；只有教师成为开拓进取，勇攀高峰的示范楷模，才能对学生进行卓有成效的素质教育和人格塑造。在师生互动的过程中，教师"培养"了学生，学生也"培养"了教师，师生共同成长，这才是真正意义上的教学相长。当然，教师并不是盲目地吸收一切外来的东西，他要从茫茫的知识海洋中汲取最有价值的东西，并将其提炼内化为自身的精髓。

5. 理性思维的能力

在学习过程中，教师走下了"权威"的讲坛，和学生一起求知、一起探索、一起研究、一起解决问题。在这种平等交流、商讨协作的伙伴关系中，师生融为一体，共对问题情境，共赴教学目标。这种由学习者到"研究者"角色的转变，使教师要对问题进行深入的研究，这种研究不能停留在直觉的把握、经验的感悟上，而要有理性思维的头脑，有合理的思维能力。这种能力包括三个方面：一是思维的透析力，强的思维透析力能迅速透过现象抓住本质，并将其升华，形成自己独到的创造性观点。二是思维的综合力，即高屋建瓴、把握整体的能力，从理清结构、理顺关系的高度，从理论的抽象向理论的具体发展的意义上实现创造。三是思维的迁移力，在碰到新的研究对象、研究问题时实现的结构性迁移，这种迁移本身也是一种创造。正是具有强的思维能力，"才能运用自己的脑髓、放出自己的眼光，发出自己的声音，提出自己的看法和见解"；才能使教师站在理论的高度上思考新课程，使教学不断深入。

6. 应用信息的能力

现代科学技术的发展推动了教育技术的进步。未来学校教育必然要向建立信息化教育工程发展，把计算机、网络、电子高速公路作为新的教育手段，逐步推行"网际学校系统"，实施网上教学。因此，教师必须掌握现代教育技术的相关学科知识，能够准确、迅速地接受信息，并对信息进行分类、储存和检索。但信息有别于知识，信息加工处理后才能成为知识，教师应能够对所储存的信息进行价值判断，把信息有效地变成知识，构建起新的知识体系。所以应用信息的能力应包括从何处收集信息，判断什么信息最重要，信息间是什么关系，怎样整理信息等内容。应用信息的能力不仅是对教师的要求，也是对学生的要求，是学生自主学习的前提和基础。教师应具备应用信息的能力,才能有效地培养学生应用信息的能力。

探究性学习可以为学生学习信息技术提供一个问题情境和比较具体的学习任务,学生在解决问题的过程中逐步掌握应用信息的能力,学会制作网页和资料的数字化等,使学生在学习过程中体验到的内容,通过信息的应用变换成知识。教师应重视对学生应用信息能力的培养,给学生创造最有利的信息环境,培养和提高学生应用信息的能力。如果教师具有比较过硬的信息应用能力,还可以在研究性学习中使学生应用信息技术解决一系列问题。如利用计算机和网络发表自己的研究成果,各个学校还可以利用互联网就研究性学习进行合作,从而充分发挥现代教育技术的优势,为学生的学习和发展提供丰富多彩的教育环境和有力的学习工具。

7. 创造性反思的能力

新课程的实施是一项探索性的实验,教师探索过程中既会产生成功的经验,也会有失败的体验。这就要求由"经验型"教师向"研究型"教师转变,不断对自己的教学实践进行反思。教师的反思是指教师在教育教学实践中,以自我行为表现及其行为之依据的"异位"解析和修正,进而不断提高自身教育教学效能和素养的过程。对教师教育教学效能的提高,尤为重要的是,教师在面临实现有目的的行为中所具有的课堂情境知识及与之相关的知识。这类知识的获得,因为其特有的个体性、情境性、开放性和探索性特征,要求教师通过自我实践的反思和训练才能得到和确认,靠他人的给予是不可能的。正如考尔德希德所言:"成功的、有效率的教师倾向于主动地、创造性地反思他们事业中的重要事情,包括他们的教育目的、课堂环境,以及他们自己的职业能力。"创造性反思是教师发展的途径,教师成长 = 经验 + 反思。教师只有学会创造性反思,才能不断发现并提炼出实践当中遇到的教学问题并加以解决;同时,积极主动地寻求自己的专业发展,把教学的信念和技巧内化之,去研究自己的教学,使教学更加有效。相反,如果一个教师仅仅满足于获得经验而不对经验进行深入思考,那么,即使是有"20年的教学经验,也许只是一年工作的20次重复,……除非善于从经验反思中吸取教益,否则就不可能有什么改进"。因此,新课程要求教师把教学过程作为"学会教学"的过程，只有不断进行创造性反思、学会教学的教师，才能培养出不断学会学习的学生，最终实现"学会教学"和"学会学习"的统一。反思可以通过以下两种基本方式进行：一是自我反思，二是与他人合作就共同性的问题进行反思。

8. 协作性教学的能力

以往的课堂教学中，教师基本上是单兵作战。但在新课程中的学习活动中，面向学生的现实世界和生活世界，强调现实问题的解决。由于问题来源的多元化和问题解决的复杂性，多种学科的知识在"问题解决"中交汇、融合，新的知识在这里生成，学科与学科之间，学科教学与现实生活之间的联系变得空前密切起来，教师已不能单独地驾驭对学生在知识、方法、技术方面的所有指导工作，这就要求教师从个体走向合作，具有协作性教学的能力。教师之间密切合作，可以相互提供支持、启迪灵感、共享智慧、减轻负担、促进生长。合作需要有善于沟通的品质和能力，需要有理智的判断和成熟的热情，需要有设身处地为他人着想的品质和推己及人的胸怀。因此，新课程的实施彻底改变了传统学科教学之间那种"鸡犬之声相闻，老死不相往来"的局面，使人真正理解了"团结就是力量"的真谛，感受到了文人相亲，愉快合作产生的魅力。

9. 综合管理的能力

新课程的实施打破了校园的围墙，学校、家庭、社会连成一体，拓展和更新了学习内容和学习情境，要求教师不仅针对教室的教学环境来设计组织、管理全班的教学，而且要善于以"社会"为"课堂"来设计、组织、管理教学，对教师的组织、管理能力提出了严峻的挑战，由此必将推动教师综合管理能力的提高。

新课程的学习需要能构思与之相关的学习环境和具有调控能力的教师。所谓协调学习环境，是指选择与学习相适应的场所，把环境中的人和物等有机组织起来。需要与那些在当地社会、自然方面担任工作的人融为一体。外部人才在学习环境的构成中应占相当重要的位置。因此，要求今后的教师不可能像以前那样"躲进小楼成一统"，而应和各种各样的人交往，不断增强人际关系能力，与当地的人们建立良好的合作关系，成为一名新型的、开放式的、具有社会活动家色彩的人际关系的艺术家。此外，图书馆、美术馆、青年科学中心等各机关的灵活使用,以及能得到所属工作人员和专家们的理解和帮助也是相当重要的。

10.综合评价的能力

新课程强调以学生为主体的主动学习和探究,注重培养学生具有创新精神和实践能力、终身学习的能力和适应社会生活的能力;体验和掌握科学研究的一般过程和方法,具有科学精神,形成科学态度,培养团队合作精神,学会与人交往。因此,新课程的学习活动具有多方面、多层次的教育价值,使得以往用于学科教学的评价模式和方法根本无法适应新课程学习的评价。这就决定了教师必须树立新的评价观,构建具有综合色彩的,有明确价值导向的,旨在促进学生素质全面发展的发展性评价体系。

教师要具有综合评价能力,对学习活动的评价应变"一元评价"为"多元评价",变"量化评价"为"质性评价",变"终结性评价"为"过程性评价"。例如,对学生学习效果评价时,不仅可以通过对学生日常作品的收集,如报告书、作业、笔记、小制作、作文、绘画等反映学生学习、个性化和多样化的信息,也可通过教师的课堂观察和日常观察了解学生的学习方式和结果。通过多渠道,用多种方法获得的学生学习的情况,就可以形成学生学习发展的全景,依据这些评价信息也可以相互验证,防止出现漏评或错评,对学生的学习评价的结论也能够更具个性化,可以有效地避免学生评价中长期出现的单一化和僵化的弊病。

第二节 新课程背景下教师专业发展的途径

当前课程改革的浪潮给教师带来了严峻的挑战,同时也为教师的专业成熟提供了很好的发展机遇。可以说,这场改革将使生物教师队伍发生一次历史性变化,每位生物教师都将在这场变革面前接受考验,经历换脑、充电、反思过程,在高起点上实现新的跨越。

一、生物教师专业发展的有效途径

(一)途径之一:转变思想观念

生物教师面临的第一个挑战,是新的课程改革和新的课程理念与教师传统的教育教学观念的矛盾。长期形成的旧的传统教学习惯,很难使教师对新课程、新教法获得全新的认识,致使思想跟不上时代发展,教学观念陈旧滞后,成为推行新课程的严重阻碍,这就不可避免地产生新旧两种教学观的激烈碰撞。

当然,实现教师教学观的与时俱进,还要从理解和掌握新课程理念上做起。新课程目标定位很高,这就是:为了全体学生的发展,为了学生的全面发展,为了学生的个性发展。这"三个发展"体现了教育的本质,把课改理念提到了时代发展高度,是历次课程改革从来没有过的。它意味着新的基础教育观是"以人的发展为本"的教育,是目中有人的教育,是把学生看成是有思想、有情感、有权利、有尊严,正在成长发展中的人。面对活生生的有血有肉的人,教师必须端正教育思想,给活生生的人创造一种生动活泼的学习情境,使他们真正成为主宰自己学习的主人。而目中无人的教育,不把学生当人看,一切从本本出发,一切围着教师转,一切教学活动以知识为中心。这"三个一切"和新课程的"三个发展"是截然不同的两种教育观,在针锋相对的两种教育观中,教师只能有一种选择:目中有人的教育,而对习以为常的目中无人的教育,包括旧的教育观、教学观、教师观、学生观、质量观,必须猛烈冲击,在批判中扬弃,在批判中吸收。要知道,惟有全面推进目中有人的教育,新课程理念才能全面落实;惟有实施目中有人的教育,才能真正体现教育的本质;惟有落实目中有人的教育,才是教师应该持有的态度。

生物教师应与时俱进,最实际和最有效的途径是在思想观念认识上,牢固树立求新、求异、求变的意识。

第一,拥有求新、求异、求变的意识,能使教师始终保持一种积极上进的心态,它会不断地促使教师从新的角度去审视教育;不断地促使教师根据教育改革发展的需要,给自己一个恰当的定位;不断地促使教师从知识的传授者、灌输者、拥有者转向教学活动的组织者、帮助者、合作者;不断地促使教师从尊贵者、训导者、强制者转向引导者、促进者、服务者。实现教师角色转换,是一场破旧立新的革命,这场革命越深刻、越彻底,教学改革就越广泛、越深入。

第二,求新、求异、求变意识贯穿于教学活动过程,既是满足学生心理发展需要,又是实现新课程标准。教师求新,就是求进步、求发展,这是与时俱进的教师都具有的一种心理倾向。凡是求新意识强的教师，都不会拿昨天的经验来禁锢自己，他要向前看，以高度的责任心来规范自己的思想和行为，他会通过各种求新活动，接受新理念、洗刷旧观念、增长新知识、改换新方法。教师求异，就是勇于探索、敢为人先、与众不同，这是一个教师敢于改变自己而生发出来的一种心理品质。凡有求异思维的教师，不走回头路，不照搬模仿别人，不固守一种模式。他常扪心自问：今天的学生与昨天的学生有什么不同，今天的教学比昨天的教学有什么进步。他会从各种比较对照中，寻找求异的思路，给教育创新开辟一个新的天地。教师求变，就是敢于打破对权威的迷信、对古人的迷信，敢于打破不适宜的条条框框，敢于否定自我，置一切事物于变化之中。具有这种新理念的教师，会从内心发出一种积极上进的动力，他不满足于曾经取得的成绩，他想用自己一生最大的努力，使自己的教育教学活动变得更有新意、更有成效，他会在追求教育变革中，不断地超越自我。

第三，求新、求异、求变是一种创新心理，既能体现新的教学理念，又是一种新的教学行为。具有这种新理念的教师，会一改过去长期形成的模式化教学行为，他会按照现代教育思想的要求去构建现代化教学模式，使新课程倡导的自主学习、合作学习、探究学习，成为课堂教学占据主导地位的主要方式。

(二)途径之二：提高教师素质

新教材的一个显著变化是，难度降低了，知识面加宽了，对生物教师的素质要求更高了，这对那些知识储备不足，教学能力一般，身心素质不高的教师，无疑又是一个不可回避的挑战。因为新教材的实施需要教师拥有宽厚的学科知识，特别需要有教育理论知识和相关学科知识，同时还要求教师具有使用新教材和驾驭新教材的能力，有提出问题、分析问题和解决问题的能力。而满足于只会教书的教师，与新教材要求的高水平的研究型教师相距甚远，教师旧的知识体系与新教材要求的尺度产生矛盾，这就造成了相当多教师不能适应新形势变化的局面。

生物教师应该明白，人生有挑战是好事，是催人上进；有挑战并不可怕，而可怕的是失去发展机遇。把人生挑战转化为发展机遇，最有成效的办法是主动出击、求真务实、努力提高。所谓主动出击、求真务实、努力提高，就是教师在提高自身知识能力素质上,在开展各项教学活动中,要从"学会做人"和"学会做学问"这两个高度上来要求自己。"学会做人"就是不图有虚名,不弄虚作假,不搞形式主义,不自欺欺人,不做违法缺德的事,永远做一个品德高尚的人。"学会做学问"就是扎扎实实下大劲、练内功,实实在在求真知、学本领,不折不扣遵循教育教学规律办事,时时刻刻不忘实践出真知,随时随地自我反思、自悟自解,努力做一个有学问的人。教师从"学会做人"、"学会做学问"两个高度要求自己,还得从以下三个方面求真务实。

第一,生物教师必须成为一个孜孜不倦的学习者。教师的劳动特点决定了教师应该成为一个善于学习的人,应该尽自己最大的努力去精通生物学科,并保证自己始终站在它的最前沿;同时,还应该拥有多学科知识储备,随时解决教学中遇到的各种问题。教师学习至关重要的是学习现代教育理论,包括新课程理念、新课程结构、新课程标准以及教学内容和教学方式等方面所贯穿的新思想,教师只有深刻地理解和掌握现代教育改革的新理念,才能正确地把握发展方向,做到主动出击、求真务实;否则,头脑里新东西装得太少,经常是跟着感觉走,走到哪里算哪里,始终是被动的,难免有一天会被淘汰。

第二,生物教师主动出击、求真务实,必须向实践学习,在实践中学真知,在实践中练思想,在实践中求发展。新课程提倡在情境中解决问题,要求教师学会把教科书里的知识转化为问题,引导学生去探究,帮助学生构建知识。这是运用新课程理念去指导实践的过程,这个过程既包括边学理论边实践,在实践中学理论,在实践中用理论的过程,也包括对理论和实践的反思,对实践过程所获得的经验、体会和感受的反思。有些教师舍近求远,总想离岗去学习,而学习回来之后仍然没有什么长进和提高,原因就在于进修内容脱离实际,进修人员另有其他图谋。所以,一个有经验的求真务实的教师,从不放过向实践学习,从没有忘记给自己创造成功的机会,通过实践锻炼去攀登教学的最高境界。

第三,生物教师主动出击、求真务实,还应该向学生学习。韩愈《师说》中"师不必贤于弟子,弟子不必不如师"说的就是教师应该放下"师道尊严"的架子,虚心向学生学习,尤其是当今的学生,获取知识的渠道增多,掌握信息的能力提高了,对新科技领域又很敏感,不少方面比教师知道得还多。加之现在实行开放教学,学生会把课内外获得的大量知识信息带到课堂上来,他们理解和运用知识的方式又那么独特和新奇,常常使教师感到惊奇和意外,教师怎能不高兴和赞许呢? 面对才华横溢的学生,教师只有老老实实向学生学习,既当先生又当学生,才能真正实现"教学相长"。况且,现代教学强调的就是合作学习、探究学习,是师生互动,是互教互学,是兵教兵,是教师搭台学生唱戏。当教师看到或听到学生对问题争论得那么激烈、那么有见识、那么有创意时,教师会不由自主地称赞学生,默默表示应该向学生学习。当然,问题还不仅仅如此,问题还在于教师惟有向学生虚心学习,才能更好地培养出能够最终超越自己的学生;教师惟有向学生虚心学习,才能真实地告诉学生,对科学知识的探索和追求是一种交流,一种合作,因为人类知识的积累本来就不是教师个人所为,乃是人人参与,历史枳累的产物;教师惟有向学生虚心学习,对自己而言是"学习",对学生而言才真正称得上是"教育"。

(三)途径之三:加强职业信念

生物教师遇到的第三个挑战目标,是教师作风、态度、行为上存在诸多问题,影响到教师自身职业的信念和态度,影响到教师对新课程改革的热情和投入,影响和危害到学生身心健康和发展,影响和降低了教学活动应该取得的实际教学效果。当前,社会对教师价值的认可与教师的付出存在很大反差,教师内心受到了来自各个方面的冲击甚至诱惑,一些教师受商品经济的驱动存在着严重的功利主义思想,教学工作也贴上了商品的标签,只讲利益,不讲效益;有的教师敬业精神大减,既不了解课程改革实质,也不理解教材变更意图,抱着当一天和尚撞一天钟的心态工作;有的教师表现出明显的职业厌倦症,对学生发脾气、显威风,行为举止不得体,动不动就体罚学生,采取极端的非人性化行为,严重地伤害了学生的心灵;等等。凡此种种不良思想和行为,虽说只是部分教师所为,但它产生的影响是不可忽视的,它对教师队伍形成合作团结上进的风气,同样起着潜移默化的消极作用,它与教师思想观念落后、知识能力不足共同构成教师承担新课程改革的三个阻力。所以,加强自我教育,避免教师作风态度行为上的偏差,则是保证新课程有效实施的又一个重要任务。

那么,怎么避免呢? 通过自律、自尊、自强,实行自我教育。

第一,教师自律、自尊、自强,是教师职业对教师的要求。教师的职业是教书育人,育人必须先育己。教师育人是以自己的灵魂去塑造他人的灵魂,这种职业的特点决定了教师的灵魂必须是纯净的,教师必须比其他从业人员更具有高尚的道德和情操;否则,不纯净的灵魂对他人只能是亵渎。教学实践还告诉教师,激情是育人者身上最重要的特征。一个能热爱学生又能尊重学生个性的教师,一个能满足学生需要又能鼓励学生自主学习的教师,一个能促进学生合作学习又能设置问题情境引导学生去探究的教师,应是一位充满热情和自信的教师,一位自律、自尊、自爱、自强心很强的教师,一位有知识、有能力、有方法而又有高度事业心和责任心的教师。

第二,教师自律、自尊、自强,是教师自我教育的一种有效形式。我们每个教师都要接受教育,接受教育最有效的方式是自我教育。因为任何形式的教育都是外在的,要起作用还要靠内在的因素,靠发自内心的不可替代的自我教育。我们所说的自我教育,是以自律、自尊、自强为前提而进行自我设计、自我监控、自我发展的教育。自我设计是教师生涯的第一步,是教师对自己 5 年以后、10 年以后、20 年以后,乃至退休以后要做些什么,要达到什么水平,作出自我规划。自我设计是教师自定职业目标,是教师热爱和献身教育事业崇高信念的表达。适时而恰当的目标定位,不仅可以使教师消除人生惰性,而且可以激励教师为追求目标付出艰辛的努力。自我监控是教师自我教育的主要环节,是把自我教育渗透在教学工作的各个方面,它主要是通过教师与学生平等相处,教师与学生合作对话,教师与学生沟通交流,教师与学生一起成长等活动,来监控教师在言语、情感、态度、作风、行为等方面,能在多大程度上达成教育大目标和自定的职业目标。教师自我监控过程,就是教师自律、自尊、自强的过程,教师自控能力不断增强,教师作风、态度、行为就会步步趋于规范。教师自我发展是教师自我设计和自我监控的最终结果,一个有激情、有理想的教师,敢于自我设计,又能认真地实现自我监控,就一定能够实现自我发展。

第三,教师自律、自尊、自强,是教师处理人际关系、解决矛盾冲突的一种手段。教师与教师、教师与学生要天天打交道,教师以什么样的心态同他人交往,对教师个人工作,对学生健康成长,对教师群体相处,都至关重要。教师与学生交往难免因教师一句抱怨学生不争气的话,对学生一个不文明的举动,做了一件对学生不得体的事,与学生发生了不该发生的误会,产生一些隔阂或矛盾冲突。不管事实起因何在,教师都要从自检做起,从严于律己做起,从尊重学生做起,保持自律、自尊、自强的心态去处理问题。

二、坚持自我更新,促进自我专业发展,与课程改革一起成长

以上所述都是有关生物教师专业发展的问题。教师的专业发展靠谁?靠社会的关注,靠政府的重视,靠学校的培养,但更重要的是靠教师自己,靠教师不断地坚持自我更新,促进自我专业发展。教育是一个使教育者和受教育者都变得更完善的职业。只有当教育者自觉地促进自己专业发展和完善自己的时候,才更有利于学生的完善和发展。长期以来,谈到教师,我们关注的焦点一直是怎样"育人";然而,对"育人"质量乃至教师的生命质量具有决定意义的是教师的"育己"。以往我们常说,"要给学生一杯水,教师要有一桶水"。然而在今天看来,如果教师只有一桶死水的话,必然要被时代所淘汰。教师必须是一条小河,一条常流常新,敢于不断地否定自己、更新自己的小河。我们所说的"育己",就是教师的"自我更新"取向的专业发展,就是教师在职业实践中对完美职业角色形象的探究和实践、思考与行动。新的世纪是一个充满竞争和选择的世纪,新的课程体系已经将这种"竞争和选择"摆在了我们每一位教师的面前。要适应新课程的需要,生物教师一定要不断增强自我专业发展意识,自觉承担专业发展的主要责任,激励自我更新,成为一条不断自我反思、常流常新的小河。

我们有理由相信,没有教师主动的专业发展,就很难有学生的主动发展;没有教师的生命质量的提升,就很难有教育质量的提升;没有教师的角色转变的成功,也就很难取得课程改革的成功。新课程需要新型的教师,必然会孕育出新一代的教师。高中生物课程改革不仅对生物教师提出了新的要求,赋予我们历史的重任,同时也为我们教师的发展提供了广阔的空间和舞台。谁能够及早意识到这一点,谁就会在课程改革中把握发展的主动权,在新课程中享受到教师这一特殊职业内含的欢乐和尊严。生物教师重任在肩,在新的课程改革和教学实践中,让我们努力转变角色,学习掌握新的教育要求及专业技能,与新课

程同行,与课程改革一起成长,为人类历史上最为壮阔的课程改革写下辉煌的篇章。

主要参考文献

1. 国家教育部　基础教育课程改革纲要(试行),2001.
2. 国家教育部　全日制普通高级中学生物教学大纲(试验修订版)　北京：人民教育出版社,2000.
3. 国家教育部　普通高中生物课程标准(实验)　北京：人民教育出版社,2003.
4. 郑春和　"分子与细胞"模块的解读　生物学通报,2004.3.
5. 张新时　普通高中课程标准实验教科书生物学　北京：中国地图出版社,2004.
6. 朱正威,赵占良　普通高中课程标准实验教科书生物　北京：人民教育出版社,2004.
7. 人教社生物自然室　全日制普通高级中学教科书(试验修订本·必修)生物　北京：人民教育出版社,2000.
8. 人教社生物自然室　全日制普通高级中学教科书(试验修订本·选修)生物　北京：人民教育出版社,2000.
9. 钟启泉等　基础教育课程改革纲要(试行)解读　上海：华东师范大学出版社,2001.
10. 钟启泉等　普通高中新课程方案导读　上海：华东师范大学出版社,2003.
11. 刘恩山,汪忠　普通高中生物课程标准(实验)解读　南京：江苏教育出版社,2004.
12. 国家教育部基础教育司,师范教育司　普通高中生物课程标准(实验)研修　北京：高等教育出版社,2004.

13. 国家教育部基础教育司,师范教育司　普通高中新课程与学生评价改革　北京:高等教育出版社,2004.

14. 朱慕菊,刘坚　来自课程改革实验区的声音　北京:未来出版社,2003.

15. 许冠学,邱才训,林祖荣　高中生物新课程理念与实践　海口:海南出版社,2004.

16. 李秉德　教学论　北京:人民教育出版社,1998.

17. 皮连生　学与教的心理学　上海:华东师范大学出版社,1999.

18. 赵锡鑫　生物学教学论　北京:高等教育出版社,1988.

19. 周美珍　生物教育学　杭州:浙江教育出版社,1992.

20. 杨华等　生物课程教育学　武汉:华中师范大学出版社,2003.

21. 陆健身　生物教育展望　上海:华东师范大学出版社,2001.

22. 胡继飞,郑晓蕙　生物学教育心理学　广州:广东高等教育出版社,2002.

23. 陈继贞,张祥沛,曹道平　生物学教学论　北京:科学出版社,2003.

后 记

普通高中生物新课程方案,已于2004年9月在山东、广东、海南、宁夏四个省(区)开始进行实验。这次课程改革的理念新、步伐大、要求高,这将给广大高中生物教师带来新的挑战,提出新的更高的要求。为适应新课程改革和高中生物教师的需要,我们编写了《高中生物新课程理念与教学实践》这本书。

本书以高中生物新课程理念为指导,以学习方式和教学方式的转变为核心,试图通过提供基本课程理念、教学理论和操作范例,构建与新课程相适应的高中生物教学改革基本框架,期望读者能够从中受到点滴启发,以利于对新课程理念的领悟和教学行为的转变。

本书由张可柱、张祥沛、郭永峰拟定编写提纲,樊庆义、密守军、姜剑锋、王传文参加了讨论修改。编写分工如下:燕艳(第一章,第五章);张祥沛(第二章,第六章第一节、第二节、第三节,第七章第一节);张可柱(第三章,第九章第四节);郭永峰(第四章,第十章,第九章第三节);樊庆义(第六章第四节);姜元祥(第七章第二节);姜剑锋(第七章第三节);密守军(第八章第一节,第九章第二节);王传文(第八章第二节,第九章第三节);上官士栋(第九章第一节)。最后由张可柱、张祥沛对书稿进行审改、统编、定稿。

在本书的编写过程中,参阅了同行、专家的著作、论义,在此,我们表示真诚的谢意!限于编者的水平,书中不免存有一些不足,诚望各位专家和广大读者批评指正。

编 者

2005年10月